PEGASUS

E AS ORIGENS DO OLIMPO

Kate O'Hearn

Pegasus

e as Origens do Olimpo

Volume 4

Tradução
Heitor Pitombo

LeYa

Título original: *Pegasus and the origins of Olympus*

Direção editorial: Pascoal Soto
Editora executiva: Tainã Bispo
Produção editorial: Pamela J. Oliveira, Renata Alves e Maitê Zickuhr

Preparação de texto: Fernanda Mello
Revisão: Carolina Serra Azul
Diagramação: Lira Editorial
Design de capa: ninataradesign
Ilustração da capa: © Richard Jones 2012

Dados Internacionais de Catalogação na Publicação (CIP)
Angélica Ilacqua CRB-8/7057

O'Hearn, Kate
Pegasus e as origens do Olimpo/Kate O'Hearn; tradução de Heitor Pitombo. – São Paulo: LeYa, 2014. 294 p. – (Olimpo em Guerra, v. 4)

Título original: Pegasus and the Origins of Olympus

ISBN 978-85-8044-955-6

1. Literatura americana – ficção 2. Ficção fantástica
3. Literatura infanto-juvenil I. Título II. Pitombo, Heitor III. Série

13-1048 CDD–813

Índices para catálogo sistemático:
1. Ficção: Literatura norte-americana

2014
Texto Editores Ltda.
(Uma editora do Grupo LeYa)
Rua Desembargador Paulo Passalácqua, 86
01248-010 – Pacaembu – São Paulo – SP
www.leya.com.br

Para os cães abandonados da Grécia

1

A luz da Corrente Solar pulsava e brilhava enquanto ela a atravessava o mais rápido que podia. Tinha que ir para casa! Mas quanto mais rápido viajava, mais longa se tornava a jornada. Obstáculos bloqueavam seu caminho e a retardavam. Outros mundos a evocavam. Mãos invisíveis a alcançavam e a puxavam para baixo.

– Não! – gritava. – Tenho que voltar antes que seja tarde demais. Deixem-me em paz!

Libertando-se do seu domínio, percorreu a Corrente Solar até finalmente chegar em casa. Ela chegou ao templo e se lançou por seus longos corredores de pedra. O coração acelerou e o temor cresceu quando sentiu que os outros se reuniam longe do templo. Estavam se unindo e fundindo os poderes. Tinha que alcançá-los, juntar-se a eles. Não podia ser deixada para trás.

Emergiu do templo de pedra e adentrou a selva densa e verde. Aumentou a velocidade enquanto se movia ao longo de trilhas mais antigas que o próprio tempo; passou correndo pelas grandes estátuas de seu povo e se esquivou de árvores enormes. Aquele era o seu lar. Seu santuário. Seu mundo. Mas todos estavam prestes a deixá-lo. Para seguir em frente.

Haviam dito que tentariam esperar por ela. Mas, quando as estrelas se alinhassem, teriam que partir com ou sem ela.

– Por favor, não me deixem chegar atrasada... – implorava.- Por favor! Por favor!

O grito de Emily a acordou daquele sonho terrível, e ela sentiu uma língua quente em seu rosto. Olhou para cima e viu o magnífico garanhão alado, Pegasus, parado ao lado de sua cama.

Ele brilhava intensamente enquanto olhava em sua direção e relinchava suavemente.

O rosto de Emily estava quente e corado, e a moça arfava pesadamente, como se tivesse participado de uma corrida.

– Estou bem, Pegs – disse com tranquilidade enquanto contemplava seus olhos grandes e preocupados.

Pegasus relinchou novamente e encostou o focinho no rosto dela.

– Em! – Seu pai entrou rapidamente no quarto. – O que houve? Você estava gritando e chorando.

Ela tremia por inteiro.

– Foi apenas um sonho – disse ela. – Desde que voltamos da Área 51, venho tendo o mesmo sonho repetidas vezes. É como se eu fosse outra pessoa e tentasse voltar para casa antes de algo importante acontecer. Estou com tanto medo que não vou conseguir me lembrar do que se trata. Mas enquanto atravesso a Corrente Solar, coisas que não consigo ver bloqueiam meu caminho e alguma coisa tenta me impedir. – Ela fitou o rosto preocupado do pai. – O que isso quer dizer?

Seu pai se sentou na cama e a puxou para dar-lhe um abraço apertado.

– Não sei, querida. Dizem que os sonhos vêm do nosso subconsciente enquanto ele tenta resolver as coisas.

– Como o quê? – perguntou Emily.

– Não tenho certeza. Mas você passou por tanta coisa ultimamente. Talvez sua mente esteja tentando digerir tudo o que aconteceu. Veja como nossa vida mudou. Vivemos aqui no Olimpo e agora você tem tantos poderes. Sei que eles a assustam. Talvez seja essa a causa de seus pesadelos.

– Não são pesadelos – corrigiu Emily. – É sempre a mesma coisa. Fico desesperada em voltar para casa, onde está rolando algum tipo de reunião. Mas sempre acordo antes de chegar.

– Para casa? – perguntou ele. – Você está se referindo a Nova York? Quer voltar?

Emily franziu a testa e balançou a cabeça.

– Não, não é Nova York, e também não é o Olimpo. É um lugar estranho com mato para todo lado. Estou em um templo intricado feito de pedras, cercada por estátuas imensas.

Pegasus relinchou alto e balançou a cabeça. Aproximou-se de Emily e a encarou fixamente. Quando fitou profundamente seus olhos castanhos e afetuosos, Emily teve a visão de um mundo selvagem cheio de grandes estátuas de pedra.

– É essa a floresta! Você também andou sonhando com ela?

O garanhão branco e forte balançou a cabeça, arrastou a pata no chão e relinchou várias vezes. Ele virou a cabeça na direção da porta. Então, cutucou o pai de Emily e tornou a se virar para a porta.

– O que foi? – perguntou o pai. – O que você está tentando me dizer?

– Ele quer ir a algum lugar – explicou Emily.

– A essa hora da noite?

Depois de mais algumas tentativas fracassadas de fazer com que Emily e o pai entendessem, Pegasus desistiu e saiu. Voltou alguns instantes depois com um Paelen e Joel muito sonolentos.

– Você está bem, Em? – perguntou Joel meio grogue enquanto se aproximava de sua cama. Ele só estava usando a parte de baixo do pijama, e ela podia ver onde o novo braço prateado se juntava ao seu corpo largo. Parecia exatamente igual ao antigo que Vulcano havia criado depois que ele perdeu o verdadeiro na luta contra as górgonas. Ela ficou impressionada com a rapidez com que Vulcano conseguiu construí-lo depois que os cientistas da UCP na Área 51 removeram cirurgicamente o antigo.

Emily fez que sim com a cabeça.

– Estou bem. Tive aquele sonho outra vez. Mas depois Pegs me mostrou um lugar exatamente igual ao do meu sonho.

Paelen bocejou ruidosamente. Seu cabelo estava eriçado para todos os lados e sua roupa de dormir estava amassada e desalinhada.

– Você me acordou porque Emily estava tendo um sonho? E quanto a mim? Eu estava tendo meu próprio sonho incrível com várias ninfas das águas.

Pegasus relinchou e empurrou Paelen.

– O quê? – gritou Paelen. – Não tenho o direito de sonhar?

– Paelen, por favor – disse Emily. – Pegasus está tentando me dizer algo, mas não consigo entendê-lo. Acho que é importante.

Paelen se concentrou em Pegasus.

– O que é?

O garanhão relinchou algumas vezes e balançou a cabeça.

– Isso é muito estranho – disse Paelen. – Pegasus diz que o mundo que você tem descrito nos seus sonhos é aquele para o qual você o enviou quando você levou um tiro nas instalações da UCP, no deserto de Nevada.

Emily franziu a testa.

– Como? Eu nunca estive lá, nem sequer ouvi falar dele. Porque iria sonhar com um lugar que nunca vi? E porque tenho sempre o mesmo sonho?

Pegasus bateu com a pata no chão e relinchou levemente.

Paelen parecia chocado.

– Sério? Por que não ouvimos falar disso quando diz respeito a Emily?

– O que me diz respeito? – Emily perguntou.

– Aparentemente, depois que voltamos da Terra, Júpiter mandou algumas de suas pessoas para o mundo selvagem a fim de explorá-lo. Ele tinha curiosidade de saber por que seus poderes mandariam as coisas para lá.

Emily olhou para Pegasus.

– Você sabia disso e não me contou?

O garanhão abaixou a cabeça, parecendo estar muito culpado.

– Pegasus acabou de descobrir. Júpiter lhe pediu para não dizer nada, pois temia que isso pudesse deixá-la magoada. Depois de tudo o que aconteceu na Terra, ele queria que você descansasse por um tempo no Olimpo e não se preocupasse com o mundo selvagem.

– Não terem me contado nada é o que me deixa magoada! – devolveu Emily. – Júpiter me prometeu que iríamos descobrir isso juntos. Ele não devia ter enviado gente para lá sem mim.

O pai de Emily assentiu com a cabeça.

– Concordo. Deve haver algo que explique porque os poderes de Emily enviaram você e Alexis, a Esfinge, para lá. Temos o direito de nos envolver na investigação. Vou conversar com Júpiter pela manhã e descobrir o que está acontecendo.

– Vou com você – disse Emily.

– Eu também – acrescentou Joel.

– E eu – disse Paelen.

Pegasus relinchou e balançou a cabeça. Emily não precisou que Paelen traduzisse. O garanhão também estaria lá.

O sono não voltaria para Emily. Depois do último sonho, ela não queria mesmo. Em vez disso, ela e Pegasus saíram em silêncio do palácio e voaram bem alto no céu noturno sobre o Olimpo.

As estrelas brilhavam intensamente mais acima e projetavam luz suficiente para que pudessem enxergar. Emily olhou para baixo na direção dos habitantes noturnos enquanto estes seguiam com suas vidas silenciosas, trabalhando, vivendo e brincando à luz das estrelas.

Pegasus pousou na prateada praia particular que circundava o lago plácido. Não havia vento para agitar sua superfície, e era como se fosse um espelho gigante refletindo as estrelas lá de cima.

Emily desmontou de Pegasus e adentrou na água fria e calma até a altura dos joelhos. Ela não precisava mais da prótese na perna desde que seus poderes a haviam curado dos ferimentos sofridos na Área 51. As revelações do tempo que passou nas instalações da UCP ainda a incomodavam. Só havia confiado o que os cientistas haviam dito sobre ela a Pegasus. Nem chegou a mencionar nada para Joel ou Paelen por medo do que pudessem pensar dela.

Será que ela realmente não estava viva? Alegaram que ela não tinha matéria física do mesmo jeito que todos os organismos vivos têm – incluindo os olímpicos. E embora tivesse sangue e um coração para bombeá-lo pelo corpo, não precisava deles. Os cientistas acreditavam que eles estavam lá porque Emily achava que devia ser assim.

Em momentos de silêncio, ou quando estava sozinha com Pegasus, Emily se fazia a mesma pergunta o tempo todo: "Quem sou eu?". Mas apesar de todo o apoio e amor por ela, Pegasus não tinha respostas.

– Está tão lindo aqui – disse ela suspirando assim que Pegasus entrou no lago. – Às vezes eu gostaria que pudéssemos ficar para sempre, sem ter que nos preocupar com todas as outras coisas. Só eu, você e este lago prateado.

Pegasus encostou a cabeça na dela.

Ela levantou os olhos na direção do belo rosto do animal e tirou a longa crina que caía sobre seus olhos.

– Alguma coisa mudou. Posso sentir. Eu mudei e isso realmente me apavora. – Emily levantou a perna lisa. – Olha, não tem nenhum traço da cicatriz. Tudo o que tive que fazer foi imaginá-la sumindo, e ela sumiu. Mandei você e Alexis se afastarem sem pensar nisso de verdade e destruí a UCP na Área 51 sem fazer nenhum esforço. O fato de eu poder fazer tudo isso não o deixa assustado?

Pegasus bufou, balançou a cabeça e se aproximou de Emily.

– Obrigada, Pegs – disse ela, grata. – Mas isso me assusta. E se eu cometer um erro? E se eu realmente machucar alguém? Simplesmente não tenho controle suficiente.

Pegasus e Emily andaram pela praia prateada a noite inteira. Quando o dia começou a raiar sobre o Olimpo, ela montou no garanhão e eles pegaram o caminho de volta para casa, rumo ao palácio de Júpiter.

Assim que atravessou a ampla janela aberta voando, Emily mal pôde vestir a túnica e já ouviu alguém batendo na porta.

– Está pronta para ver Júpiter? – perguntou Joel enquanto entrava. O javali alado, Crisaor, estava ao lado de Joel e cutucou a mão de Emily com o focinho peludo para ganhar um afago.

– Estou pronta – disse Emily enquanto dava um beijo de bom-dia na testa do javali.

Os três se encontraram com o pai de Emily no corredor e subiram os largos degraus de mármore que levavam ao piso principal.

Como sempre, havia muita atividade no palácio enquanto as pessoas circulavam de um lado para o outro, cuidando de seus assuntos. Buquês de flores perfumadas e exóticas eram entregues, e as estátuas que adornavam o palácio estavam sendo lavadas por um grupo de jovens sátiros. Aqueles seres metade rapazes, metade bodes, avistaram Emily e Pegasus e os cumprimentaram entusiasmados.

O Cupido estava na base dos degraus, conversando com um jovem centauro. Quando viu Emily, seu rosto se iluminou com um sorriso radiante.

– Oh, que ótimo – murmurou Joel para Paelen. – Justamente do que precisamos, o Cupido aqui para causar confusão.

– Bom dia, Chama – disse o Cupido, radiante, enquanto se aproximava de Emily e fazia uma reverência elegante. Esticou o braço para pegar sua mão e lhe deu um beijo de leve.

– Oi, Cupido. O que o traz ao palácio?

– Minha mãe está numa reunião com Júpiter nesta manhã – explicou o olímpico alado. – Vim com ela na esperança de poder ver seu adorável rosto.

Emily ficou corada com o elogio. Embora a paixão por ele tivesse acabado há muito tempo, ele ainda conseguia encantá-la em um instante.

Ao seu lado, Joel emitiu um ruído exagerado, como se estivesse prestes a vomitar.

– Dá um tempo, Cupido.

Paelen estava à esquerda de Emily. De soslaio ela pôde observá-lo usar seus poderes olímpicos para esticar o braço. Enquanto o Cupido estava distraído com Emily, o braço alongado de Paelen deslizou por suas costas, depois pelas de Joel, até se curvar, despercebido, por trás do Cupido.

Emily cutucou Paelen com o cotovelo, mas a mão dele já havia alcançado o Cupido e segurado um punhado de penas das suas asas. Paelen puxou com força.

– Ai! – gritou o Cupido enquanto suas asas se abriam. Ele se virou para ver quem o havia atacado e não viu o braço de Paelen se retraindo. O que avistou foram algumas penas caindo no chão.

– Paelen! – acusou o Cupido. – Sei que foi você.

Joel e Paelen rolaram de tanto gargalhar ao perceberem a fúria nos olhos do Cupido. Quando o olímpico atacou, Paelen invocou as sandálias aladas que estavam aos seus pés. Elas haviam sido um presente de Mercúrio, o mensageiro do Olimpo, e agora serviam apenas a ele.

– Levem-me para cima!

As pequeninas asas acusaram o recebimento da ordem e ergueram Paelen no ar, acima da cabeça de Cupido.

– Desça aqui, seu covarde – vociferou Cupido, enquanto pulava e tentava alcançá-lo. – Você sabe que não consigo voar em ambiente fechado!

– Venha e tente me pegar, seu almofadinha – provocava Paelen, enquanto deixava as penas de Cupido caírem, uma após a outra.

O pai de Emily segurou o riso e ergueu as mãos para tentar acalmar os ânimos no ambiente.

– Já chega, rapazes. Temos trabalho a fazer.

– Mas você viu o que ele fez comigo! – gritou o Cupido. – Arrancou as minhas penas.

- Não arranquei, não – provocou Paelen, ainda pairando no alto e soltando penas.

Passos na escadaria atrás deles interromperam a discussão.

– Bom dia, Emily, Pegasus e todo mundo – saudou Juno enquanto descia os degraus. Atrás dela, seu pavão de estimação abriu sua enorme cauda e uma centena de olhos piscaram em uníssono.

Ela levantou os olhos na direção de Paelen.

– Perdi alguma coisa aqui?

Paelen ordenou às sandálias que pousassem. E se curvou perante Juno.

– Não – disse o pai de Emily, também se curvando. – Os rapazes só estavam se divertindo.

Emily fez uma reverência respeitosa à esposa de Júpiter.

– Bom dia, Juno – disse ela. – Será que poderíamos ver Júpiter alguma hora agora de manhã?

Juno parecia ser bem mais jovem que Júpiter e ostentava uma beleza atordoante. Usava um vestido longo e branco de seda esvoaçante que possuía milhares de pérolas bordadas no tecido. Havia um delicado cinto dourado amarrado na sua cintura e sandálias finas adornavam seus pés. Os olhos eram castanho-escuros, e tinham a mesma cor dos seus cabelos, que estavam elegantemente arrumados acima da cabeça e amarrados com uma corrente de pérolas.

– É claro, menina – disse Juno enquanto os guiava pelo salão de entrada, até adentrarem uma das amplas câmaras laterais. – Ele está aqui com o Conselho.

O pai de Emily deu um passo à frente.

– Se ele está com o Conselho, não queremos perturbá-lo.

Juno fez uma pausa e dirigiu um sorriso radiante para o pai de Emily.

– Meu marido sempre terá tempo para você, Steve. Não precisa pedir. – Ela abriu as portas duplas da câmara do Conselho e convidou todos para entrar.

Por trás de Emily, Paelen e Joel ainda estavam rindo do Cupido enquanto o olímpico alado vinha atrás e murmurava ameaças.

Júpiter estava em pé ao lado de seus dois irmãos, Plutão e Netuno, e de uma série de estranhos conselheiros. Entre eles estava o meio-irmão dos Três Grandes, Chiron, o centauro que era o conselheiro mais chegado a Júpiter. Também havia um gigante – tão grande que sua cabeça quase tocava o teto daquela câmara alta. Contudo, apesar do tamanho, os gigantes no Olimpo estavam entre os cidadãos mais gentis. Um ciclope estava ao lado do gigante, falando delicadamente.

Emily olhou para o grupo com admiração. Depois de todo esse tempo no Olimpo, ainda se maravilhava com a fantástica variedade de criaturas míticas que agora eram parte da sua vida cotidiana.

Do outro lado da câmara, Emily avistou Diana com o irmão gêmeo, Apolo. Vesta também estava lá, conversando compenetrada com Vênus, mãe de Cupido. Hércules estava em pé mais atrás, com os braços cruzados sobre o peito largo, conversando com Marte, o líder do conselho de guerra, parecendo bastante aborrecido.

Emily só havia visto Marte em duas outras ocasiões e nunca haviam conversado. Ele era alto, bonito e musculoso como Hércules, mas parecia estar eternamente zangado, com uma expressão que sempre obscurecia suas feições delicadas. Contudo, apesar de sua aparência furiosa, Marte era meio que um conquistador no Olimpo, e frequentemente visto ao lado de Vênus. Sua presença na sala do Conselho dava a entender que alguma coisa grande estava acontecendo.

Paelen ficou ao lado de Emily e a cutucou de leve.

– Vesta não faz parte do conselho geral, nem Hércules, Marte ou Vênus. Eu me pergunto o que estão fazendo aqui.

– Marido – gritou Juno enquanto adentrava o recinto com passadas largas. – Emily e sua família gostariam de trocar algumas palavras.

Júpiter levantou os olhos e seu rosto se iluminou com um largo sorriso.

– Claro, claro, entrem!

Desde os eventos na Área 51, onde Emily fora forçada a desafiar Júpiter para proteger a Terra, eles haviam se aproximado. Todos ficaram apavorados ao perceber o quão perto ficaram de lutar pelo destino do mundo. Agora conversavam frequentemente, e Júpiter, Plutão e Netuno haviam ficado mais parecidos com avôs amáveis do que com os mais poderosos líderes do Olimpo.

– O que posso fazer por você? – perguntou Júpiter enquanto colocava o braço em volta de Emily.

Antes que alguém pudesse falar, Pegasus começou a relinchar.

O sorriso de Júpiter desapareceu.

– Você vem tendo pesadelos?

Emily descreveu o sonho recorrente. Enquanto falava do mundo selvagem, os outros membros do conselho se amontoaram à sua volta. Quando ela terminou, Vesta se virou para Júpiter.

– Creio que é chegada a hora de lhe mostrarmos o que descobrimos.

– É verdade – concordou Júpiter. Ele abriu bem os braços para incluir todos que ali estavam. – Todos vocês, venham comigo.

Júpiter os conduziu por um segundo lance de portas até chegar a uma câmara de mármore ainda maior. Estava cheia de artefatos. Havia itens estranhos sobre as mesas e no chão, mas foi a enorme lousa de ardósia no centro da sala que imediatamente chamou a atenção de Emily. A lousa estava cheia de escritos e símbolos estranhos.

– Há milhões de mundos ao longo da Corrente Solar – começou a explicar Júpiter –, embora só tenhamos catalogado um pequeno número deles. Mas recentemente, graças ao fato de Emily enviar tanto Pegasus quanto Alexis para lá, descobrimos um mundo que fica bem no começo da Corrente Solar.

Chiron deu um passo à frente, e os cascos de seu cavalo estalaram no chão de mármore.

– Até hoje, nunca havíamos percebido que a Corrente Solar tinha um começo. Estamos vivendo um tempo de muita expectativa. Temos muito a descobrir.

– Vocês estão falando do mundo selvagem? – perguntou Emily.

– Claro que sim – disse Júpiter. – Em volta deste cômodo estão apenas alguns dos artefatos que encontramos por lá. Mas entre os mais interessantes estava uma pedra de ardósia fixada na parede de um grande templo.

Júpiter convidou Emily para se aproximar e conferir mais de perto.

– Tentamos transcrever as palavras daquela lousa de pedra aqui. Fiz com que meus melhores pensadores tentassem decifrá-las, mas até agora não conseguiram.

Emily examinou a lousa. Havia algo familiar naqueles símbolos. Enquanto contemplava aquela estranha escrita, os símbolos pareciam embaçar e embaralhar diante de seus olhos. De repente ela foi ficando tonta e começou a cambalear para trás.

Em um instante, Joel estava a seu lado. Colocou o braço a sua volta e a segurou.

– Está tudo bem, Em?

Emily se apoiou pesadamente nele.

– Eu... estou bem – afirmou. – Só que... – Quando olhou novamente para o quadro, ela perdeu o fôlego. – Eu conheço essa escrita!

– O quê? – completou seu pai, ofegante.

Emily se aproximou da lousa.

– Consigo entender. Tudo. – Ela apontou para cada símbolo e começou a ler em voz alta.

Nobres viajantes –

Bem-vindos a Xanadu.

Pedimos apenas que se aventurem por aqui com paz nos corações e respeito em suas mentes. Nosso mundo é o mais antigo e muito amado. Contudo, nós o oferecemos a vocês como refúgio. Aquilo que é nosso agora é seu. Mas seja cuidadoso com o nosso lar e honre nossas leis.

** Xanadu deve ser respeitado. Ele os alimentará, se vocês não abusarem.*

** Nossos hábitos são hábitos de paz. Não perturbe essa paz ou iremos defender nosso lar.*

** Toda vida é preciosa. Não mate nada aqui, caso contrário será expulso para sempre.*

Somos os Xan, criadores da Corrente Solar.

Guardiões do universo.

Xanadu é um santuário.

Emily se voltou para Júpiter. O líder do Olimpo colocou a mão na boca e seus olhos se arregalaram como ela nunca os vira. Ele a encarou como se tivesse visto um fantasma.

Vesta olhou da lousa para Emily em choque.

– Xanadu. – Diana e Apolo suspiraram, em reverência.

– Será que é possível? – perguntou Chiron delicadamente. Seus olhos dourados estavam arregalados e plenos de admiração. – Será que depois de todo esse tempo, finalmente o encontramos? – O centauro se voltou para Emily e se curvou respeitosamente. – Obrigado, criança.

Pegasus abaixou a cabeça assim que se aproximou dela. Crisaor, o gigante e até mesmo o Ciclope fizeram o mesmo.

– Será que alguém poderia, por favor, nos deixar a par do segredo? – perguntou Joel, confuso com o estranho comportamento dos olímpicos.

Suas reações afligiram Emily. Todos a olhavam como se ela fosse algo estranho, resgatado do fundo do mar.

– O que houve? – perguntou ela. – Pegs, pare de se curvar e me diga o que está acontecendo? O que há de tão especial em Xanadu?

Júpiter se aprumou e um sorriso reverente veio aos seus lábios.

– Da mesma forma que a Terra possui seus mitos em relação a nós, nós, olímpicos, também possuímos nossos próprios mitos e lendas.

Vesta deu continuidade à fala.

– Nossas lendas mais antigas dizem que, no tempo que antecede o tempo, muito antes dos olímpicos, e até mesmo dos titãs, houve Xanadu. Diziam se tratar de um lugar precioso e sagrado protegido pelos Xan; uma grande e poderosa raça que, de forma benevolente, governava o universo. Mas alguma coisa aconteceu e os Xan desapareceram.

Diana prosseguiu, com o rosto radiante.

– Foi por causa dessa lenda que tomamos o poder como guardiões da Corrente Solar. Já visitamos muitos mundos em busca dos Xan e de evidências de que Xanadu realmente existiu. Esta, finalmente, é a prova que vínhamos procurando. Finalmente encontramos Xanadu.

– E o que isso tem a ver com Emily? – perguntou seu pai.

Diana colocou o braço em volta do ombro de Emily e começou a andar com ela pela sala.

– Dê uma olhada nesses artefatos que trouxemos de volta. Você consegue reconhecer algo aqui?

Enquanto as duas iam de mesa em mesa, Emily ficou olhando os itens. Todos lhe pareciam tão familiares, como se soubesse o que eram, mas houvesse de algum modo esquecido. Ela se aproximou de algo que parecia com uma peça fosca de metal redonda e chapada, e reconheceu seu peso e forma. Tocou na parte inferior da peça, que de repente irradiou uma luz brilhante.

– Conheço isto – sussurrou. – É usado como lanterna.

Enquanto a luz resplandecia pelo salão, Júpiter ordenou que as portas da câmara fossem fechadas e as janelas travadas. Pediu para que todos se aproximassem.

– Ouçam-me. Isso aqui não pode se espalhar. Acabaremos tendo o núcleo de nossas bases estremecido se os olímpicos descobrirem que aquele que chamamos de Chama do Olimpo não é olímpico no fim das contas.

Júpiter se ajoelhou perante Emily e baixou a cabeça. Quando a levantou novamente, segurou as mãos da jovem.

– Criança, não consigo entender como isso é possível. Mas minha crença mais forte é de que você não seja humana nem olímpica, mas, de fato, uma Xan.

2

A mente de Emily estava girando enquanto voava bem alto com Pegasus sobre o Olimpo. Depois do anúncio de Júpiter, o salão explodiu numa discussão acalorada. Planos começaram a ser feitos para se criar um elo permanente entre o Olimpo e Xanadu. Mas quanto mais eles falavam da origem da Chama do Olimpo, pior Emily se sentia.

Incapaz de suportar aquilo, ela pediu para ser dispensada. Com Pegasus lealmente ao seu lado, a moça implorou para que o garanhão a levasse para longe do palácio. Não importava para onde, só queria ficar longe das provas de que ela não pertencia a lugar nenhum.

Emily sempre se sentia melhor quando ficava a sós com Pegasus. Mas, dessa vez, pairar nas alturas com o magnífico garanhão não estava sendo o suficiente. Sentia-se muito perdida. Como se ninguém no Olimpo pudesse entender o que se passava – até que ela teve uma lembrança.

A jovem se inclinou para a frente sobre o garanhão que pairava.

– Pegs, podemos, por favor, encontrar Alexis e o Agente T?

Pegasus relinchou uma vez e mudou de direção. Em pouco tempo estavam percorrendo um tipo diferente de cenário, um que não era tão verde e florido quanto os arredores do palácio de Júpiter. Em vez disso, havia poucas árvores em uma área de terra plana e dourada. O terreno se tornou rochoso, com cordilheiras altas e pontiagudas. Alguns prédios salpicavam a região, mas esta era basicamente isolada. Mais acima Emily viu um solitário salgueiro, alto e exuberante, parecendo estar estranhamente fora de lugar naquela área desértica.

Já fazia um bom tempo que Emily não visitava o ex-agente da UCP. Depois que Júpiter salvou sua vida e o transformou em um belo salgueiro, ele estava plantado no Olimpo e vivia com Alexis, a Esfinge.

Eles haviam construído uma ampla plataforma nas raízes da área onde Alexis pudesse viver. Agora ela raramente saía de lá, e não era vista no palácio de Júpiter há eras.

No momento em que os dois aterrissaram e se aproximaram do salgueiro, os galhos mais delgados começaram a tremular e acenar.

– Emily, Pegasus, olá! Que bela surpresa.

A voz do Agente T era leve e frondosa, mas estava lá. No começo, Emily ficou um pouco perturbada por ele ter virado uma árvore falante, pois nem mesmo tinha uma boca. Mas de algum modo, no Olimpo, tudo era possível.

Emily deslizou para fora do garanhão e se aproximou do tronco da árvore. Ela lhe deu um tapinha, cumprimentando-o.

– Oi, Agente T.

As folhas pareciam estar rindo.

– Emily, eu não sou mais o Agente T, tampouco um agente da UCP. Sequer sou humano. Agora, com certeza, você pode me chamar de Tom.

– Ela nunca irá aprender – gritou Alexis de sua plataforma no topo dos galhos mais fortes. – Mas como você está aqui, pode muito bem vir aqui em cima.

Emily afagou o pescoço de Pegasus.

– Vou voltar em um instante, Pegs.

Ela escalou a escada de cordas e subiu na plataforma robusta. As patas de leão da Esfinge estavam curvadas sob a parte superior de seu corpo, humana, enquanto ela se espreguiçava sobre uma almofada macia de seda encostada na lateral da árvore. Suas asas de águia estavam dobradas sobre as costas.

– O que traz a Chama do Olimpo ao nosso lar? – perguntou Alexis. – Você não está planejando outra aventura na Terra, está? Pois se estiver, não conte comigo.

– Alexis, por favor – disse Tom. – Deixe-a falar.

Emily estava atordoada com a mudança no comportamento do ex-agente da UCP. Desde que chegara ao Olimpo, seu exterior frio havia dado lugar a uma personalidade sensível e afetuosa. Emily podia entender agora o que Alexis vira nele. A Esfinge estava completamente apaixonada. Nada poderia fazê-la descer de seus fortes galhos, salvo uma ordem dada por Juno ou Júpiter.

– Na verdade, eu vim falar com o Agente... quer dizer, Tom – disse Emily, constrangida.

– Se é o que tem a fazer – suspirou Alexis. – Sente-se.

Emily queria falar com Tom a sós, mas Alexis não se retiraria. A Esfinge continuava teimosa e determinada como sempre fora. Emily se sentou na plataforma. Ela cruzou as pernas e ficou olhando para baixo na direção de seus dedos entrelaçados.

– O que houve? – perguntou Tom. – Não preciso ter olhos humanos para ver que algo a está perturbando.

Emily respirou profundamente. E olhou para o tronco liso do estranho salgueiro.

– Tom, você está feliz?

– Eu? – perguntou ele, rindo. – Você veio de tão longe para me perguntar se estou feliz?

– Está?

A árvore ficou séria.

– Sim, estou. Posso dizer honestamente que nunca estive tão feliz. – Tom fez uma pausa. – Na época em que você entrou na minha vida, eu quis amaldiçoá-la, a Pegasus e a todos os olímpicos. Não estava contente com nada que havia a minha volta, mas pelo menos achava que havia um lugar ao qual eu pertencia. Mas depois de tudo o que passamos juntos, você me mostrou o quanto eu estava perdendo. Agora, embora eu não possa ser o homem que um dia fui, não poderia estar mais contente.

– Mesmo que você não seja mais humano?

– Sim, embora não seja mais humano. Apesar de que... – ele fez uma pausa.

– De quê? – perguntou Emily.

– Bem, se eu pudesse pedir só mais uma coisa, gostaria de ter braços de verdade para que pudesse abraçar Alexis outra vez.

– Oh, Tom – Alexis choramingou. Levantou-se da sua almofada e se esfregou no tronco da árvore como faz um gato nas pernas de seu dono.

Emily ficou impressionada com a expressão delicada e amorosa no rosto de Alexis. A mortífera Esfinge entregara totalmente o coração ao ex-agente da UCP.

– Mas fora isso – prosseguiu ele –, estou muito feliz. Por que perguntou?

Emily olhou para suas mãos. Estavam começando a tremer. Incapaz de levantar a cabeça, ela sussurrou.

– Não sei mais quem ou o que sou.

Alexis virou o rosto. Seus olhos verdes e penetrantes se fixaram em Emily. Ela se sentou ao lado e colocou uma de suas enormes patas sobre as mãos da jovem.

– O que há de errado? O que a está perturbando?

Emily tentou conter suas emoções.

– Lá no começo, quando entrei pela primeira vez no Templo da Chama e mudei...

– Você se sacrificou por todos nós. Por causa disso, salvou o Olimpo e sempre lhe seremos gratos.

Emily balançou a cabeça, mas não olhou para cima.

– Foi difícil me acostumar com as mudanças pelas quais passei, mas todos aqui foram tão gentis e fizeram com que eu me sentisse como se fosse uma de vocês.

– Você é uma de nós – disse Alexis.

Emily encarou o belo rosto da Esfinge.

– Não, não sou.

– O que você quer dizer com isso? – perguntou Tom.

– Júpiter me pediu para que não contasse a ninguém. Pelo menos não até estarmos certos. Mas se eu não falar com alguém logo, vou enlouquecer.

– Pode confiar em nós – disse Alexis. – Conte-nos o que há de errado.

Emily desviou o olhar de Alexis, voltou-se para o tronco da árvore e começou a falar. Contou para eles sobre os sonhos recorrentes e terminou com as revelações daquela manhã, quando conseguiu ler a linguagem dos ancestrais.

– Foi exatamente para Xanadu que você me enviou! – disse Alexis, ofegante. – E você é Xan?

Emily torceu o nariz e acenou com a cabeça.

– Isso é o que Júpiter diz.

– Não entendo – disse Tom. – O que há de tão especial em Xanadu? Também tínhamos esse nome na Terra. Era uma antiga cidade da China e creio que foi até um filme sobre patinação rodado nos anos 1980.

– Você a conhecia por nossa causa – explicou Alexis. – Falávamos normalmente de Xanadu quando visitávamos o seu mundo. Mas trata-se de algo muito maior que uma antiga cidade terrestre. – Alexis explicou a Tom o que sabia sobre os Xan e depois olhou para Emily, completamente estupefata.

– Está vendo? – disse Emily. – É isso que está me deixando maluca.

– O quê? – perguntou Tom, balançando as folhas. – Não consigo ver o que aconteceu.

– De repente, tudo mudou. – Emily se levantou, andou até o tronco da árvore e apoiou a testa. – Júpiter se curvou diante de mim hoje de manhã. Assim como seus irmãos e até mesmo Pegs.

– Emily se voltou novamente para a Esfinge. – E agora até você está me olhando de um jeito diferente. Não quero isso. Quero ser um de vocês. Não quero ser tratada como se fosse uma espécie de rainha da antiguidade. Sou a mesma pessoa que era ontem. Mas agora todo mundo que sabe está me tratando de maneira diferente. Foi bem difícil quando todos começaram a me chamar de Chama do Olimpo. Mas, pelo menos naquela altura, eu fazia parte de vocês. Mas se eu for realmente uma Xan, do que faço parte? Quem sou eu?

– Você é a Emily – disse Tom.

– Mas eu nem ao menos estou viva – gemeu a moça.

– O que você está querendo dizer? – perguntou Alexis. – É claro que está viva.

Emily balançou a cabeça.

– Não foi isso que os cientistas da UCP me falaram.

A árvore suspirou pesadamente e suas folhas caíram.

– Ah, sim, a UCP, é claro. Eu deveria saber que ela ainda lhe causaria algum sofrimento. Que mentiras eles lhe contaram?

– Não são mentiras. É a verdade. Quando eu estava em seu laboratório, na Área 51, fizeram testes comigo. Disseram que eu nem sequer existo! Não possuo células nem matéria física. Não estou viva, não estou morta. Não passo de energia contida que pensa que está viva.

– Que ridículo! – disse Alexis, bufando.

– Agora entendo porque você veio a mim – afirmou Tom, delicadamente. – Você me perguntou se estou feliz. Quis saber se sou feliz agora que não sou mais humano e sim uma árvore. Minha resposta ainda é a mesma. Sim, estou. Mudei meus hábitos como jamais poderia imaginar que faria. Ambos mudamos. Mas, apesar de todas as mudanças, ainda somos, na essência, as mesmas pessoas que éramos antes. Talvez sejamos ainda melhores do que fomos. Nunca fui um homem gentil e nunca liguei para ninguém. Agora sei o que é amar e ser amado. O que somos fisicamente é apenas uma pequena parte de quem somos. E, Emily Jacobs, seja humana, a Chama do Olimpo ou uma Xan, você ainda é você. Duvido que qualquer coisa possa um dia mudar isso.

– Mas se as pessoas descobrirem que sou de Xanadu, vão me tratar de um jeito diferente.

– Em primeiro lugar – disse Tom seriamente –, você não é de Xanadu. Talvez seus poderes sejam. Mas ainda é uma garota de Nova York. Nasceu e estudou lá. Em segundo lugar, se as pessoas descobrirem que você é parte Xan e a tratarem de um jeito diferente, é só mostrá-las que ainda é a Emily. Logo irão aprender. Veja como você se sentiu quando me viu pela primeira vez como árvore. Não pense que eu não percebi o jeito como olhou para mim. Mas no fim das contas você acabou superando isso e agora sou apenas o bom e velho Tom. Ou, pelo menos, o Agente T. Você é aquilo que acredita ser, Emily. Possui família e amigos que a amam. O que mais poderia querer?

Emily jogou os braços em volta do tronco da árvore e pressionou o rosto na casca.

– Obrigada, Tom – disse ela, agradecida. – Sabia que você entenderia.

As folhas a sua volta palpitaram.

– É claro, Emily. E estarei sempre aqui se precisar conversar. – De repente a árvore começou a cair na gargalhada. – Afinal, não tenho muito para onde correr!

3

Stella Giannakou arrumou a mala de viagem, murmurando para si mesma e reclamando porque não ia poder ficar em Atenas enquanto os pais iam para o novo sítio arqueológico no Cabo Sunião. Ela tinha quase 16 anos e podia se cuidar sozinha. Não precisava de ninguém tomando conta dela enquanto os pais estivessem fora. Mas eles não quiseram ouvir. Por isso ela foi, mais uma vez, forçada a acompanhá-los em outra escavação.

Seus pais é que eram arqueólogos, não ela. Então por que insistiam em arrastá-la com eles? Stella havia passado a maior parte da vida viajando por toda a Grécia enquanto os pais se moviam de um sítio para outro, tentando desvendar o passado.

Para Stella, a história era um tédio. A única coisa que lhe interessava no passado eram os mitos. Mas apesar de serem gregos e de viverem na terra das histórias relacionadas à antiguidade, seus pais não acreditavam neles. Tudo que lhes importava era cavar na lama e encontrar peças de cerâmica quebradas.

– Stella, por favor, se apresse. Estamos prontos para partir! – gritou sua mãe do andar de baixo.

– Então vão – resmungou ela consigo mesma. – Deixem-me aqui. Não quero mais ver esses velhos vasos quebrados idiotas. São as minhas férias também, sabiam?

– Você ouviu sua mãe – gritou seu pai, em um tom de voz que ia ficando cada vez mais nervoso. - Acabe de fazer as malas e desça logo aqui. Vamos partir em cinco minutos.

Stella jogou as últimas roupas na mala. Olhou para a pilha de livros de engenharia na mesinha de cabeceira e depois para o projeto que estava montando. Estava tentando desenhar um novo tipo de cadeira de rodas que tornaria a vida mais fácil para aqueles que precisavam dela, como a própria Stella.

Ela havia planejado passar as férias de primavera trabalhando no projeto. Agora, tudo o que podia projetar para o futuro era ficar vendo os pais cavar e fingir entusiasmo quando eles encontravam um pedaço de cerâmica ou o dedo do pé de alguma velha estátua quebrada.

Sentada no banco de trás do carro e cercada pelas ferramentas e suprimentos de acampamento dos pais, Stella olhava para o lado de fora da janela, na direção das águas barrentas do Mar Egeu. Estavam deixando Atenas e seguindo pela costa na direção do Cabo Sunião.

Por ser fevereiro, Atenas estava no meio do inverno. Não fazia um frio exagerado, mas o céu estava cinzento e nublado. Nuvens carregadas prometiam um longo dia chuvoso.

– Por que temos que ficar lá? – reclamou Stella. – Não é tão longe. Poderíamos voltar para casa ao anoitecer. Seria muito mais fácil para mim.

Sua mãe se virou para trás. A expressão em seu rosto demonstrava que ela já estava ficando cansada de tanta reclamação.

– Já lhe disse antes, Stella, vamos ficar trabalhando durante longas horas. Seu pai estará muito cansado para dirigir de volta a Atenas toda noite. – Ela se ajeitou novamente no banco da frente. – Não sei o que há de errado. Você adorava vir conosco nas escavações e acampar nos sítios.

– Isso foi quando eu era criança. Antes do acidente, quando eu podia me virar sem a ajuda de ninguém – vociferou Stella. – Esse é o sonho de vocês, não o meu. Não quero ser uma arqueóloga.

– Bem, o que você quer ser? – perguntou a mãe.

– Uma engenheira – disparou de volta Stella. – Quero desenhar coisas novas para tornar mais fácil a vida das pessoas, não passar o meu tempo cavando no meio da lama para descobrir velharias. Isso é um saco!

Um silêncio pesado encheu o ar enquanto ele seguia, inabalável, rumo ao Templo de Poseidon no Cabo Sunião. Foi apenas no dia anterior que receberam uma ligação dizendo que parte da face da rocha havia caído dentro do mar, revelando alguns itens. A ligação estragou as férias escolares de Stella.

A chuva começou a cair enquanto o carro seguia pelas ruas estreitas e cheias de curvas do Cabo Sunião. Finalmente seu pai virou na trilha que dava para um morro mais alto e dirigiu rumo ao estacionamento do templo. Agora o sítio estava fechado por causa da descoberta e uma faixa vermelha e branca tapava a entrada. Um aviso foi colocado no estacionamento, dizendo que o terreno em volta do templo estava instável e que o velho sítio ficaria fechado até segunda ordem.

– Vamos subir lá e ver o que está acontecendo antes de descermos as bagagens – sugeriu o pai enquanto abria a porta.

Stella podia ver o entusiasmo que crescia cada vez mais em seus olhos azuis e cintilantes. Ele podia ter os cabelos e a barba grisalhos, mas subitamente seu pai parecia muito jovem. Ele sempre ficava assim quando havia algo novo a ser descoberto.

Sem dizer nada, Stella foi atrás dos pais enquanto eles seguiam para o topo do monte que dava para o mar. Apenas lá em cima encontrariam o Templo de Poseidon. Stella era uma garotinha na primeira vez em que esteve ali e ficara maravilhada com as histórias que o cercavam. O herói ateniense, Teseu, havia partido de lá para ir a Creta lutar com o Minotauro no labirinto do Rei Minos. E quando seu pai, o rei Egeu, pensou que o filho havia morrido, veio ao templo e se jogou no mar lá embaixo. Era por isso que o mar agora se chamava Egeu.

Essas histórias sempre interessaram a Stella. Mas agora, enquanto seguia na direção do monumento, tudo o que podia ver era um bando de colunas velhas e destroçadas e os ecos de um povo antigo que havia passado anos construindo o templo para um deus do mar que não existia.

Sua mãe se virou para olhar em sua direção e suspirou.

– Você poderia tentar demonstrar algum interesse?

– Mas é chato...

– Apenas tente.

Mais acima havia uma pequena cabine de madeira onde os turistas normalmente comprariam entradas para ir ao templo. Agora havia se tornado um ponto de encontro. Outros arqueólogos estavam lá reunidos. Eram pessoas que seus pais conheciam, e a maioria trabalhava com eles no Museu Acrópolis. De fato, Stella conhecia a maior parte deles também.

– O que vocês descobriram? – perguntou sua mãe para um colega do museu.

– Não temos certeza – respondeu George Tsoukatou. – Até agora só conseguimos ver uma pequena parte. Mas encontramos isto... – George lhe entregou um saco plástico que continha uma delicada adaga de prata. Parecia quase nova, e não que havia passado milhares de anos no meio da terra. A lâmina continuava afiada e o mármore do cabo estava sem marcas de escavação. Havia uma linda joia verde no topo do pomo.

– Isso é lindo – disse o pai de Stella, ao receber a adaga de sua esposa.

– É apenas o aperitivo – respondeu George. – Espere até você ver o prato principal. – Ele os conduziu pelo resto do caminho até o topo. Enquanto caminhavam, a chuva ia ficando mais pesada.

– É esse tempo – explicou George. – Toda essa chuva está rachando a face da rocha. Os danos estão longe do templo em si, mas nos próximos anos poderemos ter um problema.

Mais acima, no topo do morro, fizeram uma curva. Apesar de sua raiva, ver o Templo de Poseidon se erguendo no meio do céu turbulento mexeu com algo dentro de Stella. Não podia negar que os altos pilares mosqueados de mármore na base plana ainda eram imponentes.

Não era um cenário tão impressionante quanto a Acrópole ou o Templo de Zeus em Atenas, mas o daqui, com o Mar Egeu batendo nos três lados da face da rocha, centenas de metros abaixo, tinha seu próprio encanto.

Admirando o templo, Stella não percebera que os pais haviam avançado. Finalmente, a voz de sua mãe interrompeu o devaneio.

– Stella, venha aqui. Veja o que mais foi encontrado.

Seus pais estavam longe do templo e mais perto da beira do abismo. Ela viu a fenda recente que havia se aberto na rocha sólida e sabia que, caso ousasse se aproximar do despenhadeiro, veria os pedaços que haviam se despedaçado lá embaixo.

No ponto em que a rocha se partiu, um poço se abriu. Lá, com a chuva caindo, a raiva que sentia dos pais desapareceu. Stella pôde avistar a ponta afiada do que parecia ser uma enorme caixa dourada se erguendo de um lençol de rocha sólida.

– Como eles fizeram isso? – perguntava seu pai. – Observem as laterais. Aquela caixa está incrustada em rocha sólida. Como conseguiram que aquilo chegasse até lá?

George deu de ombros.

– Não tenho a menor ideia. Mas estou certo de que logo descobriremos.

4

Os preparativos para o portal permanente até Xanadu avançavam. Quando Emily e Pegasus chegaram à câmara onde estavam os artefatos, ficaram mais atrás, observando a atividade. Júpiter e seus irmãos estavam supervisionando a construção do arco que permitiria que o acesso direto para Xanadu pela Corrente Solar permanecesse aberto.

Chiron estava conversando com outros centauros e passando instruções para as investigações do Templo de Xanadu.

Emily viu o pai andando com Diana, inspecionando cuidadosamente itens que haviam sido resgatados do mundo selvagem. Joel, Paelen e Crisaor estavam em outra mesa examinando os artefatos e tentando adivinhar qual era a sua utilidade.

– Em, você está bem? – Seu pai largou um objeto de forma estranha quando percebeu sua chegada. – Você saiu daqui tão rápido, não consegui encontrá-la.

– Eu sei, mas tive que sair. Fui falar com Tom.

– Isso ajudou?

Emily fez que sim com a cabeça. E olhou para onde Júpiter estava supervisionando a colocação da última pedra do arco.

– Mas ainda estou um pouco confusa com tudo isso.

– Eu também, querida – disse ele. – Mas, Emily, seja lá o que viermos a descobrir, isso não vai mudar nada. Talvez uma parte de você venha dos Xan. Mas, não importa como, vamos superar isso juntos, como sempre fizemos.

Aquelas eram as melhores palavras do mundo para ela.

– Pode apostar que vamos – disse, agradecida, enquanto o abraçava.

Daquele jeito de quem nunca era muito sentimental, Diana pigarreou bem alto.

– Emily, agora que está se sentindo melhor, gostaria de dar uma olhada em alguns desses artefatos?

– Ei, Emily – gritou Paelen. Ele estava colocando uma peça de couro de formato esquisito na cabeça. – Acho que isso aqui é um chapéu. Como estou?

Emily deu uma olhada em Paelen com seu sorriso bobo e torto, usando aquele chapéu improvisado ridículo, e caiu na gargalhada. Aproximou-se do amigo e puxou a aba para baixo.

– Assim está melhor. Agora tenho certeza de que as ninfas das águas vão amar seu visual!

Emily puxou o chapéu ainda mais para baixo na cabeça de Paelen. Mas quando ela pegou o objeto, clarões súbitos correram por sua mente. Ela segurou a aba com mais força e fechou os olhos.

Emily parou de rir. Tirou o chapéu da cabeça de Paelen e andou até uma das mesas, onde o colocou de cabeça para baixo. Emily passou a mão por sobre o topo. Instantes depois, ele ficou cheio de bolinhos doces de ambrosia, fresquinhos.

– Bolinhos de ambrosia, os meus favoritos! – gritou Paelen enquanto colocava a mão dentro do chapéu, pegava um dos bolinhos e o enfiava inteiro na boca. – Que delícia! Obrigado, Emily – disse ele, cuspindo migalhas sem parar em cima da amiga.

– Uau! – disse Joel. – Como você fez isso?

– Não sei. – Emily olhou para o estranho chapéu. – Mas quando o toquei, logo soube que ele poderia produzir comida.

Ela colocou os bolinhos de ambrosia em cima da mesa e deu uma examinada no chapéu. Por dentro ele estava limpo, sem nenhum vestígio de comida olímpica pegajosa. E o levou na direção de Pegasus.

– Do que você mais gostaria, Pegs?

Pegasus tocou naquele objeto parecido com um chapéu e depois relinchou. Emily o colocou novamente em cima da mesa e passou a mão por cima dele. Como antes, o chapéu se encheu de comida. Dessa vez, era o sorvete de chocolate favorito do garanhão, com pedaços do cereal adocicado que ele gostava de comer no café da manhã.

– Isso é demais! – gritou Joel. Ele pegou o chapéu e serviu o sorvete para Pegasus. – Minha vez. – Ele segurou o chapéu bem à sua frente e disse: – Gostaria de um ravioli de queijo com molho de tomate, coberto com parmesão gratinado, com uma porção generosa de pão de alho. – Depois disso, entregou o chapéu para Emily.

A jovem passou a mão sobre a abertura. Mais uma vez, o objeto se encheu com uma porção do pedido de Joel, incluindo o pão de alho.

– O que é isso? – perguntou Diana enquanto Joel retirava o almoço quentinho. – Como funciona?

– Eu realmente não sei – admitiu Emily. – Só sabia que era para comida. Para que o dono nunca fique com fome enquanto estiver viajando.

– Com certeza poderíamos ter usado isso em Las Vegas! – disse Paelen enquanto devorava o terceiro bolinho de ambrosia.

Emily olhou em volta para todos os outros itens que estavam em cima da mesa e franziu a testa.

– É tão estranho. Eu meio que sei o que são essas coisas, mas realmente não consigo me lembrar.

Júpiter, Plutão e Netuno olharam para aquele estranho sortimento de alimentos. Júpiter pegou um bolinho de ambrosia e o provou. E acenou com a cabeça em tom de aprovação.

– Isso é ambrosia. Bem fresquinha e pura.

Netuno enfiou um dedo no sorvete de Pegasus e experimentou chocolate pela primeira vez.

– Isso de fato é muito bom – disse ele, sorrindo para o filho. – Que dispositivo maravilhoso.

Diana dobrou cuidadosamente o chapéu até ele ficar menor que um monte de cartas de baralho.

– Estava escrito que os Xan cruzaram o cosmos. Essa seria a maneira mais eficiente de transportar suprimentos alimentares. Muito simples e limpa.

Ela o entregou para Emily.

– Isso, minha filha, é seu.

Emily pegou o chapéu-comida e o enfiou no bolso da túnica enquanto Joel se aproximava da moça e cochichava em seu ouvido.

– Agora poderemos desfrutar de todos os nossos pratos favoritos lá de casa. – Brincalhão, ele deu um peteleco de leve na ponta do nariz de Emily. – Incluindo todos os *marshmallows* que você for capaz de comer!

– E barras de chocolate – disse Paelen.

– E batatas fritas – sugeriu Joel.

Emily sorriu para os amigos e se virou na direção de Pegasus.

– Pegasus, você vai poder ter todos os sorvetes de chocolate que quiser.

O garanhão relinchou de prazer e balançou a cabeça. E cutucou Emily de um jeito brincalhão.

– E legumes – acrescentou seu pai. – Vocês garotos vão comer direito de qualquer maneira!

Em frente à câmara, Júpiter, Netuno e Plutão estavam postados diante da arcada finalizada.

– Todos para trás, estamos prestes a virar a Corrente Solar.

Júpiter se dirigiu aos irmãos.

– Todos juntos!

Pegasus escoltou Emily até os fundos da câmara enquanto todo mundo se reunia para observar. Os Três Grandes deram as mãos e as ergueram para o ar. De repente, todo o recinto se encheu de vida com a luz intensa da Corrente Solar. O ar à sua volta crepitava e soprava forte com uma energia vibrante. Ventos ferozes fustigavam o cabelo de Emily enquanto ela tentava ver os olímpicos, mas tudo o que conseguiu enxergar foi a luz ofuscante e um leve contorno dos três vultos de pé diante da nova arcada de mármore.

Poucos instantes depois, a luz brilhante e a energia vibrante pulsaram e recuaram como se estivessem sendo sugadas para dentro da arcada e por ela contidas.

Então, desapareceram.

– Muito bem! – vibrou Júpiter, batendo nas costas dos irmãos. Penteou para trás o cabelo grisalho e desgrenhado e se virou para os outros. Emily percebeu que seu rosto estava banhado de suor, assim como os de Netuno e Plutão.

– Isso é que é limpar o sótão de alguém! – entusiasmou-se Netuno, balançando a cabeça.

Todos na sala aplaudiram, enquanto Pegasus relinchava em alto e bom som e trotava na direção de seu pai. Emily ficou mais atrás com os amigos. E perguntou a Paelen.

– É assim que eles teriam destruído a Terra?

Paelen concordou com a cabeça.

– Não há nada mais poderoso que os Três Grandes quando unem as forças.

– Uau – disse Joel. – Uma coisa é ouvir falar, outra é contemplar de fato.

– É aterrorizante – murmurou Emily.

Juntos eles andaram na direção do arco. Agora que a Corrente Solar estava fechada, parecia exatamente igual a como era antes.

– Como é que isso funciona? – perguntou o pai de Emily.

– É muito fácil – respondeu Júpiter. – E você não precisa ser um olímpico para usá-la, Steve. O líder do Olimpo fez um aceno com a mão perto da arcada e a Corrente Solar se abriu novamente, só que dessa vez a luz estava contida dentro do anel de mármore.

– Tudo o que você precisa fazer é dar mais um passo que ele se abrirá. Trata-se de uma rota direta que vai apenas para Xanadu. Não vai levá-lo para nenhum outro lugar.

– Mas e quanto a vir de lá para cá? Como fazemos para voltar? – perguntou Joel.

– Boa pergunta – disse Netuno. – Vamos em breve para Xanadu a fim de fazer o mesmo esquema por lá e ligar os dois caminhos. Será um túnel permanente entre os dois mundos.

Júpiter juntou as palmas das mãos.

– Em primeiro lugar, nossos construtores vão atravessar a passagem com seus suprimentos e construir uma arcada do outro lado. – Ele apontou para os irmãos. – E então iremos para fechar a Corrente Solar adequadamente.

Ele se virou na direção de Emily.

– Depois disso, minha querida criança, será a nossa vez de levar vocês para casa.

– Mas o Olimpo é meu lar – gritou Emily.

Ao seu alarme, Pegasus relinchou e se aproximou dela.

– É claro que é – corrigiu Júpiter. – Calma, sobrinho – disse ele para Pegasus. – Estava falando historicamente. É claro que o Olimpo será o lar de Emily para sempre, você sabe disso. Mas se ela for de fato um Xan, isso fará com que lá também seja seu lar. Não podemos negar suas origens.

Isso acalmou o garanhão, que encostou a cabeça em Emily.

– Obrigada, Pegs – sussurrou grata, enquanto abraçava seu pescoço. E se voltou para Júpiter. – Quando tudo estará pronto para que todos nós possamos partir?

– Será a primeira coisa que faremos amanhã – disse Júpiter. – Iremos chamá-la quando estivermos prontos.

Enquanto Emily, Pegasus e os amigos saíam do recinto, a menina olhou novamente para a arcada. Aquele portal devia possuir as respostas para a fonte de seus poderes. Mas enquanto observava todos os itens estranhos espalhados pela sala, uma boa parte dela não queria nem saber.

5

A manhã do dia seguinte já estava quase no fim quando Júpiter chamou todos de volta para a câmara que guardava o artefato. Plutão e Netuno estavam em Xanadu e esperavam por eles.

Ele também instruiu a todos que trouxessem roupas extras de cama e de vestir. A jornada para Xanadu era longa e passariam várias noites por lá.

Todos se reuniram em frente à arcada, muito entusiasmados. Júpiter deu um passo à frente e ergueu a mão na direção do portal. Quando começou a ganhar vida, o grupo se enfileirou pela Corrente Solar.

A jornada foi mais longa do que Emily poderia ter imaginado. Ao viajar valendo-se da força da Corrente Solar, o tempo não podia ser medido, mas ela tinha certeza de que havia durado bem mais do que um dia inteiro.

Pegasus batia as asas enquanto se moviam, mas não era necessário. À sua esquerda, Diana, Apolo e seu pai viajavam sem o uso de asas ou de qualquer outro método de voo. Ela sorria enquanto observava o pai com os braços estendidos, parecendo o Super-homem.

Falar e ser ouvido dentro do estrondo da Corrente Solar era quase impossível. Sem nada a fazer, e impossibilitada de falar com quem quer que fosse, Emily se inclinou para a frente, sobre o rígido pescoço de Pegasus, e deixou que o batimento ritmado de suas asas a embalasse até cair em sono profundo.

Emergiu do templo de pedra e adentrou a selva densa e verde. Aumentou a velocidade enquanto se movia ao longo de trilhas mais antigas que o próprio tempo; passou correndo pelas grandes estátuas de seu povo e desviou de enormes árvores. Aquele era seu lar. Seu santuário. Seu mundo. Mas todos estavam prestes a deixá-lo. Para seguir em frente.

Haviam dito que tentariam esperar por ela. Mas quando as estrelas se alinhassem, teriam que partir com ou sem ela.

– Por favor, não me deixem chegar atrasada... – implorava. – Por favor!

À sua volta, a selva estava viva. Todas as criaturas que conhecia e amava lhe desejaram boa sorte, e se despediram da maneira mais profundamente sincera.

– Não muito mais longe – gritou. – Por favor, esperem por mim, estou chegando.

Mas mesmo imprimindo mais velocidade, ela podia sentir o poder dos outros crescendo. Eles haviam esperado o máximo que podiam. Mas as estrelas acima estavam alinhadas. Não podiam esperar mais.

– Não! – gritou enquanto sentia sua energia convergindo. – Esperem por mim! Estou quase chegando!

Ela acelerou, lutando para alcançar o grupo. Enquanto irrompia em meio às árvores, chegou ao lugar marcado. À sua frente, as pessoas estavam em pé. Com os braços erguidos, seus poderes se fundiram, até finalmente se soltarem dentro do cosmos.

– Não! – gritou ela. – Não me deixem...

– Não! – berrou Emily.

Ela despertou com os relinchos insistentes e apavorados de Pegasus, e pôde sentir o garanhão a cutucando. Estava deitada em um chão frio e úmido, dentro de um lugar escuro. A única luz vinha de Pegasus, que brilhava radiante na penumbra. Por toda a volta dava para ouvir o som da água pingando que ecoava, como se estivesse dentro de uma câmara ampla e abafada.

Ela estava muito ofegante enquanto os resíduos do sonho permaneciam dentro de sua mente.

– Papai? Joel?

O único som na câmara escura era o de Pegasus arrastando o casco ansiosamente no chão de pedra.

– Pegs. – Emily estendeu a mão em sua direção. – O que aconteceu?

A menina se levantou e olhou em volta. Mesmo com o brilho do garanhão, ela não podia enxergar muito além do lugar em que estavam.

– Onde nós estamos?

Pegasus bufou e balançou a cabeça. Mais uma vez, Emily desejou saber falar sua língua.

– Não entendo.

O garanhão segurou sua mão com a boca. Apesar de possuir uma mordida forte, ele prendia levemente a mão de Emily enquanto a conduzia para a frente. Depois de alguns metros, parou em frente a um muro. Por conta do brilho da montaria, ela pôde ver palavras entalhadas em uma lousa de pedra ali encravada.

Para ter uma visão melhor, Emily ergueu a mão no ar e invocou a Chama. O fogo brotou de sua palma e fez com que aquela escuridão opressiva retrocedesse um pouco. Ela respirou fundo. Era a mesma mensagem que estava no quadro negro do palácio de Júpiter.

Emily percorreu uma das linhas do texto com os dedos e leu em voz alta.

– Bem-vindo a Xanadu. – Estamos em Xanadu?

O garanhão balançou a cabeça diversas vezes.

– Como foi que chegamos aqui? – perguntou ela. – E como podemos fazer para sair?

Pegasus bufou e a cutucou. Bateu as asas e as deixou cair como se a convidasse para subir em suas costas. Emily montou e ergueu a mão como uma tocha. Estavam em uma câmara espaçosa. Vazia exceto pelos escritos na parede. À sua frente havia uma grande porta aberta.

Quando Pegasus a atravessou, Emily pediu que ele parasse. Ela balançou a cabeça, tentando se concentrar em uma lembrança muito distante.

– Eu conheço este lugar. Não consigo explicar, mas tenho a sensação de que já estive aqui.

Ela podia sentir os músculos do dorso do garanhão se tencionando enquanto as asas apertavam ainda mais suas pernas. Era algo tão perturbador para Pegasus quanto para Emily.

– Não sei como tenho essa informação, mas se você virar à direita, haverá um grande lance de escadas no final do corredor.

Pegasus bufou e balançou a cabeça. Saiu trotando. Como Emily havia previsto, logo chegaram à beira dos degraus.

– Vá até o topo e vire à esquerda.

Enquanto Pegasus seguia cada instrução, Emily se convencia cada vez mais de que já havia estado lá antes. Era tudo muito familiar. Apesar das muitas passagens e dos longos corredores, eles não erraram nenhuma entrada.

Em pouco tempo alcançaram a superfície e atravessaram uma arcada que dava numa floresta densa e verde. O ar era doce e caloroso e estava cheio de sons de insetos, pássaros e outras formas de vida selvagem. Havia um sol que brilhava intensamente e projetava sombras que mais pareciam colchas de retalhos no chão.

– *Xanadu...* – disse Emily com uma voz anasalada que mal parecia com a sua.

Esse era o lugar que vira tantas vezes nos sonhos. Mas não era exatamente o mesmo. A floresta havia crescido muito perto do templo e as trilhas familiares agora estavam muito grandes e irreconhecíveis.

Pegasus fez uma pausa e depois virou à esquerda.

Emily ficou atordoada ao ver três grandes helicópteros militares pousados ao lado do templo. Longas e fibrosas trepadeiras já entrecortavam os veículos, como se a selva os estivesse reivindicando para si. Aqueles eram alguns dos helicópteros que os atacaram na Área 51. Em vez de destruí-los, seus poderes os haviam enviado para lá. Os pilotos haviam sido devolvidos para a Terra, mas os veículos ficaram.

– Foi para lá que eu o mandei antes, não foi? – perguntou Emily.

Pegasus balançou a cabeça e relinchou.

– Como chegamos aqui?

Enquanto olhavam em volta, as orelhas de Pegasus se projetaram para a frente e ele relinchou. Irrompeu em um galope. Lançando-se no meio das árvores, logo chegaram a um acampamento.

– Pegasus, Emily!

Uma sensação de alívio a tomou assim que viu Plutão correndo em sua direção, com o manto encapelando-se por trás como uma vela.

– O que vocês estão fazendo aqui? – Ele a ajudou a descer do cavalo. – Estão bem? Como chegaram até aqui? – O portal para o Olimpo está no outro lado desta clareira. De onde vocês vieram?

Ela nunca o vira tão excitado. Plutão era sempre o mais calmo dos Três Grandes.

– Estamos bem – disse ela. – Viemos do Templo de Arious.

Netuno e vários outros olímpicos rapidamente se aproximaram.

– Templo de quê? – perguntou Netuno.

Emily franziu a testa.

– Arious. – Ela olhou para Plutão. – Como eu sabia disso?

Ele coçou a cabeça e encolheu os ombros.

– Eu realmente não sei. Esse é apenas mais um mistério que temos que resolver.

Emily e Pegasus explicaram da melhor maneira possível o que havia acontecido e como ela conhecia o caminho para sair do templo.

– Então quer dizer que os outros ainda estão na Corrente Solar? – perguntou Netuno.

– Acho que sim.

– Considerando o quanto demora para vir de lá para cá, ainda teremos que esperar um pouco.

Os Olímpicos voltaram à sua tarefa de montar o acampamento. Emily e Pegasus se afastaram do grupo.

– Eu sei que já estive aqui antes – insistiu. Tudo à sua volta era dolorosamente familiar. Até mesmo o cheiro da densa folhagem tinha algum significado para ela.

Havia no entorno árvores de aparência estranha com folhas cujas formas eram bem peculiares. Quando tocou uma folha em especial, sabia que devia virá-la. Havia um enorme bicho rastejante, parecido com uma lagarta, agarrado ao fundo. Tinha alguns centímetros de comprimento e sua pele era de coloração brilhante. Quando a notou, ele se ergueu sobre suas muitas patas traseiras e a encarou.

Emily estendeu a mão para tocar no bicho, mas Pegasus relinchou e a cutucou para que não o tocasse.

– Está tudo bem, Pegs – disse Emily delicadamente. – Sei que ele não é perigoso.

Emily deixou que a lagarta subisse em sua mão. Ao segurá-la, ela reconheceu a espécie. O nome estava simplesmente na ponta da língua. Mas quanto mais tentava se lembrar, mas difícil se tornava a tarefa.

– Olá – disse ela finalmente enquanto acariciava delicadamente os pelos macios da lagarta. – Está vendo, Pegs, não vai nos machucar. – Emily fez uma pausa e olhou em volta para as incontáveis árvores, arbustos e flores. – Nada aqui vai machucar nenhum de nós.

Enquanto ela e Pegasus voltavam até onde os outros estavam para lhes mostrar o inseto, notaram uma mudança na floresta. Os sons cessaram e a área ficou num silêncio lúgubre.

Plutão olhou em volta. Ergueu a mão, preparando-se para usar seus poderes mortíferos para defender o grupo.

– *Não, Plutão, por favor, não* – disse Emily delicadamente, em um tom de voz estranho e distante. – *Este é um mundo de paz. Você nunca deve usar da violência aqui. Eles sabem que eu voltei.*

– Quem é você? – perguntou Netuno, com delicadeza.

– *Eu sou... Eu sou... a última.*

Emily cambaleou e parecia que havia voltado a si. Olhou para os outros enquanto eles a encaravam, com estranheza.

Netuno colocou a mão em seu ombro e se inclinou em sua direção.

– Menina, qual foi a última coisa que você disse?

Emily apontou para o inseto que estava em sua mão.

– Encontrei essa linda e pequena lagarta e disse para Pegasus que ela não iria nos machucar. – Ela franziu a testa. – E depois viemos aqui a fim de mostrá-la para vocês.

– Você não disse mais nada? – perguntou Plutão.

Emily encolheu os ombros.

– Não. Por que perguntam?

– Não é importante – disse Netuno, tranquilizando-a. – Então, o que foi que você encontrou lá?

Emily olhou para os rostos curiosos à sua volta. Havia algo que eles não estavam lhe dizendo. Mesmo assim, ela lhes mostrou o bicho.

– Ele não é lindo?

Netuno se aproximou.

– É um sujeito pequeno e assombroso.

Ouviu-se então um farfalhar ruidoso vindo da floresta às suas costas.

Pegasus gemeu enquanto todos se viravam. Uma fera imensa abria caminho à força em meio à folhagem. Não parecia com nada que eles haviam visto no Olimpo ou na Terra.

E era grande. Muito grande. Pelo menos duas vezes o tamanho de um elefante. Tinha duas cabeças grandes e pesadas que se moviam com independência sobre dois pescoços longos e grossos, e andava com muitas pernas, quase parecido com uma centopeia. Mas não era um inseto; era um animal com pelagem clara e roxa.

Outros animais e insetos menores vinham atrás da enorme criatura, e aves de cores radiantes a seguiam, esvoaçando. Como antes, Emily de algum modo reconheceu a fera e sabia que não havia perigo. A despeito do fato de pairar sobre ela, a criatura se aproximou e baixou as imensas cabeças até o chão.

– Tenha cuidado, Emily – alertou Netuno.

– Está tudo bem. Ela é a Mãe da Floresta. – Emily se aproximou ainda mais da criatura púrpura e, sem manifestar qualquer temor, afagou uma de suas cabeças. – Lamento não me lembrar do seu nome. Mas me lembro de você. Este é Pegasus do Olimpo – disse ela, apresentando o garanhão. – Venha conhecer todo mundo. Eles não vão lhe fazer mal.

Enquanto Emily e Pegasus andavam até onde os outros estavam, a criatura ergueu as duas cabeças e foi atrás. Pequenos pássaros pousaram nos ombros da menina e nas costas do garanhão enquanto se moviam.

Os olímpicos assustados se aproximaram para cumprimentar a Mãe da Floresta.

Pegasus bufou. E cutucou Emily delicadamente.

Netuno traduziu.

– Meu filho diz que você pode não se lembrar deste mundo, mas parece que seus muitos habitantes se lembram de você. Agora não há mais dúvidas quanto ao fato de que parte de você veio daqui.

Emily estendeu a mão livre e afagou o belo rosto do garanhão.

– Eu sei – disse ela, delicadamente. – Eu só não entendo *como* sei. Ou se alguma hora vou me lembrar.

– Estou certo de que, em algum momento, você irá se lembrar de mais detalhes – disse Netuno. – Mas por enquanto não se preocupe. Deixe que as lembranças voltem no tempo certo.

Emily ficou com Pegasus e com a Mãe da Floresta enquanto os outros terminavam de montar o acampamento.

– Você consegue entendê-la, Pegs? – perguntou Emily.

O garanhão bufou e balançou a cabeça.

– Nem eu – concordou ela enquanto afagava a Mãe da Floresta. Emily fechou os olhos e ficou ouvindo os sons que voltavam da selva. As lembranças estavam lá, só que além do seu alcance. Por mais que tentasse agarrá-las, para mais longe escorregavam.

À medida que o longo dia se passava e as três luas se erguiam acima deles no céu, todos se reuniram em torno de uma fogueira para esperar a chegada de Júpiter e dos outros. Com a chegada da noite, Emily se viu ficando mais inquieta. Havia algo em relação às luas e às estrelas que a perturbava.

– Vou dar uma caminhada – anunciou.

Plutão balançou a cabeça.

– Não acredito que essa seja uma ideia inteligente. Acabamos de chegar aqui e não conhecemos este mundo. Deve haver perigos a espreita, especialmente durante a noite.

– *Não há perigos aqui* – respondeu Emily naquela voz estranha. – *Tenho que encontrar meu caminho de volta.*

Depois, sem saber do que havia acontecido, ela disse:

– Só preciso arejar minha cabeça. Vamos ficar bem.

– Deixe-a ir – disse Netuno. – Ela precisa buscar as próprias respostas. Pegasus estará ao seu lado, ela não corre perigo.

Plutão finalmente concordou.

– Mas não demore muito.

Desde a sua chegada a Xanadu, cada vez mais animais, pássaros e insetos se aproximaram de Emily e permaneceram ao seu lado. Enquanto ela e Pegasus andavam pela densa floresta, havia uma procissão de criaturas inimagináveis com eles. Emily tentou enxotá-las, mas elas se recusaram. Até mesmo a Mãe da Floresta estava às suas costas, intimidando-os.

Com uma das mãos estendida para o alto e a Chama queimando intensamente como uma tocha, Emily andava ao lado de Pegasus.

– Sinto-me como se estivesse enlouquecendo, Pegs – admitiu ela, finalmente. – É como se não fosse mais eu mesma. Como se houvesse duas pessoas dentro de mim. Temo que eu venha a desaparecer.

O garanhão parou e encarou Emily. Logo, uma visão de ambos pairando pelo céu do Olimpo preencheu a mente da moça e a aliviou dos seus problemas.

– Prometa para mim, Pegs – disse ela suavemente – que, não importa o que aconteça, seja lá o que venhamos a descobrir por aqui, ficaremos sempre juntos.

Pegasus balançou a cabeça e depois se aninhou no pescoço de Emily. Havia algo no garanhão que sempre a fazia se sentir melhor. Um laço inquebrável entre os dois que a deixava certa de que suportariam qualquer sofrimento, contanto que o enfrentassem juntos.

Ao se embrenharem cada vez mais na mata densa, a estranha sensação de familiaridade voltou para Emily, mais forte do que antes. De alguma forma, sabia que estava na mesma trilha do seu sonho. Ela se agachou e começou a espanar a folhagem e a sujeira do chão aos seus pés. Depois de alguns minutos, chegou a uma trilha de pedras; as mesmas pedras dos seus sonhos.

– *Já* estive aqui antes – disse ela, delicadamente. Baixou a mão flamejante para que Pegasus pudesse enxergar. – Veja, estas são as pedras que formam a trilha. E que levam até o local da reunião. Temos que seguir por aqui.

Mais adiante, folhas densas e trepadeiras bloqueavam completamente o caminho. Emily relutou em usar seus poderes, pois poderia, acidentalmente, atear fogo à floresta. Mas enquanto considerava dar meia-volta, a Mãe da Floresta emitiu ruídos altos e estranhos. As duas cabeças balançaram enquanto seu corpo enorme jogava as folhagens para os lados. A criatura tomou a frente e deixou que sua massa corporal abrisse a trilha, como se soubesse exatamente para onde Emily queria ir.

Emily olhou para Pegasus, encolheu os ombros e foi atrás. Depois de algum tempo, a floresta já estava bem desbastada. Ela olhou para cima e pôde ver o manto de estrelas brilhando enquanto as três luas iluminavam intensamente o céu noturno.

Com a Mãe da Floresta bloqueando o caminho à frente, nem Emily nem Pegasus estavam preparados para o que viria em seguida. Depois de mais alguns metros, a criatura deu um passo para o lado e os dois se viram de frente para uma lagoa calma e estonteantemente bela. Sua superfície escura refletia as estrelas como um espelho perfeito.

– Parece exatamente igual ao nosso lago prateado lá no Olimpo! – afirmou Emily, com a voz entrecortada.

Mais perto da margem, descobriram que não se tratava de um lago. Ao se agachar, Emily estendeu a mão flamejante e viu que se tratava de uma placa inacreditavelmente extensa de vidro negro liso.

– Veja, Pegs, é feita de vidro. – Emily deu um passo à frente, cautelosamente, e ficou sobre a superfície. – Parece ser bem espessa também.

Pegasus seguiu Emily por sobre o lago de vidro. E relinchou nervoso enquanto os cascos deslizavam sobre a superfície lisa.

– Queria saber para que serve isso... – Emily levantou a mão e a Chama ficou mais alta e cintilante. Então, percebeu que o lago de vidro se estendia por pelo menos um quilômetro, talvez mais.

Por trás deles, a Mãe da Floresta grunhiu, gritou e fez estranhos estalidos. Estava balançando as duas grandes cabeças para cima e para baixo.

– O que é isso, Mãe? – perguntou Emily para a enorme besta. Lá, a vários metros da borda exterior do lago, ela viu um pedaço de vidro muito menor. Curvou-se e o tocou. Ele não era tão profundo como o lago e tinha muitas rachaduras minúsculas.

Um arrepio percorreu Emily à medida que examinava o pequeno círculo de vidro. Havia nele algo que a incomodava muito. Até que resolveu tirar a mão dali e se afastar.

– Não gosto daqui. Este é um lugar muito triste. Vamos voltar para o acampamento.

Emily olhou para a selva densa e escura. De repente, não queria atravessá-la novamente. Não havia perigo, mas sim uma grande tristeza e uma sensação de solidão pairando no ar.

Como se sentisse a mesma coisa, Pegasus bufou e deixou cair uma asa para convidá-la a subir em suas costas.

– Oh, obrigada, Pegs.

Antes de subir no garanhão, Emily afagou cada uma das cabeças da Mãe da Floresta.

– Não sei se você consegue me entender, mas vamos voar de volta para o acampamento.

Levantar voo estava difícil para Pegasus naquele momento, pois não estava muito seguro de que poderia correr sobre o vidro para decolar. Após duas quase quedas, Emily lhe pediu para parar.

– Pegs, vou erguer a nós dois, assim você não terá que correr no vidro.

O garanhão relinchou assim que Emily fechou os olhos e se concentrou no que queria fazer. Desde que voltou da Área 51 ao Olimpo, vinha trabalhando com sua professora, Vesta, para aprender a usar seus novos poderes.

Logo os dois foram delicadamente erguidos do chão. Abaixo deles, a Mãe da Floresta levantou as duas cabeças e uivou com tristeza.

– Vamos voltar para o acampamento! – gritou Emily.

Assim que atingiram altitude suficiente, Pegasus abriu as asas e assumiu a direção. Enquanto ganhava o céu aos poucos, Emily olhou para baixo na direção daquela floresta sombria. Parecia se estender eternamente. Logo outras criaturas voadoras se juntaram a eles no céu. Pegasus relinchou em protesto quando elas tentaram se aproximar. Mas não importava o que ele fizesse, as aves se recusavam a deixá-los.

Quando aterrissaram no acampamento, Emily relatou o que haviam encontrado, mas não mencionou a sensação de tristeza que teve por lá. Concordou em mostrar o lago de vidro para os olímpicos assim que o sol nascesse.

Ao se acomodarem para passar a noite, o portal para o Olimpo ganhou vida. A Corrente Solar se abriu e Júpiter apareceu, seguido de perto pelo pai de Emily, Diana, Joel, Paelen e muitos outros.

– Eles estão aqui? - indagou Júpiter assim que adentrou o acampamento. – Emily! Pegasus!

Pegasus foi o primeiro a responder ao relinchar em voz alta.

– Graças a Deus – gritou o pai de Emily assim que a viu. Ele logo a pegou em seus braços. – Eu vi você desaparecendo! Achei que a havia perdido.

– Todos achamos – acrescentou Diana. – Vocês sumiram em um instante.

– Estou bem – respondeu Emily rapidamente. – Nós dois estamos bem.

Joel a abraçou com força.

– O que houve com você?

Emily podia sentir Joel tremendo. Percebeu que ele realmente se preocupava com ela.

– Estou bem, Joel, não se preocupe – disse ela suavemente. – Realmente não sei o que aconteceu. Em um instante eu estava dormindo, no seguinte, estava acordando no templo com Pegs.

– Não faça isso de novo! – repreendeu-a Paelen. – Você quase fez meu coração sair pela boca. Todos nós achamos que você havia desaparecido para sempre.

– Desculpe, Paelen. – Emily sorriu enquanto bagunçava o cabelo dele. – Da próxima vez vou trazê-lo comigo.

– Não haverá uma próxima vez – insistiu Joel.

Júpiter se voltou para Emily novamente.

– Duvido que esta venha a ser a última vez que testemunharemos seus poderes se manifestando. Eles estão aumentando. Só espero que você aprenda a ter controle sobre eles.

– Eu também – concordou Emily.

Logo todos estavam sentados em volta da fogueira. Taças de néctar foram entregues a todos, enquanto Emily usava seu estranho dispositivo em forma de chapéu para pedir lanches para eles - incluindo uma grande leva de *marshmallows*, que foi rapidamente para o fogo.

Passaram mais da metade da noite fazendo isso, antes de irem para a cama.

Parecia que Emily havia acabado de fechar os olhos quando ouviu o som dos gritos de Paelen.

Ela se sentou e viu a luz brilhante do sol nascente se insinuando através das folhas e os sons da floresta aumentando de intensidade para saudar o novo dia.

– Socorro! – gritou Paelen enquanto tentava se erguer. – Estou sendo comido vivo por um monstro!

A Mãe da Floresta estava sobre Paelen. As duas cabeças o cheiravam e o lambiam, com as duas línguas úmidas e roxas.

Emily foi a primeira a se pronunciar.

– Paelen, está tudo bem. – Ela riu e se ajoelhou ao seu lado. – Desculpe, Mãe. Ele não quis fazer nenhum mal, e não entende. – A jovem acariciou as duas cabeças. – Você apenas o surpreendeu.

Júpiter se aproximou.

– O que é isso?

– Mãe – disse Emily, respeitosamente –, este é Júpiter, líder do Olimpo. – Ela se virou para Júpiter. – Esta é a Mãe da Floresta. Ainda não consigo me lembrar do seu nome verdadeiro ou de como fazer para entendê-la, mas é uma das criaturas vivas mais antigas deste mundo. Não entendo como sei disso, mas ela é muito especial. Devemos sempre protegê-la.

Os recém-chegados cumprimentaram a Mãe da Floresta e cada um deles acariciou a pele roxa e macia das cabeças da criatura.

– Claro – concordou Júpiter. – Vamos fazer tudo o que pudermos para garantir sua segurança. – Ele se voltou para Paelen e lhe apontou um dedo ameaçador. – Você vai ter que tratar bem a Mãe da Floresta, ou vai se ver comigo!

– Eu não fiz nada! – gritou Paelen. – Foi ela quem *me* atacou.

Paelen ficou de pé, trêmulo. Enquanto o fazia, a Mãe da Floresta deu um passo à frente e deu-lhe outra lambida longa e úmida.

– Ela realmente gosta de você! – comentou Emily rindo.

Quando uma segunda lambida enorme e molhada varreu seu peito e seu rosto, Paelen franziu a sobrancelha e murmurou, conformado:

– Por que é sempre comigo?

6

Stella ficou vendo os pais ajudarem a montar um pequeno acampamento no abrigo para turistas. Havia um belo resort não muito longe dali e ela havia sugerido que se hospedassem lá. Mas os pais disseram que não. Com a preciosa adaga de prata que havia sido encontrada e a caixa dourada no poço, não podiam correr o risco de deixar a área desprotegida.

Havia também um espaçoso restaurante e uma loja para turistas na base do templo, cuja área também fora sugerida como propícia para se montar um acampamento, mas foi considerada muito longe do sítio onde haviam sido feitas as descobertas.

Stella ocupou-se trabalhando em sua tenda. Era um pedido que seus pais haviam concordado em atender: ela poderia ter a própria tenda em vez de ficar na deles. Quando terminou de fazer a cama, voltou para o sítio e ficou surpresa com o quanto a escavação havia progredido. A caixa de ouro estava agora a quase um quarto do caminho para se desprender da parede de pedra, e uma das arestas já estava totalmente à mostra.

– Stella, venha ver. Acho que você vai gostar disso – disse sua mãe enquanto a chamava.

O pai ajudou-a a descer poço abaixo, enquanto a mãe apontava para a caixa exposta. – Está vendo alguém que você conhece?

Havia entalhes na superfície lisa de ouro.

Os olhos de Stella se arregalaram quando reconheceu três grandes figuras juntas.

– Zeus! – gritou. – Esses são Zeus, Poseidon e até mesmo Hades!

Seu pai acenou com a cabeça.

– E agora, a arqueologia ainda é chata?

Stella não ia cair na pilha de dizer que queria tocar naquela antiga caixa, mas seus dedos ansiavam por poder traçar o contorno dos três olímpicos.

– Agora não – concordou ela. – Quero ver mais.

– Logo – prometeu sua mãe enquanto trabalhava para soltar um pouco mais a caixa. – Com sorte, vamos conseguir tirá-la daqui nos próximos dias.

O tempo chuvoso foi rapidamente esquecido enquanto Stella via os pais e os outros arqueólogos trabalhando. Todos haviam concordado em deixar as coisas quietas até entenderem melhor o que haviam encontrado.

Mas, por volta do terceiro dia, circularam boatos de que a "Arca do Tesouro" de Zeus havia sido descoberta no Templo de Poseidon no Cabo Sunião. Multidões se aglomeraram e a imprensa ficou esperando por notícias e por uma brecha para que pudesse tirar fotografias da antiga caixa de ouro.

À medida que mais e mais pessoas chegavam, a polícia teve que ser chamada para ajudar a proteger a escavação. Turistas tentavam entrar no sítio para ver o que havia sido encontrado. Havia até certo temor de que pudessem fazer uma tentativa de roubar o tesouro.

Esperando acima do poço com a mãe, Stella via o pai trabalhando com George e outro arqueólogo para liberar a última aresta da caixa de ouro. Quanto mais trabalhavam para soltá-la, mais perguntas vinham à tona. A caixa não havia sido enterrada. De algum modo, havia sido lacrada em uma camada sólida de rocha. Contudo, apesar de possuírem as melhores ferramentas e equipamentos de testes, ninguém ali tinha ideia de como aquilo havia sido feito.

– De novo – grunhiu seu pai. – Delicadamente, com cuidado, não queremos danificá-la.

Stella prendeu a respiração enquanto os três homens fortes se esforçavam para soltar a caixa pesada de sua prisão rochosa. Mas, com a chuva e a ventania deixando tudo mais escorregadio, a caixa se soltou das mãos dos homens, tão logo a última aresta se desprendeu da base rochosa. A caixa deslizou pela mesa de recepção até voar abismo abaixo e bater no chão de pedra, explodindo ao colidir. Ela caiu de lado, e a tampa se abriu. Houve um lampejo pulsante e, por um instante, todos ficaram cegos.

Quando Stella voltou a enxergar, olhou novamente para o poço. A caixa dourada estava aberta. Esquadrinhando-a, ela e todos aqueles que estavam na escavação ficaram chocados ao descobrir que não havia nada dentro da caixa excessivamente enfeitada, exceto uma pedra redonda, muito grande e pesada.

7

Emily não conseguia tirar o lago de vidro da cabeça. Lembrou-se da sensação nauseante de tristeza que a subjugara e se perguntou se os outros poderiam sentir o mesmo.

Depois do café da manhã, enquanto Chiron levava os outros para o templo a fim de iniciar sua pesquisa, Emily e Pegasus levaram Joel, Paelen e Crisaor ao lago de vidro.

Apesar dos protestos de Paelen, a Mãe da Floresta ficou logo atrás dele, miando suavemente.

– Você pode, por favor, pedir para ela me deixar em paz? – perguntou ele para Emily.

O enorme animal se assomava sobre ele enquanto as duas línguas úmidas o lambiam.

– Não creio que eu possa fazer isso, Paelen – respondeu Emily, esforçando-se para não rir. – Ela parece gostar muito de você.

– Ah, que meigo – brincou Joel. – Paelen arrumou um bichinho de estimação.

– Não é engraçado! – protestou Paelen. – Ela é grande o suficiente para me esmagar se eu a tirar do sério. Mas se eu não disser alguma coisa, ela vai me afogar com suas línguas.

– Mas Paelen, você precisa de um amigo especial – prosseguiu Joel, rindo. – Emily tem o Pegasus, eu tenho o Crisaor... – Ele olhou para o javali alado e Crisaor acenou com a cabeça. – E agora você tem a Mãe da Floresta!

– Mas... – começou Paelen.

Emily acariciou a Mãe da Floresta.

– *Você não poderia ganhar um amigo melhor, jovem Paelen. Brue nunca irá decepcioná-lo.*

– Brue? – perguntou Joel.

Emily cambaleou e começou a desmaiar. Com reflexos tão rápidos quanto um relâmpago, Joel a pegou antes que caísse no chão.

– Em, o que houve? Você está bem?

Seus grandes olhos castanhos estavam cheios de preocupação enquanto a abraçava. Emily sacudiu a cabeça.

– Estou bem. Só fiquei um pouco tonta.

Ela olhou, surpresa, para a grande criatura roxa.

– Lembrei! Seu nome é Brue e você é a última da sua espécie. Seu mundo foi destruído quando o sol de lá entrou em supernova. Os Xan trouxeram você e os outros sobreviventes para cá.

Emily fez uma pausa e olhou para a selva como se a estivesse vendo pela primeira vez.

– Xanadu é um santuário – repetiu, delicadamente, as palavras que estavam na parede do templo.

Ela olhou para Joel e Paelen e gritou:

– Xanadu é um santuário! Eu me lembro! Os Xan costumavam trazer espécies para cá se estivessem correndo perigo ou se seu mundo estivesse morrendo. Este planeta inteiro está cheio de sobreviventes de desastres.

– Como um refúgio para a vida selvagem? – perguntou Joel.

– Exatamente! – gritou Emily. – Os Xan trouxeram todos aqueles que puderam para cá. E quando ficaram sem espaço, simplesmente o aumentaram.

– Eles podiam fazer isso? – perguntou Paelen com espanto. – Eles tinham o poder de ampliar seu mundo?

Emily acenou positivamente.

– E se uma espécie não conseguisse sobreviver na atmosfera ou no meio ambiente daqui, eles criavam um continente fechado que imitasse as condições de seu mundo. Não muito longe daqui, temos uma dessas regiões. Não poderíamos sobreviver por lá, mas muitos outros poderiam!

– Quão poderosos eram eles? – perguntou Joel.

– Superpoderosos – respondeu Emily. – Acho que ainda mais poderosos que os olímpicos. – Ela olhou para a Mãe da Floresta e suspirou. – No instante em que os Xan chegaram ao seu mundo, quase tudo estava morto, exceto Brue e alguns outros pequenos animais. Toda a vegetação estava queimada, a água havia evaporado, e estavam todos morrendo. Os Xan os salvaram e os trouxeram até aqui para que pudessem sobreviver.

Paelen voltou-se para a grande criatura e acariciou suas duas cabeças.

– Sinto muito por você ser a última da sua espécie. Você deve ser muito solitária.

Brue não deu nenhum indício de que havia entendido as palavras de Paelen, mas miou e recostou as duas grandes cabeças contra o seu corpo.

– Do que mais você se lembra? – perguntou Joel.

Emily franziu a testa e olhou em volta.

– Mais nada. As coisas vêm em ondas. Não consigo alcançar as lembranças.

– Então não tente – disse Joel. – Só nos leve para o que queria nos mostrar.

Eles continuaram seguindo no meio da selva ao longo da trilha, até chegarem ao lago de vidro. Ficaram maravilhados ao ver como o céu azul brilhante refletia perfeitamente em sua superfície.

– Legal! – disse Joel assim que pisou nele. Correu alguns metros, parou e depois deslizou um pouco mais. – É como um rinque de patinação gigante, mas sem o frio!

Emily e Paelen se juntaram a Joel e logo os três estavam rindo e atracando-se uns com os outros – deslizando na superfície e brincando como crianças. Pegasus, Crisaor e Brue ficaram na margem, relutantes a andar naquela superfície escorregadia.

– É muito mais divertido quando vocês estão aqui! – Emily deu uma risada. – Este lugar estava realmente assustador na noite passada. Especialmente aquele pequeno pedaço de vidro logo ali.

Emily levou os amigos até o pequeno círculo de vidro rachado. Mesmo à luz do dia, com os amigos mais próximos ao lado, Emily sentia um arrepio quando o olhava.

Pegasus foi o primeiro a notar e relinchou baixinho. E a cutucou para que se afastasse.

– O que houve? – perguntou Joel. – Parece que viu um fantasma.

– Não sei – respondeu Emily. Estava acariciando Pegasus, mas não conseguia tirar os olhos daquele pequeno pedaço de vidro. – Isso tem um significado realmente importante. E me assusta.

Pegasus relinchou e Crisaor o acompanhou.

– Os dois estão achando que é melhor sairmos daqui – disse Paelen. Ele olhou em volta. – Concordo. Este lugar não faz bem para você.

De baixo astral, voltaram para o acampamento, onde Júpiter os saudou.

– Fico feliz que você tenha voltado, já estava indo pegá-la. Há muito mais escritos nas paredes do templo e precisamos da sua ajuda para compreendê-los.

Enquanto voltavam para o templo, Emily contou a Júpiter o que lembrou dos Xan e de como Xanadu era realmente um santuário.

– Brue – repetiu Júpiter enquanto acariciava a Mãe da Floresta –, você não vai mais ficar sozinha. Nossos próprios mitos nos dizem que os Xan foram uma raça grande e benevolente – disse ele para Emily. – Com o que você me fala deste lugar, posso ver que isso é verdade. O que também explica porque você enviou Pegasus e Alexis para cá. Estavam sofrendo uma grave ameaça dos militares na Área 51. Seus instintos vieram à tona e você os enviou para um lugar seguro, para o santuário.

Pegasus relinchou baixinho e balançou a cabeça para cima e para baixo. Depois cutucou Emily gentilmente.

– Ele a está agradecendo por tê-lo protegido na Área 51.

Emily colocou os braços em volta do pescoço do garanhão.

– Você não precisa me agradecer, Pegs. Para ser honesta, eu realmente achei que o havia matado. Mandá-lo para cá foi um acidente... dos bons, mas ainda assim um acidente.

Havia algo no templo que evocava alguma coisa em Emily. Parte dela estava curiosa para descobrir do que se tratava, mas outra queria se afastar dali o mais rápido possível. Afastando as dúvidas, Emily seguiu Júpiter.

– Este é o Templo de Arious – explicou ela. – Não consigo lembrar quem foi Arious, mas sei que ela foi importante.

– Me pergunto se um dia iremos descobrir – disse Joel. – Quer dizer, você e tudo isso? O que significa?

Emily encolheu os ombros.

– Eu realmente não sei.

Eles entraram no templo e pararam no saguão espaçoso. Longos corredores iam para várias direções, bem como a escada que Pegasus havia usado na noite anterior.

– Uau – disse Joel –, este lugar é enorme.

– Também é muito escuro – comentou Paelen. – Emily, dá pra acender sua Chama?

Júpiter acenou positivamente com a cabeça.

– Boa ideia. Pelo menos até Apolo, Diana e Steve retornarem. Eles estão trazendo tochas para todos nós.

– *Não precisamos deles* – disse Emily baixinho, com uma voz que não era a sua. Ela caminhou até uma parede, como se estivesse em um sonho, e colocou a mão sobre uma pedra esculpida que estava numa posição superior.

– *Iluminação.*

De repente, todo o templo foi inundado por uma luz brilhante. Não dava para notar nenhuma fonte aparente, mas cada parede cintilava. Com a entrada bem iluminada, puderam ver várias inscrições na língua dos Xan.

Emily balançou a cabeça e olhou ao redor em estado de choque. E se voltou para Joel.

– Como você fez para acender as luzes?

– Eu? – respondeu Joel. – Eu não fiz nada. Foi você.

– Não, de jeito nenhum.

Pegasus deu algumas patadas no chão e bufou. E cutucou Emily.

Paelen se pronunciou.

– Emily, foi você. Não se lembra?

Ela se voltou desesperadamente de Paelen para Pegasus.

– Fui eu realmente? Não me lembro. O que isso significa?

Pegasus pressionou a cabeça contra ela e relinchou.

Paelen traduziu.

– Ele acha que quanto mais tempo você ficar aqui, mais lembranças da sua vida pregressa como Xan virão à tona. A pessoa que você foi está se misturando com a Emily que você é. Haverá alguma confusão enquanto vocês duas continuarem se manifestando.

Emily colocou os braços em volta do pescoço do garanhão e nele encostou seu rosto.

– Mas e se eu me perder, Pegs? E se essa outra pessoa for mais forte e fizer com que eu desapareça completamente?

Pegasus relinchou e bateu no chão com os cascos.

– Ele não vai deixar que isso aconteça. Irá protegê-la, mesmo que isso signifique que terá que protegê-la do seu eu anterior – disse Paelen.

– Todos nós faremos isso – acrescentou Joel, colocando as mãos sobre os ombros dela. – Emily, também não estou entendendo nada do que está acontecendo. Mas, não importa como, prometo que não vamos deixar nada acontecer com você. Xan ou não, você ainda é nossa Emily.

Emily se sentia grata aos amigos, mas ainda estava com medo. Alguma coisa estava se agitando bem dentro dela, como se estivesse acordando de um longo sono. E quando essa coisa despertar completamente, será que ela terá forças suficientes para sobreviver?

– Agora – disse Joel –, que tal olhar em volta?

Emily tentou afastar o medo enquanto ela e os outros exploravam o templo. Pouco tempo depois, seu pai se juntou ao grupo.

– Este lugar é incrível – comentou. – Parece que está prosseguindo por toda a eternidade.

– Ele pode muito bem estar fazendo isso – disse Júpiter. – Acho que, por hoje, basta dar uma volta rápida em seu interior. Mas amanhã, Emily, espero que comece a trabalhar com os escribas para começar a traduzir as inscrições.

Cada câmara que adentravam estava cheia de segredos e mensagens. Itens estranhos espalhados para todos os lados, como se os donos da casa tivessem acabado de dar uma saída e planejassem voltar logo. No entanto, por conta das camadas de pó que recobriam tudo, todas as coisas ali estavam imóveis e intocadas há centenas, se não milhares, de anos.

Eles passaram a maior parte do dia no templo e só haviam explorado uma fração mínima de seu interior. Quando voltaram ao acampamento, descobriram que Mercúrio havia acabado de chegar pelo portal da Corrente Solar.

O mensageiro loiro respirava pesadamente enquanto corria na direção de Júpiter.

– Juno está muito doente – disse ele, arfando. – Ela me pediu para trazer você de volta.

– Doente? – repetiu Júpiter, alarmado. – Como assim? O que houve?

– Não sei – respondeu Mercúrio, ofegante. – Mas ela não é a única. Ceres, Vênus e Minerva também estão doentes. Encontramos Vesta caída no Templo da Chama.

– Vesta? – Emily se preocupava muito com a professora. Era por causa de Vesta que agora tinha Pegasus em sua vida. Ela lhe devia tudo.

– Vim o mais rápido que minhas sandálias puderam me trazer pelo ar – prosseguiu Mercúrio. – Mas a jornada foi longa. Temo pelo que vamos encontrar ao voltar.

Júpiter pediu para que os dois irmãos se aproximassem.

– Netuno, Plutão, venham. Temos que retornar ao Olimpo imediatamente.

– Vou com vocês! – insistiu Emily.

Júpiter balançou a cabeça.

– Não, criança. Não sabemos o que estamos enfrentando. Você deve permanecer aqui. Trabalhe com Chiron e sua equipe. Tente descobrir o que puder sobre seu passado e seus poderes. Tenho certeza de que isso não é nada.

O centauro se aproximou de Emily e colocou a mão levemente em seu braço.

– Fique conosco, Emily. Há muito trabalho a ser feito por aqui. Tenho certeza de que tudo está bem.

Chiron disse as palavras, mas seus olhos expressavam outra coisa. Ele não estava sozinho. Foram trocados olhares entre ele, Júpiter, Netuno e Plutão. Todos estavam profundamente preocupados.

– Meus irmãos e eu voltaremos quando a crise terminar – disse Júpiter. – Por agora, por favor, permaneçam aqui e prossigam com as investigações.

Emily ficou para trás com Pegasus enquanto Mercúrio e os Três Grandes sumiam através do portal para a Corrente Solar. Seria uma longa viagem de volta ao Olimpo e uma espera ainda maior para saber o que estava acontecendo.

Emily se virou para Pegasus.

– Em todo o tempo antes do tempo, você soube de algum olímpico que ficou doente?

Pegasus bufou, bateu com os cascos no chão e balançou a cabeça. Emily não precisava de um tradutor para entender. Ninguém no Olimpo havia ficado doente antes. Ferido, sim, de vez em quando. Mas nunca doente.

– Estou com um mau pressentimento em relação a isso, Pegs – disse Emily enquanto se inclinava para mais perto do garanhão.

8

A viagem ao longo da trilha era interminável. Todos os animais e insetos lhe desejaram boa sorte, mas estavam pesarosos que os Xan estivessem partindo.

– Não muito mais longe – gritou Riza. – Por favor, esperem por mim, estou chegando.

Mas mesmo imprimindo mais velocidade, ela podia sentir o poder dos outros crescendo. Eles haviam esperado o máximo que podiam. Mas as estrelas acima estavam alinhadas. Não podiam esperar mais.

– Não! – gritou ela enquanto sentia sua energia convergindo. – Esperem por mim! Estou quase chegando aí!

Riza acelerou, lutando para alcançar o grupo. Enquanto irrompia em meio às árvores, chegou ao lugar marcado. À sua frente, as pessoas estavam em pé; com os braços erguidos, seus poderes se fundiram, até finalmente se soltarem dentro do cosmos.

– Não! – gritou ela. – Por favor, não me deixem...

Ela havia chegado tarde demais.

Seu povo havia se fundido em um grande clarão ofuscante e se lançado. Foi como deveria ter sido. Haviam governado por tempo suficiente e mereceram seu descanso. Havia chegado a hora de deixar os mais jovens assumirem.

De pé à beira do ponto de encontro, ela ficou olhando seu povo partir. Arco-íris de pura energia atravessaram o céu noturno, bloqueando as estrelas e as luas. Poderes divididos alegremente e espalhados por todo o universo.

Em seguida, eles sumiram.

Ao seu lado, Brue, a Mãe da Floresta, levantou as duas cabeças e uivou em luto solitário pela passagem dos Xan. Brue virou o olhar cheio de dor em sua direção, pedindo-lhe que ficasse.

– Não posso ser a última – disse Riza. – Perdoe-me, Brue, tenho que tentar acompanhá-los.

Riza invocou todos os seus poderes. Talvez não fosse tarde demais. Talvez ainda pudesse alcançar seu povo e se juntar a ele em sua nova jornada. Sabia o que tinha de fazer. Só rezava para que apenas os seus poderes fossem suficientes.

Erguendo as mãos no ar, Riza fez o que havia aprendido. Abriu-se e lançou seus poderes rumo ao cosmos...

– Não! – berrou Emily. Ela acordou, pesadamente ofegante, enquanto as lembranças daquela noite terrível vinham à tona.

Pegasus estava ao seu lado. Ele lambeu seu rosto enquanto todo o resto do acampamento estava reunido.

– Pai?

– Em, você está segura – disse ele, enquanto a abraçava.

Emily começou a tremer.

– Eu me lembro do que aconteceu. – Seus olhos se voltaram para Brue, que estava pairando sobre Paelen. – Todos morreram...

– Quem? – perguntou Diana, ajoelhando-se diante dela. – Emily, quem morreu?

– Os Xan. – Emily era dominada pela tristeza enquanto se lembrava de tudo o que havia acontecido neste mundo há não muito tempo. Ela sacou o lenço verde-marinho especial e enxugou as lágrimas que ameaçavam cair. O lenço havia sido um presente de Netuno... para coletar e armazenar as lágrimas antes que seus poderes pudessem fazer algum mal.

– Eu estava lá – disse ela lentamente, enquanto as coisas iam ficando claras em sua cabeça. – Eu os vi partindo. Estavam cansados da sua existência infinita. Disseram que era hora dos mais jovens assumirem para que pudessem seguir em frente. Reuniram-se, fundiram seus poderes e se soltaram no universo.

– Você estava com eles? – perguntou Diana.

Emily balançou a cabeça.

– Não. Cheguei atrasada enquanto tentava voltar. Alguma coisa aconteceu, não lembro o quê. Na hora em que cheguei ao templo, as luas e as estrelas já haviam se alinhado e todos já estavam no ponto de encontro. Tentei chegar lá a tempo, mas não consegui. – Emily baixou a cabeça. – Eles partiram sem mim.

– Em – disse seu pai, docemente –, não era você. Você é a minha garotinha, nascida e criada em Nova York. Essas são apenas lembranças da vida de outra pessoa.

Emily levantou os olhos e encarou o pai.

– Não, pai, era eu. De alguma forma era. – Ela se virou na direção da Mãe da Floresta. – Brue estava lá. Ela viu tudo. Implorou para que eu ficasse, para que não ficasse sozinha. Mas eu não podia. Não podia ser como ela, a última da minha espécie.

– O que você fez? – perguntou Joel. – Em, o que aconteceu?

Emily fungou e buscou seu belo rosto, encontrando forças no calor de seu olhar.

– Joel, você se lembra daquele lago de vidro?

Quando que ele acenou positivamente, ela prosseguiu.

– Isso é tudo o que resta dos Xan. Quando eles se lançaram no universo, seus corpos e o chão que eles pisavam se derreteram e viraram aquela camada grossa de vidro.

– Nós estávamos patinando sobre corpos? – gritou Joel em choque e repulsa. De repente, ele entendeu um pouco mais. – Espera! Aquele pequeno círculo? Aquele que estava isolado na margem, era você, não? Aquele era seu corpo?

Emily acenou positivamente com a cabeça. Em seguida, sua voz mudou, e soava como se alguém estivesse falando diretamente através de sua boca.

– Eu não queria ficar sozinha. Tentei segui-los, mas não possuía seu poder coletivo. Liberei-me do mesmo jeito que eles, mas não daria

certo. Em vez disso, destruí meu corpo e enviei o que sobrou de mim em chamas através da Corrente Solar.

– Quem é você? – perguntou o pai de Emily. – Quem está falando e onde está Emily?

– *Sou Riza, a última Xan. Emily está aqui comigo. Somos uma só.*

Diana balançou a cabeça como se compreendesse cegamente.

– Riza? Foi você que caiu no Olimpo!

– Claro! – acrescentou Chiron. – Tudo faz sentido agora. Sozinha, você não tinha forças suficientes para se juntar aos outros e se dispersar adequadamente. Em vez disso, você de alguma forma caiu no Olimpo pouco antes da guerra com os Titãs. Foi você, a última Xan, que possibilitou que os derrotássemos e restaurássemos a paz. Você compartilhou seus poderes conosco. Somos parte de você!

Emily assentiu.

– *Mas não foi apenas no Olimpo. Eu me fragmentei. Outras partes de mim foram espalhadas para outros mundos ao longo da Corrente Solar. A maior parte das minhas lembranças desapareceu. Não consigo me lembrar dos meus primeiros anos de vida nem da minha família. Essa parte da chama ainda está faltando. Carrego apenas pedaços de mim. No entanto, apesar de estar separada, permaneci consciente e a par de tudo. Lembro-me de Vesta vindo até a mim e tomando o grosso dos meus poderes. Ela me deixou ainda mais fragmentada, quando tudo o que eu queria era estar inteira novamente.*

Diana pegou as mãos de Emily e baixou a cabeça.

– Lamento muito. Se soubéssemos, Vesta jamais teria feito isso.

Ao seu lado, Pegasus relinchava e encostava a cabeça. Emily estendeu a mão e acariciou seu belo focinho.

– *Não se desculpe. Se ela não tivesse feito isso, eu ainda seria apenas a Chama. Desconhecida e inaudita. Viva apenas na miséria solitária. Mas, porque ela colocou meu coração em uma garota hu-*

mana, isso me deu a chance de viver novamente. E eu vivi, muitas, muitas vidas. Passando de uma menina para outra até que, finalmente, o "eu" que era a humana Emily entrou no Templo da Chama e nos fundimos.

Emily olhou para suas mãos e assumiu o discurso.

– Eu ainda sou Emily, mas também sou Riza.

– Riza – repetiu seu pai suavemente. Ele a puxou para um abraço apertado e sussurrou em seu ouvido. – Ouça-me, Em. Não me importo se você ainda é a minha Emily ou Riza. Eu amo você - amo as duas. E você não está sozinha. Podem não haver mais Xan, mas você tem uma família e pessoas aqui que se importam com você.

– Oh, pai! – disse Emily chorando, enquanto se jogava nos seus braços. – Nós o amamos também!

– Nós, olímpicos, lamentamos muito que Riza tenha sido deixada para trás – disse-lhe Diana. – Mas somos muito gratos aos Xan por terem feito de nós as pessoas que somos.

– Sim – concordou Apolo. – E teremos o prazer de prosseguir o trabalho que os Xan começaram há muito tempo. – Ele se levantou. – Tenho que voltar ao Olimpo para contar aos outros o que descobrimos. Precisamos celebrar a descoberta de Xanadu e mostrar nossa gratidão a Riza.

– Você não tem que fazer isso, Apolo – disse Emily. – Não somos diferentes do que éramos antes. Por favor, será que as coisas não podem ficar do jeito que estão?

Apolo se agachou e beijou Emily levemente na testa. Como sua irmã, ele tinha cabelo escuro, olhos azuis cintilantes e era incrivelmente bonito. Emily corou ao ter sua atenção.

– Preciso compartilhar isso, Emily. Isso é muito importante... é parte da nossa herança também. Além disso, preciso descobrir o que está acontecendo com os outros. Se eu sair agora, devo estar de volta amanhã.

– Deixe-o ir – disse Diana. – Apolo tem razão. São notícias monumentais, Emily. Devem ser compartilhadas. Os olímpicos precisam ficar sabendo que somos parte dos Xan.

Todos ficaram ao redor do arco e viram Apolo abrir a Corrente Solar e desaparecer.

– Como você está se sentindo? – perguntou Joel para Emily assim que Apolo sumiu.

– Estamos bem – respondeu a menina. – Estamos nos sentindo um pouco esquisitas, mas vamos ficar bem.

– Você vai ficar bem quando parar de se referir a você como "nós" – afirmou Joel. – Você é Emily. Parece com Emily e fala como a Emily. Mesmo que Riza esteja com você, você é mais Emily do que ela.

– Concordo com o Joel – disse Paelen. – Você é Emily. Nunca poderia me referir a você de outra maneira.

Ao seu lado, Pegasus bufou e balançou a cabeça.

– Você também, Pegs? – perguntou Emily.

Mais uma vez, Pegasus balançou a cabeça para cima e para baixo.

Emily sorriu para os amigos, mas sabia que eles não podiam entender o quanto ela havia mudado. Não era mais apenas Emily. Também era Riza.

– É claro que ainda sou sua Emily – disse ela em tom tranquilizador. – Mas se eu disser algumas coisas estranhas, você simplesmente terá que aceitar.

Paelen riu e deu um soco de brincadeira na amiga.

– Então não vai haver diferença alguma. Você está sempre dizendo coisas estranhas!

9

Passaram o dia seguinte no templo. Embora Emily tivesse recuperado algumas lembranças dispersas dos Xan, a vida pessoal de Riza ainda era um mistério. Enquanto andava pelo templo, ela se surpreendia com as descobertas tanto quanto qualquer um.

Logo descobriram que cada câmara era dedicada a um mundo específico que os Xan haviam visitado. Era como seções de uma biblioteca que guardava livros sobre diferentes assuntos, onde em cada seção havia detalhes das pessoas e das formas de vida que os Xan descobriram, incluindo os requisitos para sua sobrevivência.

– Simplesmente fascinante – disse Chiron, emocionado, enquanto pedia a Emily para fazer uma tradução após outra.

Algumas câmaras descreviam mundos onde nada era necessário. Os Xan os visitaram discretamente para se assegurar de que tudo estava bem, mas não fizeram nada. Outras câmaras falavam em trazer sobreviventes de mundos moribundos para Xanadu e o trabalho envolvia criar um ambiente adequado para que suas vidas pudessem ser preservadas.

– Isso é incrível – disse o pai de Emily enquanto a filha lia as informações que estavam nas paredes de cada câmara. – Que pessoas extraordinárias eram esses Xan. Vejam tudo que fizeram por tantos mundos. Me pergunto se vamos encontrar uma câmara descrevendo a Terra.

– Ou o Olimpo – acrescentou Paelen. – Será que os Xan sabiam de nós?

Emily acenou positivamente.

– *Sabíamos sim* – disse ela naquele tom de voz estranho e gentil que agora sabiam que era de Riza. – *Nós visitamos os seus mundos muitas vezes.*

O pai de Emily sacudiu a cabeça, espantado.

– Os Xan eram guardiões de tantos.

– É como os olímpicos hoje – disse Emily.

Pegasus estava bem ao seu lado enquanto ela acariciava seu pescoço forte e quente.

– Pegs, você fica viajando para outros mundos ao longo da Corrente Solar e zela pelas pessoas.

– Não gosto disso – disse Paelen. – Comparado com o que os Xan fizeram, não fizemos nada.

– Especialmente você, seu ladrãozinho – brincou Diana. Ela se aproximou do pai de Emily. – Steve, venha comigo, tenho algo para lhe mostrar.

Emily e os amigos continuaram a olhar ao redor.

– Este lugar é tão legal! – disse Joel. – Fico me perguntando o quão grande ele realmente é.

– Você acha que podemos visitar algumas das diferentes regiões que os Xan criaram aqui? – perguntou Paelen.

Emily encolheu os ombros. Ela andou até uma das paredes da câmara e passou a mão ao longo de seus escritos. – Aqui diz que podemos visitar o continente desse povo. Mas já vi avisos em outras câmaras para que fiquemos longe.

– Por quê? – perguntou Joel.

– Não tenho certeza – disse Emily. – Teríamos que ler todos os detalhes. Talvez esses continentes sejam perigosos.

– *Não* – corrigiu Riza em voz alta –, *não são perigosos para nós. Mas em alguns casos, os habitantes não sabem que foram movidos. Não devemos contaminá-los.*

– Riza? – perguntou Paelen, falando com ela diretamente.

– *Estou aqui, Paelen. Ambas estamos.*

– Será que Emily pode voltar, por favor? – perguntou Joel, pouco à vontade.

Emily sorriu.

– Joel, eu nunca saio daqui. Mas Riza queria nos dizer alguma coisa.

– Isso está ficando muito doido! – disse Joel. – Sem ofensas, Riza, mas vai levar algum tempo para me acostumar com sua presença aqui.

– *Sem ofensas, Joel* – disse Emily com a voz de Riza. – *Mas entenda uma coisa. Eu o conheço há tanto tempo quanto Emily. Não temos segredos entre nós. Estava com você na Área 51 quando nos beijamos.*

– Você fez *o quê?* – Paelen lançou um olhar acusador sobre Joel.

– Ei, isso era particular – disse Joel, enquanto seu rosto ficava corado. – Foi algo entre Emily e eu.

– *E eu* – disse Riza, rindo baixinho.

Paelen olhou de Emily para Joel.

– Existe algo que vocês dois queiram me contar?

Emily ficou ruborizada.

– De fato, não.

– OK, vamos continuar explorando – disse Joel rispidamente enquanto saía da câmara.

Estavam voltando ao acampamento animadamente, conversando sobre suas descobertas, quando a arcada da Corrente Solar ganhou vida. Apolo apareceu. Perceberam que algo estava errado assim que o viram.

– Meu pai está gravemente doente e pediu para que eu chamasse Emily. Receio que esteja morrendo.

– O quê? – Diana deu um grito e correu na direção do irmão. – Isso é impossível! Papai acabou de voltar.

– Eu sei – concordou Apolo. – Tudo está acontecendo muito rapidamente. Muitos olímpicos estão ficando doentes, incluindo Plutão e Netuno.

À menção de seu pai, Pegasus se levantou. Relinchou e jogou a cabeça para trás.

– O que há de errado com eles? – indagou o pai de Emily.

– Meu pai não quer que eu diga. Só pediu que eu trouxesse Emily para casa imediatamente. E afirmou que o Olimpo corre um grave perigo. Ordenou que os olímpicos que estão aqui permaneçam aqui. Ele não quer que vocês sejam infectados.

Diana se inclinou para a frente e encarou profundamente o irmão. Ela estendeu a mão e tocou nos fios de cabelo que cobriam suas têmporas.

– Apolo, seu cabelo está ficando grisalho.

Ele acenou com a cabeça.

– Assim como o de todo mundo no Olimpo. Todos estão passando por isso, e por coisas muito piores. Estamos todos envelhecendo rapidamente. – Ele se virou para Emily. – Não temos tempo a perder; por favor, se apresse.

Pegasus protestou em voz alta e se levantou de novo.

– Não, Pegasus, você deve permanecer aqui – disse Apolo. – Ninguém está imune a isso. Está afetando com mais rapidez os olímpicos mais velhos, mas nenhum de nós está seguro. Meu pai acredita que Emily, Steve e Joel não correm perigo se voltarem, já que Tia Maureen não está sendo afetada.

– Eu não vou ficar aqui – insistiu Diana –, não enquanto papai estiver doente. Você sabe que não pode me impedir, Apolo. Por isso me deixa passar.

Apolo baixou a cabeça, sabendo que não havia como deter a irmã teimosa.

– Nosso pai pediu para que todos os olímpicos permanecessem aqui.

– Então papai está prestes a se decepcionar! – devolveu Diana. Ela olhou para os outros que estavam no campo. – Aqueles que não desejam retornar têm toda a liberdade de ficar aqui, e não serão vítimas de nenhum julgamento. Mas eu não vou.

Chiron balançou a cabeça e roçou o chão com uma das patas.

– Eu não vou ficar aqui enquanto o Olimpo estiver em perigo.

Ninguém no acampamento obedeceu à ordem de permanecer em Xanadu. Um por um, atravessaram o portal que dava na Corrente Solar.

10

Júpiter estava deitado na cama. Sua pele estava seca, endurecida e mortalmente pálida. Parecia ter envelhecido uns mil anos desde que Emily o vira pela última vez. A barba grisalha estava branca e fina, e os olhos afundados em um rosto enrugado demais para ser reconhecido.

– Pai! – Diana passou por Emily e correu para a cama de Júpiter. – O que aconteceu com você?

O líder do Olimpo, cansado, abriu os olhos. Eles estavam cobertos por uma película branca; ele estava completamente cego.

– Emily – murmurou ele. – Preciso falar com Emily.

– Estou aqui – disse ela baixinho. Pegasus estava atrás dela e relutava a acompanhá-la até a cama do líder. Ele relinchou e sacudiu a cabeça, muito perturbado com a visão do líder do Olimpo parecendo tão frágil.

Emily pegou na mão de Júpiter.

– Estou bem aqui. Por favor, deixe-me curá-lo.

– Você não pode – disse Júpiter. – Não estou doente. Estou velho. Nós todos estamos envelhecendo. Nem mesmo seus poderes podem deter os estragos do tempo.

– Não, pai, não fale nada – acalmou-o Apolo enquanto entrava na sala. – Economize sua força.

Júpiter balançou a cabeça, e fios de cabelo branco e fino caíram em decorrência do rápido envelhecimento.

– Não tenho mais forças, e tenho muito pouco tempo sobrando. Apolo, estou morrendo. Minha amada Juno faleceu há alguns instantes. Vesta e Ceres também se foram. Logo vou me juntar a eles. Netuno e Plutão virão logo depois.

A mão de Emily lampejou indo para a boca.

– Eles estão mortos? Mas isso não é possível! Vocês são olímpicos, não podem morrer!

Pegasus relinchou atormentado enquanto dava patadas no piso de mármore da câmara de Júpiter.

Diana olhou desesperada ao redor da sala.

– O que está acontecendo? Por que você está envelhecendo?

– Não só eu – Júpiter se esforçou para dizer. – Você também, minha filha preciosa, já começou a envelhecer.

– Como? – indagou o pai de Emily. – O que mudou? Foi por causa de Xanadu? Aquele mundo contaminou você?

– Não foi Xanadu – disse Júpiter. – É a vingança final dos Titãs. Depois de todo esse tempo, eles ganharam a guerra... a menos que Emily consiga detê-los.

– Eu? – Emily suspirou.

Júpiter teve que se esforçar para se sentar. Foi necessário que Diana e Apolo o ajudassem para que conseguisse se acomodar.

– Ouça-me – disse Júpiter com a voz enfraquecida. – Há muito, mas muito tempo, antes de o Olimpo ser como nós o conhecemos hoje, houve uma grande guerra.

– Sim, pai – disse Diana amavelmente –, você derrotou os Titãs.

Júpiter acenou positivamente, mas depois balançou a cabeça.

– Nós quase falhamos. Foi no auge da batalha. Com poderes que se igualavam, nenhum dos dois lados conseguia derrotar o outro. A guerra prosseguiu por muito tempo. Tudo o que conseguíamos alcançar era a destruição. O Olimpo estava em ruínas, a Terra quase foi destruída e muitos mundos desapareceram por nossa causa. Até que, finalmente, conseguimos levantar um exército forte o suficiente para enfrentar meu pai, Saturno.

– Seu pai! – gritou Emily. – O líder dos Titãs era seu pai?

Júpiter assentiu com a cabeça.

– É uma história muito longa e complicada. Não tenho tempo sobrando para lhes contar.

– Eu estudei os mitos. Posso contar para Emily como foi a guerra com os Titãs – afirmou Joel. – Mas o que aconteceu? O que Saturno fez?

– Ele e os Titãs criaram um novo exército, e o batizaram de Titãs das Sombras. Eles nos excediam em muitos milhares. Eram difíceis de destruir ou até mesmo de parar. Mas isso não foi tudo. Os Titãs também criaram uma arma devastadora capaz de nos matar e acabar com a guerra.

– Nunca ouvi falar de nada disso – disse Apolo. – Não está escrito em lugar algum.

Júpiter balançou a cabeça.

– Não, mantivemos em segredo. Aconteceu muito antes de você e Diana nascerem. Antes de tudo o que conhecemos agora. Foi algo que aconteceu durante um período de trevas.

– Qual foi a arma? – perguntou Emily.

– Uma grande pedra. Ela tinha o poder de nos privar de nossas capacidades e de fazer com que envelhecêssemos rapidamente... até a morte.

– O quê? – gritou Diana. – Isso é monstruoso.

– Esperem – disse Joel, balançando a cabeça. – Isso não faz sentido. Se Saturno era seu pai, com certeza a arma afetaria a ele e aos outros Titãs também. Usá-la contra você teria sido suicídio.

Júpiter balançou a cabeça.

– Não, meu pai era tão inteligente quanto maligno. Ele encontrou um lugar para se esconder, livre dos efeitos da arma. Ele e os outros Titãs fugiram para lá e deixaram os Titãs das Sombras para nos distrair enquanto se valiam de voluntários para preparar a arma.

– O que aconteceu? – insistiu Diana. – Pai, como você os derrotou?

Júpiter baixou a cabeça e seus olhos se fecharam.

– Pai! – gritou Diana, sacudindo seu braço. – Pai, acorda!

Júpiter abriu os olhos.

– Como você deteve a arma? – repetiu Diana.

Júpiter fez uma pausa, esforçando-se para lembrar. Até que assentiu.

– A arma, sim. Antes que pudesse ser usada contra o Olimpo, Netuno, Plutão e eu atacamos primeiro. Entramos em seu acampamento e antes que os poderes da arma pudessem nos destruir, a guardamos em uma caixa de ouro criada por Vulcano. Em seguida, a implantamos em uma camada de rocha e a enterramos nas profundezas da Terra. E lá tem ficado intacta por todo esse tempo.

– Por que você não a destruiu? – perguntou Emily.

Júpiter suspirou.

– Não podíamos. Ela nos privava dos nossos poderes e estava nos matando enquanto nos aproximávamos. Tivemos sorte de sobreviver ao contato. Na época ainda éramos muito jovens e poderosos.

Diana prendeu a respiração.

– Você enfrentou a arma diretamente?

– Não tínhamos escolha. Mas ela nos envelheceu muito em um curto espaço de tempo e perdemos muitos de nossos poderes. No entanto, conseguimos guardar a arma em um lugar seguro antes que ela destruísse tudo. Depois disso, com os Titãs ainda escondidos, finalmente fomos capazes de derrotar os Titãs das Sombras.

Emily se aproximou.

– Ela o envelheceu? É por isso que você e seus irmãos parecem ser mais velhos do que todos os outros?

Júpiter acenou com a cabeça, debilitado.

– Foi o preço que pagamos para ganhar a guerra.

– Então o que aconteceu agora, pai? – perguntou Apolo. – Por que estamos todos envelhecendo?

Júpiter suspirou.

– A caixa foi aberta. Posso sentir isso. Seus poderes mortais estão se infiltrando através da Corrente Solar. Em breve ela vai terminar o trabalho para o qual foi criada. Vai destruir o Olimpo e matar todos que são daqui.

– Não! – gritou Joel. – Não vamos deixar isso acontecer. Se a caixa foi aberta, vamos fechá-la novamente! Talvez agora possamos até mesmo destruir a arma. Diga-nos, Júpiter. Onde você a escondeu? Onde foi enterrada?

Júpiter lutou para permanecer acordado.

– Onde lutamos e vencemos muitas batalhas contra os Titãs – murmurou ele, suavemente. – Na Terra. Enterramos a caixa longe do Olimpo em um lugar onde os humanos construíram um templo para meu irmão, Netuno – embora eles o conhecessem como Poseidon. Está em um lugar que vocês chamam de Grécia...

11

Já era o final do dia. Emily estava ao lado de Pegasus e se agarrava firmemente ao garanhão.

– Simplesmente não consigo acreditar que ele se foi. – As palavras de Emily eram tão delicadas que mal podiam ser escutadas. – Júpiter está realmente morto. Depois de enfrentar tudo, desde a UPC, foram os Titãs que finalmente o mataram.

Pegasus dava patadas no chão, lamentando-se. Netuno estava muito mal e sendo cuidado pelas Sereias envelhecidas e seu filho Tritão, no fundo do mar. Ele não conseguiria sobreviver à jornada até a superfície, por essa razão Pegasus não teria a oportunidade de se despedir do pai.

Plutão, líder do mundo subterrâneo, também falecera mais cedo naquele dia. Com os olímpicos mais velhos agora mortos, os mais jovens estavam mostrando sinais de envelhecimento rápido.

Emily e Pegasus estavam na câmara dos artefatos, observando a longa fila de olímpicos de luto que eram enviados para Xanadu. Eles esperavam que os efeitos da arma titã fossem mais fracos por lá, que era mais distante da Terra.

– Por favor, vá agora, Pegs – implorou Emily, segurando o garanhão com força. – Prometo que estarei lá assim que puder. Só quero me certificar de que aqueles que podem fugir o façam.

Ela encarou o garanhão e pôde ver que a arma estava começando a afetá-lo. Seus olhos já não eram tão radiantes como antes e suas asas estavam mais caídas. Os fios macios da crina e da cauda estavam ficando mais grossos e quebradiços. Emily não lhe disse nada, mas já havia encontrado várias de suas penas no chão.

Pegasus bufou e balançou a cabeça. Ele não partiria sem ela.

– Por favor – implorou mais uma vez –, ficar aqui está lhe matando. Você tem que partir!

Mas Pegasus se recusava a sair do seu lado.

Joel estava tendo o mesmo problema com Paelen. Seu cabelo estava ficando grisalho e suas costas haviam desenvolvido uma corcunda. Estava ficando difícil entender o que falava, mas ele se recusava a deixar o Olimpo sem eles.

– Eu mandei você ir! – gritou Joel para Paelen.

– Não – retrucou o olímpico –, e você não precisa gritar comigo!

– Claro que preciso – berrou Joel. – É isso ou ter que enfiar minha mensagem na sua cabeça dura! Você não pode ficar aqui. Agora vá logo para a Corrente Solar antes que eu seja obrigado a jogá-lo através dela, seu bode velho!

– Quem você está chamando de bode? – desafiou-o Paelen.

– Você! – gritou Joel. – Olhe só, você está um bagaço. E suas sandálias estão perdendo as penas. Se você não for por si mesmo, vá por elas.

Paelen olhou para as sandálias. Estavam envelhecendo tão rápido quanto ele. Suas pequenas asas se arrastavam pelo chão e agora estavam quase sem penas. Por fim, ele e Crisaor se renderam às ameaças de Joel e concordaram em ir para Xanadu.

Emily deu um abraço apertado em Paelen. Estava chocada com o quão magro e frágil ele havia ficado em tão pouco tempo.

– Iremos logo depois de você – prometeu a menina. – Papai e tia Maureen já estão do outro lado esperando por você. Tenho certeza de que Brue ficará feliz em vê-lo outra vez.

– Que maravilha – disse Paelen, sarcasticamente. – Agora é que eu quero *mesmo* voltar lá, para ser todo babado por aquela grande besta indomável.

– Não seja tão mal-humorado – disse Emily. – Você tem sorte de ter Brue para cuidar de você.

– Por que não me sinto com sorte? – murmurou Paelen.

– Porque você é um bode velho! – retrucou Joel. – Agora vá!

– Eu devia ficar aqui para ajudar vocês – reclamou Paelen. – Não sou um homem velho, você sabe.

– Não é mesmo – concordou Emily –, mas papai precisa de você do outro lado. Há um monte de olímpicos mais idosos que precisam de ajuda.

– Tudo bem – rendeu-se Paelen –, mas não demorem muito ou vou ter que voltar para pegá-los.

– Não vamos demorar – prometeu Emily. Ela estava achando impossível ver seu querido e doce Paelen envelhecendo a cada minuto. Ele era muito jovem para parecer tão velho!

Emily ficou para trás com Joel e Pegasus enquanto Paelen e Crisaor entravam na fila da Corrente Solar. Uma Diana idosa estava de um lado do portal enquanto Hércules ficava do outro. O herói do Olimpo não havia escapado do efeito devastador da arma. Embora fosse metade humano, ainda assim envelhecia rapidamente.

– Isso não pode estar acontecendo. – Os olhos assombrados de Joel percorreram a sala cheia de olímpicos envelhecidos. – Não depois de tudo o que já passamos.

– Temos que parar com isso, Joel. Não podemos deixar que essa arma mate todos.

– Eu sei – concordou Joel. – Assim que fizermos com que todos migrem para Xanadu, você e eu vamos para a Grécia encontrá-la e destruí-la.

Enquanto observavam a fila atravessando o portal, Cupido se aproximou lentamente.

– Bem – perguntou Emily –, o que ela disse?

Assim como acontecera com Pegasus, as asas do Cupido haviam caído e o brilho havia desaparecido de suas penas. Seu cabelo agora era longo e grisalho, e rugas percorriam seu outrora belo rosto. Ele balançou a cabeça.

– Ela se recusa a deixar Tom.

Emily se voltou para Joel.

– Pedi ao Cupido que fosse até Alexis, lhe contasse o que aconteceu e avisasse que estávamos evacuando o Olimpo.

– Você sabia que ela não iria deixá-lo – afirmou Joel. – Eles são muito ligados.

– Sei disso, mas tinha que tentar. Obrigado por tentar também, Cupido. Sei que foi um longo voo para você.

O Cupido encolheu os ombros.

– Foi meu último. Não posso mais voar. Minhas asas não vão me carregar. – Ele abriu uma das asas para mostrar que havia muitas penas faltando e outras bem desgastadas. Mesmo com o poder de cura, Emily não podia fazer com que crescessem novamente. – Estou preso ao chão, como qualquer ser humano comum.

Emily ficou feliz ao ver que Joel havia deixado os insultos para trás.

– Vá para Xanadu, Cupido – disse ela com tristeza. – Lá você estará em segurança.

O olímpico alado acenou com a cabeça e entrou na fila do portal.

Não demorou muito e Emily, Joel e Pegasus ficaram sozinhos na câmara com os artefatos. Emily foi até a janela. O céu era claro e de um azul radiante, mas ninguém estava voando. Todos aqueles que tinham asas ficaram retidos por conta do envelhecimento.

No chão, os olímpicos mais idosos se arrastavam ao longo das belas ruas de paralelepípedos. Ao seu redor, as árvores perderam as folhas e as flores murcharam até ficarem negras.

O Olimpo estava morrendo.

– Muitos estão se recusando a partir – disse Joel, com tristeza, enquanto olhava para as pessoas e os animais lá embaixo.

– O Olimpo é seu lar. Não suportam a ideia de deixá-lo.

Emily olhou para Pegasus, descrente. A cabeça do garanhão pendia para baixo em sinal de luto.

– Vamos, Pegs. – Ela o beijou no focinho. – Você não pode mais ficar aqui. – Olhou novamente para a janela. – Nenhum de nós pode.

12

Era noite no mundo selvagem quando Emily, Joel e Pegasus chegaram à Xanadu. Muitas fogueiras pequenas queimavam enquanto os sobreviventes do Olimpo se acomodavam para descansar. Emily viu a tia se movendo entre as pessoas que dormiam. Carregava um jarro de água e parecia esgotada. Desde que começou a viver no Olimpo após o incidente da Área 51, passava a maior parte do tempo trancada em bibliotecas fazendo pesquisas. Sempre dizia que seria necessário um desastre para afastá-la delas. Tinha razão.

– Em! – chamou o pai. Ele se aproximou da arcada. Diana estava ao seu lado. Seus cabelos belos e escuros agora estavam desgrenhados e grisalhos. No entanto, apesar de aparentar uma idade avançada, ainda era uma mulher deslumbrante.

– Isso é todo mundo? – perguntou Chiron, olhando para além de Emily. Seus cabelos castanhos também estavam ficando grisalhos e seu corpo de cavalo se mostrava curvado e debilitado.

Emily acenou positivamente com a cabeça. Ela olhou para os olímpicos reunidos e percebeu quão poucos haviam evacuado o Olimpo.

– Não vieram muitos.

Diana balançou a cabeça.

– Não estou surpresa. Somos todos leais ao Olimpo. – Ela baixou a cabeça. – Optei por ficar, mas seu pai foi teimoso e não permitiu que eu o fizesse. Ele ameaçou me levar no colo se eu não prometesse que viria.

Emily abraçou a mulher alta e orgulhosa.

– Estou feliz, Diana. Não suportaria perder você.

Diana retribuiu o abraço e beijou a cabeça de Emily.

– Lamento, criança, mas você ainda deve enfrentar essa perda. Os efeitos da arma titã demoraram algum tempo para chegar até aqui, mas agora já atingiram Xanadu. Ainda estou envelhecendo. Todos nós estamos.

Os olhos de Joel se fixaram em Paelen enquanto o amigo cuidava de um gigante idoso. Cada passo que ele dava era penoso, como se estivesse sentindo uma dor terrível. A Mãe da Floresta andava cuidadosamente ao seu lado, lamentando-se e fazendo o que podia por ele.

Crisaor estava junto a Joel, tentando chamar sua atenção. O cabelo em seu focinho desaparecera e sua cara estava tão enrugada que era impossível enxergar seus olhos.

– Não posso ficar aqui – disse Joel, com raiva. Ele se abaixou para ficar na altura do javali e acariciou seu focinho descoberto. – Não posso ficar aqui vendo isso acontecer com você. – Ele levantou os olhos na direção de Emily. – Temos que ir para a Grécia agora. Vamos encontrar e destruir essa maldita arma de uma vez por todas.

Emily estava pensando a mesma coisa e concordou com a cabeça.

– Diana, por favor, nos diga como abrir a Corrente Solar para a Terra.

Ao seu lado, Pegasus relinchou e bateu com a pata no chão.

– Não, Pegasus – disse Diana –, você não pode levá-los à Terra. Não está com forças suficientes. – Ela olhou para baixo na direção do javali. – Nem você, Crisaor.

– Pegs, você não pode voltar para a Terra conosco – disse Emily, com tristeza. – É lá que a arma está. Ela vai te matar. – A menina acariciou seu rosto e encostou a testa na dele. – Por favor, você prometeu que sempre ficaríamos juntos. Fique aqui e sobreviva. Não vamos demorar muito.

***

No outro lado da clareira, Diana mostrou a Emily e Joel como usar as duas joias azuis que abriam a Corrente Solar.

– Papai fez três dessas para emergências, na época em que os Nirads invadiram o Olimpo pela primeira vez. – Diana suspirou com tristeza ao mencionar o nome do pai. Entregou uma para Emily e outra para Joel.

– Usei a terceira joia para ir à Terra na primeira vez em que nos encontramos em Nova York. Infelizmente eu perdi a minha naqueles estábulos miseráveis para onde levamos aquela carruagem para Pegasus. Não tenho nenhuma dúvida de que aquele proprietário grosseiro e ganancioso a encontrou e provavelmente a transformou em um anel. Quando isso terminar, irei lá para recuperá-la e resgatar aqueles pobres cavalos. Nenhum animal deveria ser obrigado a trabalhar como aqueles infelizes; Nova York não é lugar para cavalos... - A mente de Diana parecia devanear.

– Como funcionam? – perguntou Joel, puxando-a de volta para o presente.

Diana se concentrou novamente.

– Você só precisa erguê-la e indicar claramente seu destino. A Corrente Solar se abrirá e vocês atravessam.

Emily olhou para a bela joia azul e rezou para que os levasse até a arma titã. Agora a situação era crítica. A pobre Diana estava definhando.

Ao seu lado, Pegasus aparentava estar pior. Ele já não notava as áreas falhadas das asas, cada vez maiores, ou a trilha de penas brancas que deixava para trás.

Emily pegou uma.

– Está vendo esta pena, Pegs? Estou levando-a comigo. Assim você estará ao meu lado o tempo todo. Ainda vamos estar juntos. – Ela deu um abraço bem apertado no garanhão, sem querer soltá-lo. Partia seu coração ter que deixá-lo para trás.

Enquanto se despedia do pai, ele a abraçou.

– Tenha cuidado... E Em – disse, baixando o tom de voz. – Não tenha medo de usar seus poderes. Você não pode deixar que ninguém a detenha. Especialmente a UCP, se estiverem envolvidos nisso de algum modo. Faça o que puder para destruir essa arma.

Emily fez que sim com a cabeça enquanto seu olhar pousava em Paelen. Ele estava fazendo o possível para não demonstrar a dor que sentia, mas estava pagando um preço alto para se manter alongado e manipular o processo de envelhecimento do seu corpo. Ele estava cheio de artrites dolorosas por conta do inchaço das articulações deformadas. Só conseguia ficar em pé porque Brue estava por trás dele e o apoiava com uma de suas enormes cabeças.

– Vamos lá, Em, temos que ir – disse Joel, impaciente.

Emily olhou para ele e viu um terror genuíno em seu rosto. Frequentemente, Joel tentava manter as emoções para si mesmo, mas não havia como esconder aquilo. O Olimpo havia se tornado sua casa e os olímpicos, sua família. Joel os estava perdendo e aquilo o dilacerava por dentro.

Emily deu um último beijo em Pegasus e um abraço rápido em Paelen.

– É melhor que estejam aqui quando voltarmos.

– Onde mais eu estaria? – gritou Paelen, irritado. – Las Vegas já era.

Enquanto todo mundo ficava para trás, Emily ergueu a joia.

– Leve-nos para a Terra... para a Grécia e o Templo de Poseidon!

13

Depois de seis dias no sítio, a chuva finalmente parou. Apesar da descoberta surpreendente, os arqueólogos não haviam encontrado nada além da grande caixa de ouro e da adaga de prata. Esses itens já haviam sido levados para o Museu da Acrópole, em Atenas, para serem testados e datados.

Stella, os pais e George permaneceram no Cabo Sunião para continuar procurando pistas que explicassem porque os objetos haviam ficado cravados na rocha. Mas, depois de dias de escavações e buscas, ainda não haviam tido nenhum progresso.

Enquanto o sol se punha depois de outro dia longo e infrutífero, voltaram para as tendas. Durante a maior parte da tarde, sua mãe ficou tentando ligar para os colegas do museu sem obter sucesso.

– Não entendo. Stavros não atende minhas ligações. – A mãe de Stella fechou a tampa do celular. – Nem Anya. Continuo ouvindo a mesma mensagem pedindo que eu ligue mais tarde.

O pai de Stella estava ocupado digitando suas anotações no laptop.

– Eles provavelmente estão atolados com o assédio da imprensa, perguntando sobre a arca do tesouro. Veja como os repórteres ainda estão na base da colina esperando para ver se encontramos mais alguma coisa. Dei uma olhada hoje de manhã, há ainda mais deles lá em baixo. Tenho certeza de que Stavros e os outros desligaram os telefones para que possam trabalhar.

– Talvez – disse a mãe de Stella enquanto começava a preparar o jantar.

Stella esperou terminar a refeição para que pudesse falar com os pais em um momento melhor.

– Por favor, podemos ir para casa agora? Estão precisando de vocês dois no museu e não há mais nada para encontrar aqui. Tudo o que presta foi levado para Atenas.

– Não seja tão impaciente – retrucou seu pai. – Você não pode se precipitar quando se trata de arqueologia. Há sempre mais o que investigar. Além disso, você não precisa voltar para a escola antes de segunda-feira. Portanto, vai ficar aqui conosco até lá. Depois, poderemos voltar para Atenas juntos.

– Segunda-feira? – gritou Stella. – Mas assim não vou aproveitar nada das férias!

– Essa descoberta pode ser a maior de nossas carreiras. Quem sabe o que mais poderemos descobrir?

– Mas e quanto a mim?

– Stella, você tem quinze anos – disse sua mãe, cansada. – Quando for mais velha, poderá ir aonde quiser, quando quiser. Antes disso, terá que fazer o que seu pai e eu dissermos. Voltaremos para Atenas na segunda-feira.

Stella desistiu. Sabia que não valia a pena discutir. Não havia mais nada que pudesse dizer ou fazer para mudar a cabeça dos pais. Uma vez que começaram uma coisa, não iriam parar.

Ela saiu da barraca e tentou se acalmar. Era cedo demais para ir dormir, mas não havia muito o que fazer por ali. Atrás da barraca dos pais, a tenda de George brilhava por causa da luz. Normalmente ele ficava acordado até tarde, fazendo anotações e pesquisas. Stella pensou em ir falar com ele, mas conversar com George era como falar com seus pais. Tudo no que ele pensava era descobrir coisas do passado.

– Um dia – murmurou Stella com raiva enquanto acendia a lanterna e subia a colina rumo ao Templo de Poseidon. – Um dia eu terei idade suficiente para fazer o que quero e vocês não poderão me deter! Irei para tão longe daqui e dessas estúpidas escavações que nunca mais me verão novamente. E vão se arrepender por terem me forçado a ficar.

No topo da colina, ela olhou para os pilares de mármore do templo. Não havia lua, mas a luz das estrelas brilhava sobre o mármore cor de creme, fazendo com que o templo parecesse ter sido feito com ossos de gigantes.

Uma barreira de cordas circundava o templo para impedir os turistas de escalarem o antigo monumento. Stella levantou a corda e passou por debaixo dela. Seus pais eram arqueólogos de prestígio e isso lhe dava o direito de ir até onde a maioria das pessoas não podia. Mas quando ela parou em frente ao primeiro degrau mais alto do templo, ouviu um assobio e sentiu uma poderosa rajada de vento. Uma luz ofuscante brilhou bem no meio do templo.

Stella levantou as mãos para proteger os olhos do clarão. Duas figuras sombrias se moviam no seu interior. Com um grito preso no fundo da garganta, ela percebeu que ambos vinham em sua direção.

14

Emily e Joel emergiram no meio da mais profunda escuridão. Sempre levava alguns instantes até a visão voltar depois que enfrentavam o brilho da Corrente Solar.

Quando Emily conseguiu enxergar novamente, ficou surpresa ao ver uma menina de cadeira de rodas na base dos degraus, a não mais do que alguns metros de distância. Ela segurava uma lanterna e estava de boca aberta, em estado de choque.

– Acho que temos problemas – murmurou Joel.

O som da voz de Joel pareceu ter assustado a menina. Ela deixou cair a lanterna e deu meia-volta com a cadeira de rodas para fugir dali. Mas a cadeira ficou presa em umas pedras maiores e inclinou para o lado. A menina caiu e gritou assim que bateu na superfície rochosa.

– Vamos lá – gritou Joel. – Não podemos deixar que ela conte a ninguém que estamos aqui.

Os dois alcançaram a garota em instantes. Seu olhar era de quem estava completamente aterrorizada. Falava muito rápido, mas não em uma língua que pudessem entender.

– Está tudo bem – disse Emily. – Não tenha medo. Não vamos te machucar.

– Você consegue nos entender? Fala Inglês? – perguntou Joel.

A menina olhou de Emily para Joel e caiu sobre seu braço de prata.

– Vocês são... deuses? – perguntou ela, gaguejando.

– Você realmente fala inglês! – disse Emily.

– Eu aprendo na escola – respondeu Stella, com um sotaque grego carregado.

– Você se machucou? – perguntou Joel. Ele apertou os olhos e tentou ver o corte no joelho da menina. – Em, dava para iluminar um pouco aqui?

Emily ergueu a mão e evocou a Chama, que brotou da palma de sua mão e fez com que a menina ofegasse e tentasse se arrastar para longe.

– Prometo que não vamos machucá-la – disse ela. – Eu sou Emily e este é Joel. Quem é você?

– St... Stella.

Ao segurar sua mão, Emily pôde ver que a menina não era muito mais velha do que ela. Tinha cabelos escuros bem cortados e olhos negros como a noite. Era capaz de mover do tronco para cima, mas suas pernas permaneciam imóveis. Emily notou que o joelho da menina estava sangrando, mas ela parecia não estar sentindo nada.

Os olhos de Stella estavam fixos na mão flamejante de Emily.

– Vocês *são* deuses!

– Não somos, não – disse Joel. – É uma longa história, mas não temos tempo para explicar. Você se machucou?

Stella balançou a cabeça.

– Sou paralítica da cintura para baixo. Não sinto nada.

Emily ajeitou a cadeira de rodas de Stella, enquanto Joel a levantava no colo e a colocava delicadamente em seu assento.

– Você pode dizer se este é o Templo de Poseidon? – perguntou ele.

– Este é o templo. – Stella apontou um dedo trêmulo na direção do antigo monumento que estava logo atrás. – Vocês acabaram de sair de dentro dele.

Joel se virou e olhou para as colunas.

– Ótimo. Ela deve estar em algum lugar por aqui.

Emily ergueu a mão um pouco mais alto e aumentou a chama.

– Júpiter não nos disse onde deveríamos procurar. Pode estar em qualquer lugar.

– Júpiter? – repetiu Stella suavemente. Vocês... vocês estão se referindo a...? – Ela gaguejou e fez uma pausa. – Vocês estão falando de Zeus... foi ele que mandou vocês aqui?

Emily acenou positivamente.

– Ele é real? – perguntou Stella, em um tom de voz quase inaudível. – Ele realmente vive no Monte Olimpo, com todos os outros deuses?

– Não, não é no Monte Olimpo, mas em outro mundo chamado Olimpo – explicou Emily. – Quando os olímpicos visitaram a Terra pela primeira vez, há muito tempo, eles vieram para a Grécia. Falaram com os povos antigos do seu mundo e, por causa disso, os gregos batizaram sua montanha mais alta com o nome deles, mas não se trata do mesmo lugar.

Emily fez uma pausa.

– Sei que isso pode parecer impossível de acreditar, mas prometo a você, eles são muito reais. Só que estão em apuros. Viemos aqui para encontrar algo que está ferindo os deuses.

Os olhos de Stella desviavam incessantemente da mão flamejante de Emily para o braço de Joel.

– Eles são reais – ela repetia. - Eles são reais...

– Sim, e estão morrendo – completou Joel.

Emily olhou em volta e viu o brilho das barracas colina abaixo.

– Joel, veja, há pessoas acampadas aqui.

– Droga! – disse Joel, praguejando. Ele se voltou para Stella. – O que estão fazendo aqui? Estão realmente acampando em um templo?

Stella balançou a cabeça.

– Não, meus pais são arqueólogos. Parte do precipício despencou lá embaixo e um artefato embutido na rocha foi descoberto.

– Uma caixa dourada? – perguntou Emily.

Os olhos de Stella se arregalaram.

– Sim, vocês já ouviram falar da arca do tesouro de Zeus?

– Foi você que a abriu?

– Eu? Não. Ela era pesada e caiu. A caixa abriu sozinha e fez-se um clarão. Depois, deu para ver que dentro dela não havia nada além de uma grande rocha.

– Você a viu? – gritou Emily. – Onde ela está?

– Já foi.

– O que você quer dizer com "já foi"? Foi para onde?

– Os outros a levaram, junto com a caixa, para o Museu da Acrópole, em Atenas.

– Droga! – Emily ficou enfurecida. Ela correu até a beira do precipício, levantou as mãos para o ar e lançou duas poderosas rajadas de chamas lá embaixo no mar. – Por quê? – gritou para o céu escuro. – Por que não podia estar aqui?

– Em, acalme-se! – gritou Joel. – Não perca o controle, você sabe o que pode acontecer se o fizer! É só irmos para Atenas e lá iremos destruí-la. Só vamos protelar um pouco.

Emily virou-se para Joel.

– Mas estamos perdendo um tempo precioso. Você viu como Paelen estava mal. E Pegs. Enquanto essa caixa estiver aberta, vão continuar rumando para a morte.

Stella se curvou diante de Emily e inclinou a cabeça, em sinal de reverência.

– Você *é* uma deusa!

– Não sou, não – disse Emily, com raiva. – Só estou aflita! E pare com isso, não quero você nem quem quer que seja se curvando para mim.

– Mas vocês devem ser deuses. Já vi suas imagens.

– Imagens? Onde? Quem é você? – Joel pegou no braço de Stella com a mão prateada.

– Você está me machucando – gritou Stella. – Por favor, me solta.

– Joel, larga a menina – disse Emily. Ela se virou para Stella. – Como você nos conhece?

– De uma peça de cerâmica do Museu da Acrópole – explicou a menina. – Há uma ânfora com pinturas de vocês ao lado de Zeus e outros deuses.

– O que é uma ânfora? – perguntou Emily.

– É um vaso com duas alças – explicou Stella. – Há muitas no museu. Sei de pelo menos mais duas de 500 a.C, com fotos de uma garota que atira fogo pelas mãos. As cores estão desbotadas, mas havia traços de azul em seus olhos. – Ela olhou mais atentamente para Emily. – Seus olhos são azuis. – Depois, a menina apontou para Joel. – Há um menino com ela. Ele possui um braço forte feito de metal, exatamente como o seu.

– Se está em um vaso antigo, então a imagem não pode ser nossa – afirmou Emily. – Nunca estivemos aqui no passado.

– Mas é sim – insistiu Stella. – A menina se parece com você e está vestida da mesma maneira.

Emily olhou para sua túnica olímpica.

– Não, Stella, não somos nós. – Ela olhou ao redor. – Diga-me uma coisa, a que distância daqui fica Atenas? Temos que ir até lá para destruir a pedra.

– Vocês não têm como fazer isso – disse Stella. – Ela está no museu. Lá tem muita segurança. Vocês não vão conseguir entrar.

– É claro que vamos – disse Emily. – Confie em mim, nada pode nos deter.

– Exceto, talvez, o transporte – acrescentou Joel. – Nunca fui à Grécia antes. Não tenho a menor ideia de como chegar a Atenas saindo daqui.

– Chegar a Atenas é fácil – disse Stella, apontando para o morro. – É só seguir aquela estrada.

– Você sabe como chegar a Atenas? – Quando Stella acenou com a cabeça, Emily prosseguiu. – Ótimo. Você vai nos levar até lá.

– O quê? Mas meus pais estão aqui. Eu vou ter problemas. E tenho que voltar às aulas na segunda-feira.

– Sinto muito, mas isso é muito importante. A vida dos olímpicos está em jogo. Você vai nos levar até o Museu da Acrópole e nos mostrar essa pedra.

– Mas eu não posso.

– Ah, pode sim – disse Emily, com firmeza. – Pode e vai. Você não tem escolha.

– Em – disse Joel delicadamente, curvando o dedo em sua direção –, posso falar com você por um instante, por favor?

– Stella, fique aqui – ordenou Emily enquanto se afastava com Joel.

Depois de alguns passos, Joel parou.

– Emily Jacobs, você perdeu a cabeça? Está pensando em sequestrar essa menina!

– Não estou sequestrando, só pegando emprestada – sustentou Emily.

– Mas ela anda em uma cadeira de rodas – argumentou Joel.

– E daí? Só porque está em uma cadeira de rodas não significa que não pode ajudar. Vamos levá-la conosco.

– Mas...

– Joel, me escute. Pegasus está morrendo. Assim como Paelen, Diana e todos os outros. Eles estão morrendo por causa dessa pedra. Não podemos desperdiçar tempo nos perdendo na Grécia. Stella sabe chegar a Atenas. Precisamos chegar lá. Ela conhece o museu. É lá que está a pedra. Não temos outra escolha.

Enquanto Emily e Joel discutiam, Stella começou a se afastar.

Emily a viu escapando pelo canto do olho e ergueu a mão na direção de Stella. A menina gritou quando a cadeira de rodas foi erguida do chão e veio parar novamente ao lado de Emily.

– Lamento muito, Stella – disse Emily, voltando-se para a garota. – Mas pessoas que eu amo estão morrendo por causa da rocha que está no museu. Tudo o que estamos pedindo é que nos ajude a chegar lá para que possamos destruí-la. Prometo que vamos deixá-la ir embora depois, e nunca mais nos verá novamente.

– E se eu me recusar? – perguntou Stella, temerosa.

Emily se aproximou.

– Você viu meus poderes, não tem como recuar. Nada, nem mesmo você, vai me impedir de salvar Pegasus!

15

– Tem certeza de que quer fazer isso? – sussurrou Joel enquanto vinha atrás de Stella, empurrando a cadeira de rodas colina abaixo.

Emily acenou positivamente.

– Não temos escolha. Se usássemos a Corrente Solar para chegar ao museu, ainda assim não saberíamos como fazer para entrar, ou qual seria de fato a aparência da rocha. Stella a viu. Temos que levá-la conosco.

Ela andava ao lado de Stella, percebia que a menina estava tremendo e sabia que era a causa disso. Só queria poder fazê-la entender o que estava em jogo.

À medida que se aproximavam do acampamento, Emily inclinou-se para mais perto de Stella.

– Para a proteção de todos, você não deve dizer uma só palavra quando passarmos perto das barracas. Em poucas horas vamos trazer você de volta em segurança, sem que ninguém saiba o que aconteceu. Entendeu?

O medo permanecia no rosto de Stella enquanto ela balançava a cabeça.

– Entendi.

Emily trocou um olhar com Joel. Podia perceber que o amigo ainda não estava de acordo com o plano, mas Emily não conseguia ver mais nenhuma alternativa.

Foi surpreendentemente fácil passar pelas tendas. Mas o que Emily não esperava era o número de carros estacionados mais abaixo da colina. Havia uma multidão de homens e mulheres parados, fumando.

Emily inclinou-se na direção de Stella.

– O que está acontecendo aqui? Quem são essas pessoas?

– São da mídia. Ouviram falar da arca do tesouro dourada. Estão todos aqui esperando para ver o que mais meus pais vão descobrir. Durante o dia, a polícia fica aqui para mantê-los afastados. Ela deveria ficar aqui à noite também, mas parece que já se foi.

– A mídia? – perguntou Joel. – Você está se referindo a jornais e fotógrafos?

Stella acenou positivamente.

– Em, você está pensando no que eu estou pensando?

– Espero que não – disse Emily. – Se a UCP de algum modo vier a saber disso...

A conversa foi interrompida assim que notaram um dos jornalistas olhando em sua direção. Ele bateu o cigarro e começou a se aproximar.

– Em – avisou Joel.

Emily olhou ao redor, desesperada. Eles já haviam sido vistos e não havia para onde ir.

– Nada vai nos parar, Joel – disse Emily, severamente. – Até mesmo o papai concordou que eu deveria usar meus poderes se fosse preciso.

– Não! – gritou Stella. – Por favor, não os machuquem. Juro que vou ajudá-los. Mas você não pode matá-los.

Emily não tinha intenção de ferir ninguém e estava prestes a dizer isso quando Joel rapidamente balançou a cabeça.

– Tudo bem, então, Stella – disse ele. – Ajude-nos a sair daqui que eles não vão correr perigo. – E olhou para sua companheira de jornada. – Empurre Stella que eu vou ficar atrás de vocês para esconder meu braço. Não podemos deixar que eles o vejam.

Emily se posicionou atrás da cadeira de rodas de Stella e Joel ficou mais para trás. Eles avançavam para dar de cara com o sujeito que vinha em sua direção. Emily sentia um frio na barriga, o que avivava a Chama dentro dela.

O homem era esguio e muito alto, usava roupas escuras casuais e um sobretudo preto aberto. Parecia estar em seus trinta e poucos anos, e tinha cabelos escuros e encaracolados, além de olhos azuis bem claros.

Stella foi a primeira a falar. Dirigiu-se ao sujeito em grego, o que deixou Emily ainda mais nervosa. Poderia estar lhe dizendo qualquer coisa, nunca saberiam. Enquanto os dois conversavam, o homem não parava de olhar para Emily e Joel. Havia algo em seus olhos - algo quase predatório. Atrás dele, todos os outros jornalistas pararam de falar e olhavam em sua direção.

Sinos de alerta repicavam na cabeça de Emily. Ela fechou as mãos, e se preparou para invocar a Chama. Mas depois de alguns minutos, o homem que falava com Stella sorriu e acenou com a cabeça.

Stella ergueu os olhos na direção de Emily.

– Ele é um repórter. Contei que vocês dois estão aqui para publicidade. Que suas roupas estão celebrando a descoberta da arca do tesouro de Zeus e que vocês as estavam experimentando para se prepararem para amanhã.

Emily sorriu e acenou com a cabeça.

– Sim, sim, estamos – disse ela.

– Você é americana? – perguntou o repórter em um inglês meio enferrujado.

Emily acenou positivamente.

– Meu pai é um dos arqueólogos. Ele achava que seria divertido se experimentássemos estas roupas.

O repórter concordou, mas fez uma ressalva.

– Vocês não estão com frio usando essas roupas leves? Não está quente aqui fora.

Emily e Joel balançaram suas cabeças.

– Não, estamos bem.

O coração de Emily quase parou quando o repórter estendeu a mão para cumprimentá-la. Relutante, ela retribuiu o aperto de mão. Mas quando a estendeu para Joel, Emily balançou a cabeça.

– Meu amigo não aperta mãos – disse ela rapidamente. – Ele tem medo de germes.

– Germes? – disse o repórter. – Não entendo.

Stella rapidamente traduziu e os olhos do repórter se fixaram em Joel por vários segundos. Por fim, ele sorriu novamente.

– OK, OK, vejo vocês mais tarde.

– Sim, OK, claro – concordou Emily, balançando a cabeça e ainda sorrindo. – Também o vejo mais tarde. Tenha uma boa noite.

Eles observaram o repórter voltar para o grupo.

Stella olhou para as túnicas de Emily e Joel.

– Se vocês vão passar algum tempo na Grécia, é melhor que troquem suas roupas. Não nos vestimos mais assim.

– Vamos ficar aqui por pouco tempo – disse Emily. – Assim que destruirmos a rocha iremos embora.

Stella os levou para o carro dos pais.

– Não tenho as chaves e não há ninguém aqui que possa dirigi-lo.

– Eu posso dirigir – disse Joel.

– E eu posso abri-lo – ofereceu-se Emily. Ela colocou a mão na tranca da porta do motorista. Concentrou-se e pensou "abra". Em instantes, ouviram um clique e a porta se abriu.

– Belo truque – disse Joel enquanto levantava Stella no colo e a ajudava a sentar no banco do passageiro. – Só espero que ele consiga fazer o motor funcionar.

Os dois colocaram a cadeira de rodas de Stella no porta-malas e Emily usou seus poderes para dar partida no motor. Logo, Joel conseguiu engrenar o veículo e saiu da área de estacionamento, passando pelos carros dos repórteres e ganhando a estrada principal.

A viagem começou em silêncio, que foi quebrado apenas quando Stella começou a orientar Joel sobre para onde deveria seguir.

– O que aconteceu com você? – finalmente perguntou Joel. – Você sempre foi paraplégica?

Stella balançou a cabeça.

– Não, foi um acidente quando eu tinha oito anos. Fui a uma escavação com meus pais em Delfos. Eu me afastei do grupo e caí em um poço. Fui aterrissar em cima de uma pedra e quebrei as costas. Desde então sou paralítica.

– Sinto muito – disse Joel.

Stella encolheu os ombros.

– Já me acostumei com isso. Mas por causa do acidente, meus pais não me deixam fazer nada ou ir a lugar algum sem eles. Não acreditam que eu possa cuidar de mim mesma. Eu não queria vir para esta escavação, mas eles nunca me deixariam ficar em casa sozinha.

– Pelo menos você tem pais – disse Joel suavemente. – Os meus morreram em um acidente de carro. Se não fosse por Emily e pelos olímpicos, tenho certeza que acabaria na prisão.

Emily sentou-se na parte de trás, e ficou ouvindo Joel e Stella. Pegou a pena de Pegasus e a revirou nos dedos.

– Aguenta firme, Pegs – ela sussurrou baixinho. – Aguenta.

– Você está conversando com uma pena? – perguntou Stella.

Emily concordou com a cabeça e olhou carinhosamente para a pena.

– Ela pertence a Pegasus. Ele está muito doente.

– Pegasus? – perguntou Stella. – O cavalo alado?

– Ele não é um cavalo – esbravejou Emily. – É o Pegasus!

– Desculpe! – disse Stella rapidamente. – Não queria deixar você com raiva.

Emily suspirou profundamente.

– Não, eu que tenho que pedir desculpas por ter gritado. Só estou apavorada. Antes de a caixa de ouro ter sido aberta, Pegasus e eu costumávamos voar juntos para todo lado. Agora, por causa disso, ele está muito doente. Um grande número de olímpicos já morreu e os poucos sobreviventes estão morrendo.

– Como pode ser? – perguntou Stella. – Ainda não entendo. Os deuses são imortais. Como uma simples rocha pode ser tão perigosa?

– Não é uma pedra qualquer – respondeu Joel enquanto dirigia pelas estradas vazias do interior da Grécia. – Foi uma arma criada pelos Titãs.

– Os Titãs! – repetiu Stella. – Eles são reais também?

– Eram – disse Emily. – Júpiter os derrotou. Mas pouco antes de fazê-lo, os Titãs criaram uma arma que poderia destruir os olímpicos. Por sorte, Júpiter e os irmãos a alcançaram antes e a trancaram na caixa de ouro. Ela se manteve intocada durante todo esse tempo.

– Até a encontrarmos – ponderou Stella. – O que vai acontecer depois que vocês a destruirem?

– Não sei – respondeu Joel. – Os sobreviventes estão velhos e doentes. Espero que, com sua destruição, possamos reverter os danos. Se não, mesmo que consigamos destruí-la, pode ser que seja tarde demais para salvá-los.

Joel havia dito as palavras que Emily temia. Ela havia pensado a mesma coisa inúmeras vezes. Será que o dano poderia ser revertido? E, se pudesse, o que aconteceria com os sobreviventes?

Era quase meia-noite quando chegaram ao centro de Atenas. Como em qualquer cidade grande, havia um monte de carros nas ruas principais, mas não nas vias menores e mais escondidas.

– Este lugar é uma loucura – reclamou Joel ao manobrar o automóvel pelas ruas tranquilas. – Eu achava que dirigir em Nova

York era ruim, mas em Atenas é impossível! Como alguém pode enfiar um carro nessas vielas?

– Meu pai consegue – disse Stella.

– Seu pai deve ser maluco – murmurou Joel.

Enquanto Stella os guiava para o Museu da Acrópole, Joel virou numa rua particularmente estreita, calculou mal a largura e bateu em um carro que estava estacionado.

– O carro do meu pai! - gritou Stella.

Quando saltaram para ver o estrago, perceberam que toda a lateral havia desabado.

– O que vou dizer para ele? – disse Stella, gemendo.

– Nada – respondeu Joel. Ele vai pensar que o carro foi roubado.

Usaremos outro carro para levá-la de volta ao templo. Ele olhou em volta.

– Mas é muito perigoso deixá-lo aqui no meio da rua.

– Entendi – disse Emily. Ela esticou o braço direito à sua frente na direção do carro danificado... que se ergueu no meio da rua, passando por cima dos veículos estacionados, e depois foi colocado de lado em cima da calçada estreita. – Deixem a polícia tentar descobrir como ele foi parar lá.

– Estou ferrada – suspirou Stella.

– Não tanto quanto os olímpicos – comentou Emily. – Leve-nos para o museu.

Joel mais uma vez empurrou a cadeira de rodas de Stella enquanto seguiam pelas ruas desertas de Atenas.

Passaram ao lado de uma série de edifícios, lojas e hotéis, e Emily quase se lembrou de Nova York. A comparação terminou quando percebeu os grafites em todos os prédios e janelas das lojas. Parecia que não havia uma única porta ou parede que tivesse escapado da tinta spray dos artistas de rua.

Outra diferença é a sensação de calma que o lugar passava. Embora fosse tarde da noite, as poucas pessoas com as quais cruzavam na rua lhes saudavam e sorriam amigavelmente, em vez de ficarem desconfiadas, o que seria comum aos nova-iorquinos. Claro que os risos só podiam ser por causa dos trajes olímpicos, pensou Emily.

Em algum lugar ao longo do caminho, Emily percebeu que um enorme cachorro marrom os seguia. Quando pararam, o cachorro traçou uma linha reta e foi na direção de Emily, abanando o rabo como se quisesse ser acariciado.

Emily se ajoelhou e afagou o belo rosto do animal.

– Você se parece com o cachorro da minha mãe, o Mike. Vá para casa agora, tenho certeza de que sua família está sentindo sua falta.

– Ele não tem casa – afirmou Stella. – A etiqueta vermelha na coleira significa que é um cachorro de rua. Foi abandonado. O governo possui veterinários que tratam deles. Mas é a população que os alimenta.

Emily olhou para a etiqueta vermelha. Ele tinha uma data e um número de série.

– Quem faria isso? Ele é tão doce.

– Olhe ao seu redor, há muitos cachorros abandonados em Atenas. Às vezes os animais de estimação crescem demais e os donos os soltam nas ruas. Simplesmente os largam e vão embora.

Emily percebeu que havia outros cachorros dormindo em portas ou vagando pelas ruas.

– São todos desabrigados?

Stella acenou positivamente.

– Isso é normal. Há cachorros por toda parte. Gatos também.

– Normal? – perguntou Joel. – Não é normal abandonarem animais de estimação na rua. Isso é horrível.

– Sempre fizemos isso – disse Stella.

– Isso não significa que seja certo – disse Emily. Ela fez um último afago no cachorro. – Desculpe, gostaria de poder levar você consoco – disse para o animal. – Mas você não pode ir para onde estamos indo. Fique aqui.

Mas o cachorro se recusou e continuou a segui-los.

– É só ignorá-lo – disse Stella. – Ele vai acabar indo embora. – Ela fez com que Joel parasse de empurrar sua cadeira e apontou para cima. – Lá está a Acrópole.

Emily e Joel olharam para o topo de um morro alto que se erguia acima das ruas comuns da cidade e dos edifícios cobertos de grafites. Respiraram fundo com a incrível visão.

A Acrópole era na verdade uma série de templos antigos construídos bem perto um do outro, no topo de um dos pontos mais altos de Atenas. Luzes de refletores brilhavam sobre o mármore branco, destacando o enorme monumento.

– Quantos prédios há lá em cima? – perguntou Joel baixinho.

– Um monte – respondeu Stella. – O maior é o Parthenon, o templo de Atena. Atrás dele está o templo de Poseidon, e logo na frente você pode ver o templo de Atena Niké. É realmente cansativo subir todas as escadas para chegar lá, mas vale a pena. Mesmo com todos os andaimes.

– Minha mãe sempre sonhou em conhecer a Acrópole – afirmou Emily. – Ela costumava me mostrar fotos nos livros que colecionava. É tudo tão bonito.

– Mas realmente parece um lugar meio deslocado aqui no meio da cidade – comentou Joel. – A parte de baixo, isso aqui, poderia ser Nova York. Mas no momento em que você olha para cima e a vê, sabe que está na Grécia.

Emily franziu a testa.

– Joel, o Parthenon não lembra um pouco o palácio de Júpiter, com todos aqueles pilares?

Joel balançou a cabeça, concordando.

– Só que o de Júpiter é muito, mas muito maior. E não tem tantos andaimes à sua volta... – O tom de sua voz foi diminuindo e ele desviou o olhar.

Emily baixou a cabeça e sentiu uma dor rasgando-a por dentro.

– Ainda não consigo acreditar que ele se foi.

– Quem? – perguntou Stella.

– Júpiter – disse Emily, com tristeza. – Eu já havia dito, ele morreu há dois dias. Assim como seus irmãos, sua esposa e minha professora, Vesta.

– Então Zeus está realmente morto?

– O nome dele era Júpiter! – gritou Joel, furioso.

– Na Grécia, nós o chamamos de Zeus, não de Júpiter – desafiou Stella. – Você está aqui agora, por isso também deve chamá-lo de Zeus.

– Não importa como o chamamos, ele está morto! – gritou o rapaz. – Estão todos mortos! E se não destruirmos essa arma, os sobreviventes vão morrer também. Vamos lá, vamos lá!

Seguiram pelo resto do caminho em silêncio, com o cachorro se arrastando atrás. Em pouco tempo, chegaram ao museu. O prédio era grande e tinha um formato estranho, feito de vidro, aço e concreto.

– Eles projetaram o museu para que se parecesse com uma versão moderna do Parthenon – explicou Stella.

– Isso foi feito para se parecer com o Parthenon? – perguntou Emily. – Mas não se parece nem um pouco!

– Alguns dizem que sim – defendeu Stella.

O coração de Emily bateu mais forte, sabendo que a rocha que estava matando todos os olímpicos estava dentro daquele prédio.

– Como fazemos para entrar?

Stella deu a volta no prédio com eles.

– Durante o dia, quando o museu está aberto, os visitantes entram por aquelas portas frontais – disse ela, apontando para a enorme fachada de vidro do edifício. Pilares mais altos se estendiam por todo o comprimento do prédio, e o piso que dava na entrada estava coberto por espessos painéis de vidro. Emily olhou através de um dos painéis e viu uma escavação arqueológica iluminada sendo feita debaixo do museu. Em qualquer outra situação, ela poderia se interessar por aquilo. Mas, agora, tudo o que lhe importava era entrar e sair dali o mais rápido possível.

– Os visitantes podem andar sobre o vidro – explicou Stella. – Podem acompanhar o que os arqueólogos estão fazendo e descobrindo. –Ela seguiu para a lateral do prédio. – Quando o museu está fechado, nós entramos pelo lado, por aqui.

Os três deram a volta no prédio. Mais à frente havia uma série de portas fortemente protegidas. Stella ergueu uma das mãos.

– Esta é a entrada que dá na área de pesquisa. Meus pais entram por aqui. – Ela apontou para uma caixa de segurança com um teclado numérico e um terminal eletrônico para cartões com tarja magnética. – Mas vocês precisariam de uma senha, um cartão e chaves. Eu não tenho nada disso.

– Não precisamos de nada disso – disse Joel. – Em, você pode abrir as portas ou terei que forçá-las?

– Pode haver alarmes... Deixa comigo.

Emily se aproximou das portas e lançou a Chama de suas mãos, na forma de um feixe que parecia ser de laser, para abrir um buraco grande e redondo no meio das sólidas portas de segurança.

Stella encarou aquilo completamente chocada.

– Como vocês fazem isso?

– Não tenho tempo para explicar – respondeu Emily. Ela passou pelo buraco e usou seus poderes para fazer levitar a cadeira de rodas de Stella.

O cachorro os seguiu para dentro do prédio.

– Ele não devia estar aqui – disse Stella. – As regras não permitem a entrada de animais.

– Nós acabamos de entrar, não é a hora de começar a se preocupar com regras – disse Emily. – Só nós leve para onde eles guardariam a pedra.

Stella olhou com irritação para o cachorro, mas guiou o grupo no meio do labirinto da parte traseira do Museu da Acrópole.

– O escritório da minha mãe fica no nível inferior. Há um elevador do outro lado do edifício. Vamos por aqui. Quero mostrar uma coisa.

Eles entraram na área de visitação pública no nível principal do museu fechado. As luzes principais estavam apagadas, mas cada vitrine estava acesa, deixando seu conteúdo à mostra. Eles passaram por algumas das mais antigas peças expostas.

– Aqui. – Stella parou a cadeira de rodas diante de uma das vitrines iluminadas. – Eu disse que havia visto seu retrato antes.

Emily e Joel olharam para a ânfora de terracota, com a antiga obra de arte pintada com tintas preta, creme e laranja. Apesar das rachaduras e soldagens onde havia quebras remendadas, não havia como confundir a imagem na parte da frente. Era o perfil de uma menina usando uma túnica olímpica. Estava com as mãos erguidas, lançando chamas na direção de monstros com tentáculos. Logo atrás dela havia dois homens. Um era um jovem alto e musculoso segurando uma lança. Os olhos de Emily se fixaram em seu braço direito. Ele estava rasgado, deixando à mostra suas entranhas mecânicas.

– Veja, Joel! – disse Emily. – Isso realmente se parece com seu braço.

– Não pode ser! – exclamou Joel. – Mas olha o fogo saindo das mãos da menina. Essa realmente poderia ser você. Como é possível?

– Não sei. – Um arrepio percorreu Emily enquanto examinava a antiga jarra. Até que seus olhos pousaram em outra coisa e sua respiração parou completamente. Ao lado da figura da menina no pote havia um cachorro enorme. Ele rosnava e mostrava os dentes para um dos monstros. O cachorro era todo marrom, com exceção da pata dianteira direita, que era branca.

– Joel, veja. – Emily deu as costas para o vaso e apontou para o cachorro. – Olha a pata da frente. Você não acha...

– Não, é impossível. Tem que haver algum engano.

– Não há nenhum engano. É você – insistiu Stella. - Eu percebi no momento em que a vi. Posso levá-la até a outra ânfora para mostrá-la com Zeus e Poseidon.

Emily balançou a cabeça.

– Não, não quero ver mais nada. Só quero destruir essa pedra e ir para casa.

Stella os guiou em meio ao museu às escuras. Da área que ficava aberta para o público, entraram em um elevador para cargas.

Stella apertou o botão para descer.

– É aqui que armazenam algumas peças que serão expostas mais tarde. O escritório da minha mãe fica no final. Ao lado fica a oficina onde ela data e restaura cerâmicas. Seu assistente, Stavros, voltou para cá há uma semana com a caixa dourada e a pedra. Eles devem estar lá.

Enquanto o grupo seguia pelo longo corredor, o cachorro foi parando e começou a grunhir e rosnar baixinho.

– Alguma coisa está errada – disse Emily.

– Ele é apenas um cachorro bobo de rua – disse Stella. – Não há nada aqui. – Ela se aproximou da oficina e abriu a porta.

De repente, as luzes se acenderam. A sala estava cheia, com pelo menos dez homens usando ternos pretos, todos segurando armas apontadas na sua direção. No centro da sala estava o mesmo repórter do templo no Cabo Sunião. Ele sorriu presunçosamente enquanto apagava um cigarro com o pé.

– Emily Jacobs e Joel DeSilva. O que fez vocês demorarem tanto para chegar aqui?

16

Emily ergueu a mão para disparar uma rajada da Chama. De onde estava, o cachorro pulou sobre o homem mais próximo da porta e abocanhou seu braço. O agente lhe deu uma coronhada e o derrubou, atordoado, no chão.

– Pare! – gritou o falso repórter. Ele disparou um tiro de aviso para o teto antes de virar a arma na direção de Joel. – Sabemos que não podemos feri-la, Emily. Mas Joel ainda é humano. Assim como sua nova amiga, Stella. Posso matá-los em um piscar de olhos. Agora baixe as mãos.

– Quem é você? – perguntou Joel.

O homem se inclinou casualmente sobre uma das mesas de trabalho.

– Ah, acho que vocês já sabem quem somos. – Seus olhos se fixaram no braço prateado de Joel. – Não demorou muito para os olímpicos substituirem seu braço. Nunca vi o outro, mas ouvi dizer que era uma obra-prima.

Joel olhou para o novo braço.

– Você está com a UCP.

– Bom palpite, acertou de primeira – brincou o agente. – Sou o Agente B.

– Você não é grego – acusou Stella.

– Não – disse o agente. – Sou britânico. Mas enganei direitinho, não?

– Britânico? – repetiu Emily. – Eu achava que a UCP era uma organização americana.

– Que menina tola – disse o Agente B com o mais carregado sotaque britânico. – Somos uma organização de amplitude mundial. Maior do que qualquer governo. Já devia saber disso.

Ao lado deles, o cachorro começou a se mexer. Quando se sentou, começou a rosnar.

– Atire – ordenou casualmente o Agente B.

O agente mais próximo apontou a arma para o cachorro, mas, antes que tivesse chance de puxar o gatilho, Emily o jogou para trás com uma força invisível. Ele bateu em uma parede cheia de pedaços de cerâmica restaurada. Todos se espatifaram no chão com um baque.

Emily se ajoelhou ao lado do cachorro e olhou para o Agente B.

– Se você tentar qualquer coisa, vai se arrepender muito.

– É um vira-lata, Emily – disse o Agente B com desdém. – Existem centenas deles em Atenas. Você tem problemas maiores no momento do que esse animal imundo.

Emily levantou a mão e o fogo brilhou em sua palma.

– Estou avisando. Se machucá-lo novamente, ou a qualquer um aqui, não vou me segurar. Lembre-se do que eu fiz na Área 51.

Por um instante, os olhos azuis claros do agente se arregalaram de medo.

– Calma, Emily. Ninguém vai machucar ninguém aqui. Apague sua Chama, só queremos conversar. – Ele andou até onde estava um de seus homens, desfez o nó da gravata e a jogou para a menina. – Basta amarrar seu amigo e mantê-lo sob controle.

– Calma, Mike – disse Emily para o cachorro enquanto amarrava a gravata à sua coleira. – Eles não vão mais machucá-lo.

Quando Mike foi contido, Emily ficou novamente ao lado de Joel.

– O que estão fazendo aqui? – perguntou ela.

O agente encolheu os ombros.

– Você acha que é a única que sabe o significado da caixa de ouro? Quando descobrimos o que ela podia fazer, sabíamos que viria atrás dela. Estamos observando vocês desde o momento em que chegaram ao templo. – Ele deu uma risadinha. – Foi muito engenhosa aquela manobra que fizeram com o carro na calçada. Mas tivemos que tirá-lo de lá. Não queremos que a polícia local venha aqui e faça mais perguntas.

– Não entendo. – disse Emily. – Como é que vocês sabiam da caixa?

– Somos a Unidade Central de Pesquisa. Se alguém espirrar, vamos ficar sabendo.

O coração de Emily acelerou no peito. Estavam perdendo um tempo precioso. A vida de Pegasus dependia dela e não havia tempo para fazer joguinhos com a UCP. Ela invocou a Chama de novo e ergueu a mão em um gesto ameaçador.

– Não temos mais tempo para isso. Entregue logo a caixa e iremos embora.

O Agente B balançou a cabeça.

– Você pode nos matar, Emily, mas isso não vai mudar nada. A caixa não está aqui.

– Onde ela está?

– Longe.

– Longe onde?

O agente não tinha a menor pressa para começar a explicar.

– No momento em que a caixa foi aberta no Templo de Poseidon ela matou todos os clones que tínhamos armazenados por todo o mundo. Não adiantou o que fizemos ou o quanto tentamos protegê-los, todos morreram.

– Havia mais clones? – perguntou Joel, com espanto.

– É claro – disse o agente. – Qual é, Joel, não seja ingênuo. Você realmente estava achando que a UCP colocaria todos os ovos em uma só cesta? Eles foram criados nas instalações da Área 51, mas em seguida mudaram de endereço. Tínhamos mais de duas dezenas só em nossas instalações no Reino Unido. Infelizmente, depois da morte de todos os clones, todo o programa foi desativado.

– No entanto – prosseguiu o Agente B –, não foi uma perda completa. Depois de um pouco de investigação, soubemos da descoberta dessa caixa dourada aqui na Grécia. A princípio, achamos que fosse a própria caixa. É realmente uma obra de arte... tenho que mostrá-la para vocês alguma hora. Nós a mandamos para uma de nossas instalações nos Estados Unidos. Ela e os arqueólogos que a encontraram.

O Agente B se voltou para Stella.

– De fato, Stella, seus pais e George Tsoukatou estão indo para lá neste exato momento. – Ele fez uma pausa e olhou para o relógio. – Devem estar aterrissando daqui a poucas horas.

– Não! – gritou Stella. – Quem é você?

O Agente B fingiu ter ficado magoado.

– Emily, você não contou para Stella quem somos nem falou sobre o quanto já nos divertimos juntos?

Os nervos de Emily estavam a ponto de explodir.

– Onde... está... a... caixa? – perguntou ela. – Diga-me agora antes que eu perca a paciência!

– Acalme-se, Emily, que já vou chegar lá. Depois de alguns testes, descobrimos que a caixa em si não era o prêmio. O verdadeiro tesouro era a rocha em seu interior. Quando vimos o que fez com nossos clones, nos perguntamos o que poderia fazer com os olímpicos de verdade. Então pegamos o sangue que ainda tínhamos de Diana e Paelen e o expusemos à rocha. Quer saber o que aconteceu? Ele foi destruído... virou pó. Puf... sumiu!

Emily sentiu um embrulho na boca do estômago. A UCP sabia o que a pedra poderia fazer. Eles agora possuíam a arma titã.

– Onde ela está? – Ela exigiu saber. – O que fizeram com ela?

– Nós? – disse o agente inocentemente. – Não fizemos nada com ela. Quando percebemos o que poderia fazer e como era perigosa, resolvemos que não queríamos nada parecido com aquilo em nosso planeta. Então, a mandamos para longe.

– Para onde? – gritou Emily.

O agente cruzou os braços sobre o peito e sorriu orgulhosamente.

De repente, Emily percebeu que ele estava jogando para ganhar tempo. A UCP planejava alguma coisa. Talvez estivesse esperando esforços.

– Diga-me agora, ou juro que você vai se arrepender!

– Já lhe disse para se acalmar antes de perder a paciência – prosseguiu o agente. – Você é mesmo muito impaciente. Mas deixa eu contar uma coisa engraçada. Quando Pegasus veio a Nova York pela primeira vez, nossos agentes encontraram uma pequena e estranha joia azul no estábulo onde você roubou aquela carruagem. Ninguém pensou muito nisso naquele instante. Afinal, estavam com problemas maiores, com os Nirads enlouquecidos no meio da cidade. Mas então, meio que por acidente, nossos cientistas descobriram seus segredos.

Emily olhou desesperadamente para Joel e percebeu que ele estava pensando a mesma coisa. O agente estava calmo demais. Demonstrava muito controle e muita altivez.

– O que você fez com a pedra? – Joel exigiu saber.

– A única coisa que poderíamos fazer. Usamos aquela estranha e pequena joia azul para enviá-la de volta ao lugar a que pertence.

O Agente B fez uma pausa e sorriu com crueldade.

– Nós a enviamos para o Olimpo.

17

– O quê? – disse Emily, bufando. – Você não fez isso!

– Fizemos sim – disse o Agente B. – Mas não foi há muito tempo. De acordo com os primeiros relatos, não houve sobreviventes. A Terra não vai ter mais que se preocupar com a iminência de os olímpicos virem aqui novamente. Vocês são tudo o que resta desses povos antigos.

– Não! – gritou Emily. – Vocês não seriam capazes. Simplesmente não seriam. Nem mesmo a UCP destruiria toda uma raça...

– Somos e destruímos – disse o agente. – Acabou, Emily. Você não tem escolha a não ser se juntar a nós agora. O que começamos na Área 51 irá continuar. Sem os olímpicos por perto para distraí-la, poderemos trabalhar juntos. Em pouco tempo, você e eu seremos os amigos mais próximos.

– Nunca – proferiu Emily.

– Vamos ver – disse o Agente. – Agora venham conosco, há transportes nos esperando do lado de fora do museu para nos levar a Londres. Juntos, vamos trazer ordem para este mundo conturbado. E você, minha querida Emily, será a arma definitiva contra aqueles que se opõem a nós.

– Arma definitiva? – sussurrou Emily. – Você está pensando em mim como uma arma?

O agente acenou positivamente.

– O que você é, além de uma arma olímpica? Pelos relatos que eu li, você sequer está viva.

– Não! – insistiu Emily. – Eu não sou uma arma. Sou uma pessoa. Está ouvindo? Não sou uma arma!

Saber das suas origens com os Xan, observar Júpiter e os outros morrerem, ver seu amado Pegasus envelhecendo rapidamente e, finalmente, descobrir que a UCP havia usado a Corrente Solar para mandar a arma para o Olimpo – tudo isso era demais.

Algo em Emily saiu do controle.

– EU SOU UMA PESSOA!

Emily jogou a cabeça para trás e rugiu como se sua temperatura corporal tivesse ficado mais alta do que nunca. Ela nunca havia sentido tanta fúria antes. Mesmo quando as górgonas ameaçaram todos que ela amava, ela havia conseguido manter o controle. Mas ouvir o que a UCP havia feito era mais do que podia aguentar. Chamas começaram a brotar descontroladamente de suas mãos, seus olhos e sua boca, e seus poderes aumentaram e ela perdeu todo o controle.

Labaredas incontroláveis começaram a espocar ao redor da sala, atravessando o teto, chegando a todos os níveis do Museu da Acrópole, e mais alto, rumo ao céu noturno sobre Atenas.

Os olhos furiosos e incendiários de Emily voltaram-se para os agentes da UCP. Um a um, eles foram deixando de existir. Mais atrás, ela ouviu Joel gritando seu nome e implorando para que parasse com aquilo. Mas Emily não conseguia parar. Mais agentes irromperam na sala e abriram fogo. Mas nenhuma bala a atingiu, tampouco Joel, Stella ou o cachorro. A Chama havia sido desencadeada e estava solta. Mas mesmo com todos os danos que estava causando ao museu e a Atenas a sua volta, o que mais a preocupava era proteger aqueles de quem ela mais gostava.

Suas emoções eram muito cruas e desenfreadas para conter o turbilhão da Chama. A dor que vinha mantendo presa dentro de si só agora estava sendo liberada. Podia sentir seus poderes se espalhando, incinerando o museu e o que estava além.

– Emily, pare! – gritou Joel.

Mas Emily não conseguia parar.

– Riza – gritou Joel –, por favor, faça Emily parar antes que seja tarde demais!

Bem lá no fundo, Emily sentiu Riza a chamando e se esforçando para controlar a situação.

– *Desista, Emily* – disse-lhe Riza. – *Esqueça a mágoa e a dor! Há outra maneira de botá-las para fora, eu juro. Você ainda é muito jovem para todos esses poderes. Você não entende o que é capaz de fazer. Por favor, não destrua este mundo. Contenha-se. Contenha seu poder.*

As palavras de Riza atravessaram sua raiva de forma cortante.

– Destruir o mundo? O que ela quis dizer com isso?

Ela se concentrou no tom calmo da voz de Riza e encontrou um momento de clareza ao qual poderia se agarrar. Começou a disciplinar o poder que vinha do seu interior e aos poucos foi recuperando o controle da situação. Logo conseguiu levar seus poderes novamente para dentro de si.

Emily caiu de joelhos, ofegante. Enquanto recuperava os sentidos, pôde sentir o cheiro denso e sufocante da fumaça, e ouvir o som de vidros quebrando, de estruturas rachando e chamas ressonando.

– Estamos cercados – gritou Joel, tossindo sem parar. – Não há como sair daqui!

Estavam presos em um inferno. As chamas ainda queimavam descontroladamente à sua volta enquanto o museu estava envolto por uma enorme bola de fogo. Mas seus poderes os cercavam e protegiam.

Joel tirou a joia azul do bolso da túnica e a ergueu.

– Olimpo! – disse ele, meio engasgado. – Leve-nos para o Olimpo!

A Corrente Solar se abriu e cortou caminho em meio às chamas incontroláveis. Joel segurou na cadeira de rodas de Stella e começou a se mexer.

– Vamos lá – gritou ele. – Antes que tudo isso aqui desabe sobre nós!

18

Eles emergiram da Corrente Solar no coração do Olimpo. Joel soltou Stella e caiu no chão, tossindo e com falta de ar. Stella estava quase inconsciente e desmoronou na cadeira de rodas. Mike deitou ao seu lado, bastante ofegante.

Emily viu que Joel se esforçava para recuperar o fôlego e percebeu que estava bem. No entanto, os outros ainda estavam sofrendo e tentando respirar.

– Joel? – Emily se ajoelhou ao seu lado. Você está bem?

Ele ainda tossia enquanto se sentava.

– Só preciso de ar.

– O que aconteceu?

Ele a encarou, incrédulo.

– Você está falando sério?

Emily só podia se lembrar de fragmentos do passado recente. O Agente B dizendo que havia enviado a arma titã para o Olimpo e como eles planejavam usá-la como uma espécie de arma. Até que se lembrou da dor. A dor lancinante e insuportável da perda, e então, finalmente, da fúria incontida.

– Eu quase destruí o mundo... – sussurrou Emily. Ela olhou para as mãos trêmulas. – Não conseguia me conter. Quase destruí o mundo e não conseguia parar!

Ela começou a balançar o corpo para trás e para a frente enquanto percebia o que tinha acontecido.

– Não aguento mais – gritou ela. – Por favor, alguém, tire esses poderes de mim!

Bem no fundo do seu ser, Emily sentiu a calma presença de Riza pairando por perto.

– *Lamento muito, Emily, mas não posso. Os poderes dos Xan são seus agora. Mas você pode aprender a controlá-los. Prometo que você pode.*

Joel estava ao seu lado.

– Vai dar tudo certo, Em – disse ele suavemente, enquanto a segurava. – Estamos todos a salvo. Você não destruiu o mundo. Você se conteve antes de ir longe demais. Você tem controle.

– Não tenho, não! – gritou Emily. – Foi Riza. Foi ela que me deteve, não eu.

– *Fomos nós duas* – assinalou Riza.

Emily agarrou-se a Joel como se fosse o único barco salva-vidas em um mar revolto.

– Não me deixe perder o controle novamente... – sussurrou ela em seu peito.

– Não vou – prometeu ele baixinho, abraçando-a mais apertado. – Sempre vou estar por perto para ajudá-la, Em, não importa o que aconteça.

Joel ficou abraçando Emily até sua tremedeira passar. Enquanto ela respirava fundo e se purificava, ele sorria com gentileza.

– Está melhor?

Emily acenou com a cabeça.

– Então, vamos lá. Vamos andar por aí e ver se ainda tem alguém vivo.

Emily olhou em volta com tristeza, e percebeu que havia um silêncio doloroso no ar. Nem mesmo o vento soprava.

Os edifícios de mármore do Olimpo ainda estavam inteiros, belos e intocados. Assim como as estátuas imponentes que ladeavam as estradas e todas as outras obras de arte ao seu redor. Mas não havia uma única forma de vida que houvesse sobrevivido. As árvores estavam todas mortas. A grama debaixo delas havia desaparecido. Só restava poeira.

– Tudo se foi – disse ela delicadamente. – A UCP realmente conseguiu. Eles destruíram o que restava do Olimpo.

– Por favor, aqueles homens raptaram a minha família. Tenho que voltar. – Era Stella, agora totalmente desperta, que parecia estar com uma neurose de guerra.

Emily sentiu o peso da responsabilidade repousando pesadamente em seus ombros. Ela sabia como Stella estava se sentindo. O próprio pai de Emily havia sido prisioneiro da UCP havia pouco tempo. Ela concordou, balançando a cabeça. – Nós vamos, eu prometo. Eles não vão ficar com seus pais por muito tempo.

Joel assentiu.

– Mas antes precisamos procurar sobreviventes.

Mike se aproximou de Emily, abanando o rabo.

– Não se preocupe, você vem também – disse ela delicadamente, acariciando sua cabeça.

Seguiram para o palácio de Júpiter. De repente, o cachorro virou a cabeça para o lado e os pelos em seu pescoço se arrepiaram. Ele começou a rosnar.

Emily se ajoelhou ao seu lado.

– O que foi, garoto?

O grunhido sutil continuou enquanto Joel parava para ouvir.

– Espera, acho que ouvi alguma coisa também. E está vindo de dentro do palácio.

Todos se dirigiram para a entrada dos fundos do palácio de Júpiter.

– Espere aqui – disse Emily para Stella, enquanto lhe passava a guia do cachorro. – Já voltamos.

Eles subiram as escadas e se aproximaram com cautela das portas abertas. Dentro havia um grupo numeroso de homens se despindo do que pareciam ser trajes espaciais brancos e volumosos. Outros, ainda em suas vestimentas brancas, desciam as escadas de mármore que davam no salão de entrada. Eles retiraram os capacetes.

– Não há ninguém nos níveis superiores – relatou um dos homens. – Descobrimos onde as famílias Jacobs e DeSilva vivem, mas não há nenhum sinal do pai ou da tia. Eles não estão aqui. É possível que tenham morrido com os outros?

– Creio que não – disse o comandante no piso principal. – Eles são humanos e a arma é inofensiva para nós. É mais provável que estejam escondidos. Pegue uma equipe e vasculhe este lugar de cima a baixo. Precisamos deles como reféns para controlar a menina. – Ele se virou para outro de seus homens. – Agente S, chame todas as unidades. Diga-lhes que o ar é respirável. Faça com que nos encontrem aqui na base. Precisamos coordenar a busca pela família de Emily.

Virando-se para outro, prosseguiu.

– Agente T, volte para a Terra e comece a mandar as equipes de desenvolvimento, caminhões e equipamentos. Diga para o comando que o Olimpo é nosso. A UCP pode começar a montar as operações daqui.

Outro homem emergiu da câmara do conselho para o saguão de entrada.

– Ei, Capitão, olha só! Você não vai acreditar nisso. Há outra sala cheia de coisas estranhas e um arco que abre o túnel espacial.

Emily e Joel olharam um para o outro.

– Xanadu! – Joel engasgou.

– Não – sussurrou Emily. – Não podemos deixá-los usar o portal para encontrar Xanadu. Temos que destruí-lo.

– Como? – perguntou Joel. - Olhe para todos esses homens. Aposto que há outros dispersos por aí. O que vamos fazer? Matá-los todos?

Emily balançou a cabeça e desceu as escadas que levavam para onde Stella estava.

– De jeito nenhum! Não vou usar meus poderes contra eles. Não depois do que aconteceu no museu!

– Então vamos precisar distraí-los – sugeriu Stella calmamente. – Emily, você tem que usar seus poderes, mas não contra eles. Destrua algo grande que vai forçá-los a sair de lá. Então, poderemos capturá-los.

Tanto Emily quanto Joel olharam para Stella em estado de choque.

Stella franziu a testa.

– O quê? Só porque estou nesta cadeira de rodas não significa que seja idiota. Você prometeu que ia salvar minha família e vai manter essa promessa. Mesmo que isso signifique que vai ter que usar seus poderes de novo.

– Ela está certa – concordou Joel. – Só precisamos de alguns segundos para chegar lá. Depois é só destruir o portal para Xanadu e usar nossas joias para fugir.

Eles se afastaram furtivamente do palácio e se voltaram para o andar mais alto da asa esquerda.

– Lá em cima – apontou Emily. – Nosso apartamento fica do outro lado do palácio. Se eu destruí-lo, teremos tempo de entrar na câmara dos artefatos antes que nos encontrem.

– Faça isso – disse Joel.

Emily levantou as mãos e apontou para a bela estrutura que havia sido a casa que ela dividia com seu pai, Joel, Paelen e Pegasus. Todas as suas coisas favoritas estavam lá, todas as melhores lembranças vinham de lá.

– Perdoe-me, Júpiter – disse Emily com tristeza enquanto lançava uma poderosa rajada da Chama. Ela entrou pela mesma janela do quarto que ela e Pegasus sempre usavam durante seus voos noturnos.

Enquanto usava seus poderes, ela ficou imaginando o fogo girando pelo quarto como um tornado. A Chama crescia e aumentava de intensidade, e acabou se transformando em uma feroz e autocontida tempestade de fogo. Quando as labaredas vertiginosas começaram a transbordar pela janela, Emily descarregou.

– Agora!

Uma enorme explosão arrancou o telhado e destruiu toda a lateral do elegante edifício. Colunas de mármore altas e reluzentes de tão brancas foram ao chão e o palácio inteiro estremeceu.

– Fantástico! – gritou Stella.

O som de vozes altas parecia vir de toda parte, enquanto soldados e agentes da UCP corriam para investigar a explosão. Eles vieram dos jardins mortos, dos edifícios ao redor do palácio e de toda a área. Os cientistas que estavam dentro do palácio correram para fora e seguiram os outros.

– Olha quanta gente! – gritou Emily. – São muitos para que possamos capturá-los!

– Esqueça-os – disse Joel. – Vamos logo!

Escondidos atrás de uma longa fileira de estátuas, carregaram a cadeira de rodas de Stella escada acima e entraram no palácio evacuado. Ao chegarem à câmara dos artefatos, perceberam que equipamentos científicos haviam sido montados em frente ao arco.

– Eles não estavam perdendo tempo! – disse Joel. – Destrua tudo isso agora, antes que eles voltem.

Joel empurrou Stella para o fundo da sala, enquanto Emily encarava o arco. Ele só havia sido construído há poucos dias, tempo que já parecia uma eternidade. A menina ergueu as mãos e descarregou seus poderes direto no portal.

No momento em que seus poderes tocaram o arco, a Corrente Solar se abriu. No mesmo instante, as pedras de mármore explodiram e voaram para dentro do fluxo aberto de luz. Sem o arco para conter seu poder, a Corrente Solar começou a pulsar e inchar. E expandiu-se até encher a sala.

De repente, as mesas de artefatos de Xanadu voaram pela câmara e foram sugadas para dentro da Corrente Solar. A lousa com os escritos antigos veio logo atrás.

A guia de Mike foi arrancada das mãos de Joel e o cachorro voou, uivando, para dentro do coração da Corrente Solar. Os gritos de Stella vieram em seguida enquanto ela também era sugada. Joel esforçou-se para alcançar Emily enquanto ela tentava usar seus poderes para se proteger, mas a força da Corrente Solar era maior.

– Não! – gritou Emily enquanto ela e Joel eram erguidos do chão e puxados para dentro da luz poderosa e resplandescente.

19

Em todas as outras vezes nas quais haviam viajado dentro da Corrente Solar, o voo fora contido e controlado. Dessa vez, Emily, Joel e o que parecia ser todo o palácio de Júpiter vinham desmoronando loucamente por toda a sua extensão, sem nenhum controle.

Aos poucos, a estrutura do palácio começou a se desfazer. Pedaços enormes de paredes, tetos e colunas giravam alucinadamente à sua volta. Emily usou seus poderes para desviar a maior parte dos fragmentos, mas o grupo ainda estava sendo atingido por grandes pedaços de mármore, estátuas e mobiliário.

– Emily – gritou Joel, ainda agarrado a ela –, faça alguma coisa antes que isso nos mate!

– O quê?

– Use seus poderes, nos faça parar... - Joel não chegou a terminar a frase quando um grande pedaço de parede o atingiu bem na cabeça. Inconsciente, ele ficou mole nos braços de Emily.

– Joel! – gritou Emily quando sentiu que ele estava escapando das suas mãos. Ela fechou os olhos e se concentrou o máximo que já havia se concentrado em toda a sua vida. – Xanadu! – gritou. – Leve-nos para Xanadu!

De repente, Emily e Joel bateram contra um chão de pedra. Emily rolou para o lado, ofegante.

– Obrigada.

Ela se sentou. Estavam em um local frio e escuro. O cheiro de musgo e umidade enchia o ar e a fez lembrar do Templo de

Arious. Acendendo uma das mãos, Emily viu as familiares paredes do templo de pedra. Estendeu a outra mão para Joel.

– Joel, fale comigo. Você está bem?

Joel gemia. Havia sofrido um profundo corte na testa, que sangrava bastante, e o nariz estava quebrado. Emily estendeu a mão e tocou seu rosto para curá-lo dos ferimentos. Sentou-se lentamente e olhou em volta.

– Onde estamos?

– Acho que voltamos para o templo em Xanadu. Eu não tive muito tempo para me concentrar.

– Isso foi uma loucura – disse Joel, esfregando a cabeça. Senti como se metade do Olimpo tivesse vindo conosco. Nunca imaginei que a Corrente Solar fosse tão poderosa.

– Nem eu – concordou Emily. De repente ela se lembrou. – Stella e Mike ainda estão lá dentro! Eles serão esmagados. Tenho que voltar para pegá-los!

Joel a puxou para baixo.

– Emily, acalme-se. Eles entraram antes da Corrente Solar sugar o palácio. Estão mais à frente. Se continuarem em movimento, ficarão bem.

– E quando você acha que eles vão chegar?

Instantes depois, Joel compreendeu.

– Está tudo vindo logo atrás deles. O palácio e todos os escombros estão vindo para cá! – Ele se levantou rapidamente e pegou Emily pela mão. – Vamos, temos que chegar ao arco antes que ele mate todo mundo!

Quando Emily e Joel saíram do templo, eles pararam de repente. Seu pai e sua tia ladeavam os agentes da UCP que estavam há pouco no museu. Mais atrás, os olímpicos observavam os agentes como se estivessem prontos para atacá-los a qualquer momento.

– Pai! – Emily e Joel correram em sua direção. Os olhos da menina fitaram o Agente B e sua calma foi para o espaço. – O que vocês estão fazendo aqui?

O cabelo escuro e encaracolado do agente estava bem desgrenhado e seu rosto parecia sujo e chamuscado do fogo. Ele cheirava a fumaça.

– Estou me perguntando a mesma coisa – disse ele com a voz trêmula. – Não sei se devo agradecê-la por ter nos salvado do fogo, ou atirar em você por ter tentado nos matar.

Emily levantou a mão em chamas.

– Experimenta!

– Ninguém vai atirar em ninguém aqui – ordenou seu pai. – Ouvimos gritos e encontramos esses homens no templo. Foi você que os mandou para cá?

– Não por opção – disse Emily, furiosamente.

Diana, Apolo e Chiron estavam mais atrás.

– Alguém pode, por favor, nos dizer o que está acontecendo? – perguntou Diana. – Emily, você destruiu a arma?

Emily balançou a cabeça. Então, seus olhos se voltaram novamente para o Agente B.

– Não, nós não, porque *ele* já a enviou para o Olimpo!

Todos se viraram para o Agente B.

– Não fui eu – proferiu o Agente B em tom de desafio. – Fui designado para capturar Emily e Joel, isso é tudo. Foram os outros que estão no comando que fizeram isso!

– Não importa quem o fez – disse Chiron enquanto seus cascos batiam no chão com raiva. – Você destruiu nosso povo e nossa casa. Como fez isso? Como conseguiu a arma que acabou com o Olimpo?

O Agente B cruzou os braços sobre o peito e se recusou a falar.

Emily lançou um olhar feroz em sua direção.

– A UCP encontrou a joia de Diana em Nova York e, assim que descobriram como usar a Corrente Solar, enviaram a arma para o Olimpo. Acabamos de vir de lá. Ela matou tudo. Pessoas, animais, plantas, até mesmo os insetos desapareceram. Agora, a UCP está montando bases e reivindicou o Olimpo para si.

– Não! – disse Diana. – A culpa é minha. Nosso mundo está morto por minha causa. Se eu não tivesse perdido a minha joia, eles poderiam não ter tomado o Olimpo.

– Não, Diana – afirmou o pai de Emily enquanto seus olhos injetados fuzilavam os agentes da UCP. – A culpa é deles. Não nossa.

– Fizemos o que tínhamos que fazer, para proteger a Terra – disse o Agente B. – Vocês, olímpicos, são um vírus mortífero. Tivemos que cortar fundo para salvar o nosso mundo!

– Não começa! – devolveu Emily. – Ouvi tudo sobre os planos da UCP da boca do Agente P.S. lá na Área 51. Vocês querem dominar o mundo.

– Mudar o mundo – insistiu o Agente B. – Para melhor.

– Mudá-lo ou tomá-lo, é tudo a mesma coisa! – vociferou Emily. – Mas não vamos deixar você fazer isso! Está ouvindo? Vamos detê-lo!

– Emily, acalme-se – disse seu pai. Ele olhou para sua irmã. – Mo, será que você e os outros poderiam levar os agentes embora antes que Emily realmente perca a paciência?

Maureen acenou com a cabeça.

– Boa ideia. – Ela e vários olímpicos envelhecidos avançaram e recolheram os agentes da UCP. – Acho que é hora de vocês verem todos os danos que têm causado para essas pessoas. Todos vocês vão nos ajudar a cuidar deles.

Emily percebeu que, durante o tempo em que estiveram ausentes, Diana e os outros haviam envelhecido ainda mais. O cabelo de Diana, agora, era branco e fino. Rugas profundas entalhavam seu rosto.

Os olhos de Emily varreram toda a área, temerosos.

– Onde está o Pegasus?

Um relincho que veio de trás a fez saber que Pegasus estava lá. Ela se virou e o que viu a fez engolir em seco. O dorso de Pegasus estava profundamente inclinado e suas asas pendiam para o lado enquanto ele vinha caminhando lentamente em sua direção. Mas ele relinchou com entusiasmo, chamando-a.

– Pegs! – Emily correu na direção do garanhão e lhe deu um abraço bem forte. – O Olimpo se foi. A UCP o tomou! – Ela encostou a cabeça em seu pescoço grosso e quente e sentia-se grata por ele, ao menos, estar vivo.

Paelen se apoiava em Brue enquanto se aproximava de Joel. Seu cabelo estava grisalho e ele estava ainda mais curvado.

– O que aconteceu com você? – perguntou em voz alta. – Você está coberto de sangue. Sabia que devia ter ido junto com você. Não dá para confiar em você agindo por conta própria!

– Você não teria como impedir isso. – disse Joel em um tom de voz alto o suficiente para que Paelen pudesse ouvir. – Fui atingido por um pedaço do Palácio de Júpiter. Ele está na Corrente Solar e vindo para cá neste exato momento.

– O quê? – gritou o pai de Emily. – O palácio de Júpiter está vindo para cá?

Emily e Joel explicaram tudo o que havia acontecido desde que deixaram Xanadu e viajaram para a Terra até aquele momento em que haviam retornado.

– Nós não percebemos o quanto a Corrente Solar era poderosa – disse Emily. – Se tivéssemos ficado dentro dela, teríamos sido mortos. Fico feliz pelos meus poderes terem funcionado e nos terem trazido de volta para cá.

Chiron balançou a cabeça e murmurou baixinho para si mesmo. Os pelos em seu corpo de cavalo eram, agora, brancos. O topo da cabeça estava calvo, o rosto muito enrugado e o tronco humano encovado.

– Isso é ruim... muito, mas muito ruim – disse ele, que começou a andar de um lado para o outro. – Falei para Júpiter que construir um portal permanente seria algo desastroso. A Corrente Solar é muito forte, perigosa demais para ser contida. Mas você acha que ele me escutou? Não. Afinal de contas, quem sou eu? Apenas seu meio-irmão... por que ele deveria ouvir algo que eu tinha para dizer?

– Chiron, pare – disse Diana. – O que está acontecendo?

O centauro balançou a cabeça.

– É muito mais do que apenas o palácio vindo para cá. Ao destruir a arcada do outro lado, Emily destruiu o campo de contenção. Não há nada que possa impedir a Corrente Solar de engolir o mundo inteiro. O Olimpo, agora, está em rota de colisão com Xanadu.

– O quê? – gritou Emily. – Não, isso não é possível.

Chiron acenou positivamente com a cabeça.

– Não só é possível, como é o que está acontecendo. Se a arcada de Xanadu se abrir, o que resta do Olimpo o atravessará, arrebentando com tudo.

– Emily, você precisa destruir o arco – gritou Apolo. – Agora, antes que ele chegue aqui.

Mas Stella ainda está lá dentro – argumentou Emily. – Não posso fazer isso. Não até que ela e o cachorro estejam seguros.

– É perigoso demais – insistiu Chiron. – Stella terá que ser sacrificada pelo bem de Xanadu.

Emily balançou a cabeça.

– Não vou fazer isso. Não até que Stella esteja segura. É por nossa causa que seus pais foram levados pela UCP. Prometi a ela que iria salvá-los, e o farei.

Pegasus relinchou e acenou com a cabeça.

– Sua fé em Emily é admirável, velho amigo – disse Chiron. – Mas eu não concordo. Emily precisa destruir a arcada agora.

Joel balançou a cabeça.

– Stella e o cachorro foram sugados antes de tudo. Eles vão chegar antes do resto dos escombros. Se limparmos a área ao redor do arco e esperarmos pelo momento de sua chegada, Emily poderá destruí-lo.

– Não, não, não – insistiu Chiron. – Você está jogando com a vida de todos aqui. O risco que Xanadu corre é muito grande.

– *Toda vida é preciosa, Chiron.* Riza falou baixinho pela boca de Emily. – *Nós podemos fazer isso. Tudo vai ficar bem. Stella e o cachorro vão sobreviver e Xanadu estará segura.*

– Riza, você tem certeza? – perguntou o pai de Emily.

Emily acenou positivamente.

– Ambas temos.

Paelen fez um gesto de desaprovação e murmurou:

– Eu ainda não gosto quando você faz isso, Emily.

Durante o resto da noite, aqueles que conseguiam trabalhar substituíram aqueles que não podiam se afastar do arco. Os Agentes da UCP tiveram suas armas recolhidas e foram forçados a ajudar com a mudança.

Quando a área ficou limpa, Emily ficou ao lado de Pegasus, acariciando seu pescoço.

– Estou tão assustada, Pegs – ela admitiu. – Meus poderes continuam crescendo, mas não meu controle sobre eles.

Ela contou para o garanhão sobre como perdeu o controle no Museu da Acrópole e que, se não fosse a intervenção de Riza, teria destruído a Terra.

Pegasus encostou a cabeça na dela.

Havia pouca coisa que Pegasus ou qualquer um pudesse dizer ou fazer para tranquilizar a mente inquieta de Emily. Jamais conseguiriam entender como se sentia. Ou como podia sentir que a intensidade de seu poder estava aumentando. No que a jovem estava se transformando? Emily odiava sequer considerar a possibilidade, mas será que estava se transformando naquilo que o Agente B a havia chamado – uma arma?

Durante toda a noite eles esperaram, e estavam preparados para a chegada de Stella a qualquer momento.

– Lembre-se do que Chiron lhe falou – lembrou o pai de Emily. – No momento em que Stella e o cachorro atravessarem, não importa em que estado estejam, você irá ignorá-los. Atire no arco com tudo o que tem. Se tudo correr bem, ele vai fechar a Corrente Solar antes que tudo o mais chegue aqui.

O Agente B balançou a cabeça.

– Acho que o centauro tinha razão. É perigoso demais ficar esperando a garota. Emily, você tem que destruir essa coisa agora. Seu sentimentalismo vai matar todos nós.

Emily levantou o dedo em tom ameaçador para o agente.

– Não se atreva a me dizer o que fazer; estou bem perto de mostrar como me sinto em relação a você e seus homens!

– Em, acalme-se – disse seu pai enquanto abraçava a filha. – Ignore-o. Concentre-se apenas no que você precisa fazer. Não deixe que nada a distraia.

Emily acenou positivamente. Nenhum dos dois tinha coragem de dizer o que aconteceria se ela falhasse. Eles já sabiam. Todas as ruínas que estavam no campo, que de fato poderiam ser todo o Olimpo, atravessariam o arco, rasgando tudo, e destruiriam Xanadu.

– Preparem-se – avisou Diana.

Todos ficaram bem perto um do outro. Não havia por que se esconder da arcada. Se tudo desse errado, não importaria onde as pessoas se escondessem, a colisão dos dois mundos seria catastrófica.

– Você pode fazer isso, Em – disse Joel. – Estamos bem atrás de você.

Emily olhou de volta para ele e para Paelen e deu um leve sorriso. Depois, se voltou para o arco e ficou esperando.

De repente, o arco começou a abrir, como se estivesse vivo, e emanou a luz resplandecente da Corrente Solar.

– Aqui vamos nós! – gritou Chiron.

– Emily, comece a soltar suas rajadas assim que a menina passar. Não hesite!

O medo percorreu Emily como se fosse uma corrente elétrica. Seus nervos estavam prestes a explodir. E se ela não pudesse salvá-los?

– *Acalme-se, criança* – disse Riza baixinho. – *Estou com você. Nós somos um. Vamos salvá-los juntas.*

Pela primeira vez desde que tomou conhecimento da presença de Riza, Emily se sentiu grata a ela. A menina respirou fundo e foi se sentindo mais calma enquanto esperava por Stella.

Objetos soltos da câmara de artefatos do palácio de Júpiter começaram a voar através do arco, obrigando todos a desviarem para evitar que fossem atingidos pelos objetos voadores.

E então veio o cachorro. Mike latia e uivava enquanto voava descontroladamente. O pai de Emily se lançou para a frente e o pegou em pleno ar antes de caírem juntos no chão. Stella, ainda em sua cadeira de rodas, veio logo atrás. Seus gritos preencheram o ar enquanto ela vinha girando pelo arco. Um gigante idoso correu para a frente e a agarrou antes que ela colidisse com um tronco espesso.

– Agora! – gritou Chiron. – Fogo!

Emily reagiu instantaneamente. Lançou a Chama no arco, usando todo o poder e o controle que tinha. Com a luz resplandecente da Corrente Solar ainda aberta, as duas forças se encontraram em uma junção explosiva. Faíscas se espalharam pelo ar e o som crepitante da energia era ensurdecedor. Enquanto Emily alimentava a Chama com mais força, pedaços de escombros do palácio continuavam a ser disparados da arcada para fora.

– *Ponha mais força!* – gritou Riza. – *Foque e faça pressão. Mande a Corrente Solar se fechar!*

Emily fez o que Riza sugeriu. Ela se concentrou e se esforçou o máximo que podia.

Houve um estalo ofuscante e uma rajada brilhante.

O arco de mármore desapareceu.

A Corrente Solar se fechou.

Um grito ecoou. Emily caiu de joelhos, exausta pelo esforço.

– Obrigada, Riza – disse ela, ofegante e delicadamente. – Obrigada...

O mundo ao seu redor começou a girar até, finalmente, escurecer.

20

Emily abriu os olhos, grata por ver Pegasus acomodado no chão ao seu lado. Ela estava deitada em um cobertor, sob a sombra de uma árvore alta da floresta. O sol estava a pino, e ela deve ter dormido a maior parte do dia.

– Oi, Pegs – disse delicadamente, enquanto acariciava o pescoço do garanhão e seu focinho macio.

Mike estava do outro lado, com a cabeça grande pousada em suas pernas. Ele choramingou quando Emily olhou em sua direção.

– Ei, garoto – disse ela, enquanto afagava a cabeça do cão.

– Esse cachorro não saiu do seu lado desde que eu a trouxe nos braços para cá – disse seu pai enquanto se ajoelhava ao seu lado. – Joel me contou que você o batizou de Mike. – Ele sorriu. – Ele lembra o cachorro da sua mãe.

Emily sorriu para o cão.

– Foi isso que eu pensei.

– Então, como você está se sentindo?

– Muito cansada – disse Emily.

– Não duvido nada, depois de tudo por que você passou.

Emily se sentou e olhou em volta. O acampamento improvisado estava lotado, com pouquíssimos abrigos ou suprimentos. Viu Joel com Paelen e Stella. Eles acariciavam as duas cabeças de Brue. Crisaor estava deitado no chão ao lado de Joel.

Emily ficou surpresa ao ver o Agente B ajoelhado ao lado da Musa, Terpsícore, ajudando-a a beber uma xícara de néctar. Outros agentes da UCP trabalhavam junto aos olímpicos envelhecidos, ajudando a alimentá-los.

– Pai, o que acontece agora? Não podemos voltar para o Olimpo e realmente não podemos levar todo mundo para a Terra, seria muito perigoso para eles.

Seu pai baixou a cabeça.

– Nenhum de nós pode ir à parte alguma, não mais. Estamos todos presos aqui.

Emily balançou a cabeça.

– Não, Joel e eu temos as nossas joias azuis. Ainda podemos abrir a Corrente Solar.

– Não queria lhe dizer isso até você melhorar, mas duvido que venha a haver uma boa hora para isso.

O medo a percorreu.

– Diga-me o que houve.

– Chiron insiste que a Corrente Solar nunca mais poderá ser aberta novamente.

– Por quê?

– Ele acredita que o campo de destroços ainda está lá, esperando para ser liberado.

– Mas eu destruí o arco! – Gritou Emily. – Ele não pode vir para Xanadu.

– Sim – concordou. – Mas a Corrente Solar é enorme. É como um rio gigante e poderoso. A rota direta para Xanadu que Júpiter e seus irmãos criaram era apenas um braço desse rio. Chiron acredita que o campo de destroços continuará se dispersando e percorrendo toda a extensão da Corrente Solar à espera de um lugar para finalmente vir à tona. Se a abrirmos, há uma grande probabilidade de que ele venha para cá. Ou mesmo se não vier, qualquer pessoa que tentar viajar por ela vai correr o risco de ser ferido ou até mesmo morto pelos destroços.

Emily franziu a testa.

– E quanto a Terra? O que vai acontecer se a UCP usar sua joia azul novamente? Será que a Terra será destruída?

– Nem ousemos ir até lá – disse seu pai. – Só rezo para que eles não usem, pelo bem do planeta.

Emily se deitou.

– Eu realmente fiz uma besteira, não foi? Se não tivesse destruído o arco no Olimpo, poderíamos sair daqui.

– Ninguém está culpando você. Você fez o que achava melhor. Não podia deixar que a UCP encontrasse Xanadu, todos entendem isso. Infelizmente, nenhum de nós percebeu o que poderia acontecer caso o arco fosse destruído.

Emily se inclinou e beijou delicadamente o focinho de Pegasus.

– Pelo menos nós destruímos a rocha e a impedimos de causar ainda mais danos a vocês. Vamos encontrar uma maneira de viver aqui. Contanto que todos fiquem bem, isso é o que importa.

Seu pai se agachou.

– Sinto muito, Em. Mas você não destruiu a rocha. A arma titã ainda está na Corrente Solar. Até agora, ela está fazendo com que todos envelheçam.

Os olhos de Emily fuzilaram seu pai.

– Não! Isso não é possível. Ela foi destruída junto com o Olimpo.

Ele balançou a cabeça.

– Não, não foi. Olhe para Pegasus. Ele ainda está envelhecendo.

Emily se voltou para Pegasus e notou que as penas caídas se espalhavam ao seu redor. O perolado de seus olhos estava mais denso que antes.

– Quer dizer que tudo o que fiz não adiantou nada? – gritou Emily. – Voltar para a Terra e perder o controle sobre os meus poderes... não serviu para nada! A UCP finalmente venceu. Os olímpicos estão morrendo e estamos presos neste mundo selvagem, sem poder voltar para a Terra.

– Pare com isso, Emily.

– Mas, pai, eu estraguei tudo.

– Já disse, pare – Steve afirmou com firmeza. – Você fez o melhor que pôde. Os olímpicos estavam condenados no momento em que a caixa foi aberta. Você não tinha nenhum controle sobre isso.

Pegasus relinchou, concordando, e encostou o rosto no dela.

– Eu deveria ter sido capaz de impedir isso! - gritou a menina. – Sou a Chama do Olimpo, a última Xan! Qual é a razão de ter todos esses poderes se não fui capaz de proteger os olímpicos? – Ela se levantou. – Não vou perder você, Pegasus! Nem agora, nem nunca. Tem que haver algo que eu possa fazer. Tenho os poderes de Riza. Vou usá-los todos se for necessário, mas não vou deixar você morrer! Está me ouvindo, Pegasus, você não vai morrer!

Emily correu para dentro do templo. Tinha que haver uma resposta oculta em algum lugar, presa nas profundezas daquelas espessas paredes de pedra. Tinha que haver alguma maneira de salvá-los. Isso não podia terminar assim.

– Por que, Riza? - perguntou ela gritando pelos corredores longos e vazios. – Por que me deram todos esses poderes e não me deixam salvá-los? Não é justo!

Emily caiu no chão de pedra. Pegasus estava morrendo. Paelen estava morrendo. Diana e Apolo estavam morrendo.

Mas era a ideia de perder seu amado Pegasus a que mais lhe afligia. A vida em Xanadu sem ele seria insuportável. Ela acreditara que o havia perdido uma vez, na Área 51, e aquilo quase a destruiu. Pelo menos daquela vez ela achava que havia sido uma morte rápida e indolor. Isso agora era muito pior. Pegasus estava sofrendo. Ele tentava fazer o melhor possível para esconder, mas ela conseguia captar o que ele sentia.

– Por favor, Riza – implorou –, ajude-o. Faço qualquer coisa que você disser. Deixo você tomar conta do meu corpo, mas salve Pegasus.

Riza se agitou e Emily pôde sentir sua compaixão.

– Sinto muito, criança. Eu também amo Pegasus, mas não podemos salvá-lo. Nem mesmo os Xan podiam impedir o tempo de seguir seu curso. Se ele tivesse sido ferido, poderíamos curá-lo. Mas isso se refere à idade. É natural. Quando os Xan viviam, nós existíamos além dos limites do tempo. Mas ainda assim não podíamos interferir nele, mesmo que os Titãs o usassem como uma arma. Pegasus vai continuar a envelhecer e, depois, morrerá.

– Não! – disse Emily, chorando. – Não posso perdê-lo. Simplesmente não posso...

Era o desamparo o que mais doía – o fato de ser tão poderosa e, ainda assim, tão impotente.

– Em – Joel chamou baixinho no meio da escuridão.

Ele se aproximou da menina e a puxou para seus braços.

– Vulcan acaba de morrer. Ele e Stella estavam conversando e ele simplesmente desmaiou e morreu.

– Sinto muito, Joel – disse Emily, segurando-o com mais força.

– Depois de tudo pelo que já lutamos... – disse Joel com a voz morrendo.

Eles se agarraram um ao outro enquanto lamentavam as perdas que haviam sofrido e a perda iminente daqueles que mais amavam.

– Paelen é como se fosse meu irmão – sussurrou Joel. – Perdi a minha família há anos em um acidente de carro, não posso perdê-lo também.

– Tem que haver uma maneira – prosseguiu Emily. – Não pode tudo acabar assim, simplesmente não pode.

– Mas o que podemos fazer?

– Não sei. Mas temos que tentar. – Ela se afastou de Joel e olhou em volta. – Os Xan foram os seres mais poderosos do universo. Certamente há algo que podem nos mostrar.

– Não há nada para encontrar aqui – disse Riza.

– Não é o bastante, Riza! – Emily se levantou e pegou na mão de Joel. – Se eles tiverem que morrer, não será sem luta. Ajude-me, Joel. Vamos destruir este lugar se for preciso. Temos que encontrar uma maneira de salvá-los.

Cada dia trazia consigo uma nova perda. Emily, Pegasus, Joel e Paelen estavam juntos na pira funerária de Chiron. O antigo centauro havia morrido em paz durante a noite. Ninguém disse uma palavra. Não havia nada a ser dito. Cada olímpico sabia que uma pira o esperava. Era apenas uma questão de tempo.

Vênus e Marte haviam morrido dois dias antes. No momento da perda de sua mãe, o Cupido estava inconsolável. No dia seguinte, o olímpico alado adentrou silenciosamente a selva densa e não foi visto desde então.

Depois do funeral de Chiron, Emily e Pegasus se afastaram do acampamento. A cabeça do garanhão estava bem dependurada e ele se movia lentamente. Emily havia descoberto que, quando o tocava, a dor diminuía – muito embora o processo de envelhecimento não freasse.

– Sinto falta de voar com você, Pegs – disse ela com tristeza enquanto acariciava seu pescoço quente. – Xanadu é tão bonito e ainda não vimos nada.

Pegasus deixou uma asa cair, convidando Emily para subir em suas costas.

– Não, estou muito pesada para você agora.

Os olhos do garanhão se encheram de tristeza enquanto ele admitia que agora estava muito velho e não tinha forças para carregá-la.

– Espere, Pegs, tenho uma ideia. Deixe-me carregá-lo pela primeira vez.

Emily colocou os braços ao redor do pescoço do animal e nele concentrou seus poderes. Os dois se ergueram do chão e alçaram voo rumo ao céu azul e cintilante.

– Estava com muito medo de experimentar isso – admitiu a menina. – Mas Joel sempre me disse que eu poderia fazê-lo. Voe comigo, Pegasus!

Pegasus abriu as asas e deixou que o vento suave de Xanadu soprasse através das penas que ainda lhe restavam. Emily lhe deu apoio e fez com que se movessem por sobre a exuberante floresta verde.

– Somos só nós, Pegs, para sempre – disse ela, tentando conter a tremedeira na voz.

Ao seu lado, Pegasus relinchava de alegria e erguia, orgulhoso, a cabeça no ar. Ele bateu as asas, sabendo que não eram elas que o mantinham nas alturas. Para Emily, ele nunca ostentara tanta beleza.

Mais tarde, naquele mesmo dia, voltaram para o acampamento e souberam que Diana havia caído das escadas do templo e quebrado vários ossos.

– Em, por favor, ajude-a – disse seu pai, desesperadamente. Ele estava ajoelhado ao lado da cama de Diana, segurando sua mão.

Emily viu seu medo – o mesmo que vira quando sua mãe havia ficado gravemente doente. De repente, ela percebeu o quanto seu pai gostava da olímpica. Era muito mais do que amizade.

– Por favor – implorou Apolo, do outro lado da cama.

Os olhos de Diana estavam cerrados de tanta dor. O rosto estava pálido e retesado, e, pela primeira vez desde que haviam se conhecido, ela parecia indefesa.

– Estou aqui – disse Emily. Ela tocou Diana e seus poderes começaram a trabalhar imediatamente, consolidando as fraturas dos ossos e curando as lesões internas. Depois de alguns minutos, Diana suspirou em paz e caiu num sono profundo e reparador.

– Obrigado, Em – disse seu pai, aliviado.

– Sim, obrigado – acrescentou Apolo. – Não sei o que eu faria sem a minha irmã.

Apolo parecia frágil e delicado em comparação com o olímpico forte e poderoso que era há apenas alguns dias. Os olhos de Emily se voltaram para sua irmã gêmea. Ela percebeu que nenhum dos dois tinha muito tempo sobrando.

– Tenho que fazer alguma coisa, Pegs – disse ela enquanto ambos se afastavam daquela visão dolorosa. – Não posso ficar simplesmente observando todos vocês definhando.

– *Não há nada a ser feito* – comentou Riza.

– Não acredito em você – gritou Emily com raiva no meio do ar vazio. – Você era uma dos Xan! Tem que haver algo.

– *Venha* – chamou Riza. – *Está na hora de lhe mostrar quem éramos. Aprenda, criança. Descubra os poderes dos Xan e os nossos limites.*

Emily insistiu para que encontrassem Joel antes.

– Riza quer nos mostrar algo. Você viria com Pegs e comigo? – perguntou ela, assim que o encontrou.

– Claro. Você acha que isso vai ajudar Paelen e os outros?

Emily balançou a cabeça.

– Riza diz que não há nada a ser feito. Ela vai nos mostrar o porquê.

Caminharam juntos dentro do grande templo. Emily avistou o Agente B e dois de seus homens na área de entrada e lançou um olhar tenebroso em sua direção.

– Eu realmente deveria tê-lo matado no museu.

Pegasus relinchou baixinho e a cutucou.

– Você não quer fazer isso – concordou Joel. – Além do mais, precisamos da ajuda dele e dos outros.

– Agentes da UCP ajudando olímpicos? Eu cairia na gargalhada se não estivesse tão triste.

Joel fez uma pausa.

– Em, não deixe que a raiva mude você. Vamos todos ficar presos aqui durante um bom tempo. Você vai ter que aprender a conviver com eles.

– Talvez – disse Emily, amargamente. Ela olhou para Pegasus e acariciou seu rosto. – Mas não até todos os olímpicos partirem. Eu simplesmente não consigo perdoar o que eles fizeram, Joel. Mesmo que a arma fosse matar todo mundo no fim das contas, a UCP acelerou o processo ao enviá-la para o Olimpo.

– Você fala como eu – disse Joel – antes de você e Pegasus entrarem em minha vida. Eu também ficava o tempo todo com raiva.

– Aquilo era diferente.

– Era? – perguntou Joel.

Os dois andaram o resto do caminho em silêncio enquanto Riza os conduzia cada vez mais para dentro do templo. Os poderes de Emily carregavam Pegasus pelas escadas íngremes abaixo e por corredores tortos que ela nunca vira antes.

Acabaram parando em frente à uma parede sólida.

– *Nós escondemos nossas próprias origens aqui* – disse Riza em voz alta. – *Este era o nosso conhecimento, que não podia ser visto e aprendido pelos outros.*

Emily estendeu a mão e tocou em uma pedra solta na parede.

– Abra.

Poeira e pequenos seixos começaram a cair enquanto uma porta muito alta e espessa, que não era tocada há milhares de anos, rangeu e se abriu lentamente.

– Uau! – disse Joel enquanto entrava no recinto.

Não se parecia em nada com o resto do velho templo de pedra. A sala era enorme, com paredes metálicas, prateadas e cintilantes. Luzes intensas brilhavam mais acima e havia, no centro do ambiente, algo como um enorme terminal de computador.

– *Isto é Arious.*

– Arious é um computador? – perguntou Joel.

– *Ela é mais do que um simples computador* – disse Riza. – *É aqui que reuníamos todo o conhecimento da nossa coletividade. Este era o nosso arquivo vivo. Quando voltávamos de uma jornada, costumávamos nos conectar com Arious e depositar o que aprendíamos. Depois todos os Xan poderiam vir aqui e compartilhar da experiência.*

– Então isso se tornou uma fonte única de conhecimento coletivo? – perguntou Joel.

– *Exato.*

– Os Xan eram altos? – perguntou Joel enquanto olhava para o teto alto e a ampla área de depósito. – Tudo aqui é grande e alto.

– *Éramos sim* – respondeu Riza. – *Éramos basicamente humanos na aparência, mas muito maiores do que vocês ou os olímpicos.*

– Ainda maiores do que os gigantes? – perguntou Emily.

– *Não tão grandes quanto os gigantes* – respondeu Riza. – *Vocês estão prontos para aprender?*

– Sim – concordou Emily.

A menina deu um passo à frente, para dentro da área de recepção. E ficou olhando para Joel enquanto Riza falava.

– *Você e Pegasus devem ficar para trás. Emily vai lhes contar o que aprendeu, mas vocês não devem receber o conhecimento diretamente.*

Joel fez o que lhe foi dito e deu vários passos para trás a fim de esperar com Pegasus.

– *Emily, dê um passo à frente e ponha as duas mãos nessas plataformas elevadas. A transferência de conhecimento vai começar imediatamente.*

Emily sentiu Riza se retirar de sua mente. Sabia que teria que ser uma opção sua receber o conhecimento dos Xan. O que ela estava prestes a aprender? Este momento daria respostas para todas as perguntas que Emily tinha sobre si mesma. Mas agora, enquanto estava na soleira, não tinha certeza se realmente queria saber.

Emily olhou para Pegasus. O garanhão envelhecido se escorou pesadamente contra a parede.

– Por você, Pegs.

Ela estendeu a mãos e as colocou sobre os dois receptores. No início, nada aconteceu. Até que seus olhos se arregalaram e Emily finalmente pôde ver os Xan.

Sua beleza fez com que perdesse o fôlego. Eram muito altos, magros e elegantes, e tinham braços finos e muito longos. Usavam túnicas claras de seda, que ficavam folgadas nos corpos altos. Embora fossem carecas, seus rostos lisos eram belíssimos de se contemplar e repletos de uma serenidade que Emily nunca conhecera antes, embora de algum modo desejasse possuir.

Seus olhos amendoados não tinham cores, eram como pérolas brilhantes que continham a sabedoria de todos os tempos. Na verdade, tudo o que dizia respeito aos Xan lembrava Emily de pérolas vivas. Sua pele era lisa e retinha a iridescência da madrepérola que mudava de cor enquanto refletia a luz.

Os Xan não andavam muito, pois pareciam flutuar numa espécie de câmera lenta. Enquanto se moviam diante de seus olhos, era difícil distinguir os homens das mulheres. Eram todos magníficos.

A imagem se alterou e era como se Emily *fosse* um Xan. Em meio a eles, podia sentir o que todos sentiam. Experimentar o amor e a paz que tinham por toda a vida. Como os poderes percorriam seus belos corpos, permitindo que fizessem qualquer coisa. Manipular toda matéria era fácil. O tempo havia se tornado algo irrelevante. A viagem entre os mundos era simples. Ampliar Xanadu para dar lugar a mais espécies? Moleza!

Emily finalmente entendeu o que significava ser uma Xan.

Mas enquanto o tempo passava, as coisas aceleraram. Uma dor súbita e aguda se fez sentir na cabeça de Emily. A informação vinha com muita velocidade para que pudesse ser entendida. Imagens do passado eram disparadas como foguetes. Milhões de mundos passavam diante de seus olhos enquanto percebia a passagem de inúmeros milênios. Era como se fosse o filme em 3D mais intenso sendo exibido em ritmo superacelerado. As visões lhe queimavam os olhos e a rasgavam como se fossem uma faca. Ela achou que sua cabeça iria explodir.

Emily começou a gritar.

– Em! – gritou Joel.

– *Não, Joel!* – gritou Riza enquanto ele corria na direção de Emily. – *Não nos toque...*

Era tarde demais. Joel havia estendido a mão para Emily. A súbita conexão interrompeu o fluxo de informações, que agora era compartilhado entre os dois. Os gritos de agonia de ambos ecoaram por todo o templo enquanto recebiam todo o conhecimento coletivo dos Xan.

21

Três dias se passaram e Joel permaneceu em coma. Quando Emily acordou, encontrou Joel inconsciente ao seu lado. Pegasus tentou acordá-lo, mas não obteve sucesso.

– Riza, o que aconteceu? – perguntara Emily. Mas não houve resposta. Se Riza ainda estava com ela, não parecia querer falar ou deixar que sua presença fosse percebida.

Paelen não saiu do lado de Joel desde que Emily usou seus poderes para tirar os dois de dentro do templo. Brue estava logo atrás, lamentando-se em voz baixa, e Stella ficou sentada com eles, observando Joel de perto. O temor nunca deixava seus olhos.

Emily fez todas as tentativas de usar o poder de cura para tentar chegar a ele. Nada funcionou. Ele não acordava.

Com medo do que poderia acontecer com Joel, Emily fora descuidada e deixou a porta para Arious aberta. Não demorou muito para que o Agente B e seus homens a encontrassem. Mas, quando um dos agentes da UCP tentou adquirir o conhecimento, sua mente foi estilhaçada pelo computador e ele morreu pouco tempo depois.

A morte do agente deixou Emily apavorada. Será que aconteceria a mesma coisa com Joel? Ele também havia recebido o conhecimento dos antigos.

Os olímpicos continuavam a envelhecer e a morrer à sua volta. Emily já não participava mais das cerimônias fúnebres. Ela se sentia muito impotente. Desde que adquiriu o conhecimento dos Xan, havia aprendido que Riza tinha razão. Apesar de todos os seus grandes poderes, não havia nada que os Xan pudessem ter feito para deter o processo de envelhecimento dos olímpicos.

Estavam todos condenados.

Mas Emily havia ganhado alguma coisa. O conhecimento sobre como controlar seus poderes. Aqueles poucos momentos dentro de Arious lhe deram a compreensão repentina do quão poderosa ela se tornara. Mas Emily cederia de boa vontade todos os poderes para salvar Joel e os olímpicos.

A cada dia que se passava, Pegasus ficava mais fraco. Crisaor agora estava velho demais para andar mais do que alguns metros. Ele se acomodou aos pés de Joel e não tinha a intenção de se mover novamente.

No início da segunda semana, Emily cochilava ao lado de Joel quando Mike se levantou e latiu animadamente. Saltou sobre o peito do rapaz e começou a lamber seu rosto.

Acordando assustada, Emily espantou o cachorro. Foi então que ela percebeu que a respiração de Joel havia mudado. Enquanto o observava, suas pálpebras começaram a se mexer.

– Joel! – Os gritos de Emily alcançaram seu pai e os agentes da UCP. – Ele está acordando! Pai, Paelen, vejam, Joel está acordando!

O Agente B se ajoelhou ao seu lado.

– Saia de perto dele! – vociferou Emily.

– Gostando ou não, Emily, eu tenho formação médica. Precisamos manter cada ser humano são aqui se quisermos todos sobreviver a isso. Se eu puder ajudar Joel, você não vai me deter.

– Deixe-o examinar Joel – disse seu pai, afastando Emily.

O coração da menina batia enquanto Joel lutava para recobrar a consciência.

– É isso aí – disse o Agente B. – Muito bem, Joel, não tente fazer tantas coisas de uma vez só.

Os olhos de Joel se abriram.

– Emily – foi a primeira palavra que ele murmurou.

– Estou aqui! – gritou Emily. Ela se inclinou para a frente e beijou sua bochecha. – Bem aqui!

Ele franziu a testa e olhou em volta.

– O que... o que aconteceu? Minha cabeça está me matando...

Emily não sabia se ria ou se chorava. Com tanta tristeza no acampamento, tantas perdas, aquela era a primeira vez em muito tempo que sentia alguma alegria.

– Você quase detonou a si mesmo, seu idiota! – disse ela, rindo. – Me tocou enquanto eu estava em Arious. Quase que ambos fomos destruídos.

– Sim, seu tolo – berrou Paelen. – O que você estava tentando fazer? Queria se matar para não ter mais que cuidar de mim? Essa é uma maneira muito ruim de se livrar do trabalho.

Joel se sentou.

- Os Xan! – gritou. – Eu vi os Xan!

– Acalme-se – ordenou o Agente B. – Deite-se e descanse. Você esteve em coma profundo e não sabemos que danos podem lhe ter sido causados.

– Mas eu vi os Xan. Seus olhos se voltaram para todos no grupo. – Foi incrível. Eu vi tudo... – Joel fez uma pausa e franziu a testa. - Mas espera aí, eu não consigo me lembrar de tudo.

O Agente B se pronunciou.

– Nós acreditamos que tamanho conhecimento era muito grande para que pudesse ser absorvido por uma mente humana. É provável que você tenha esquecido o que viu para se proteger. E foi feliz ao sobreviver. Um dos meus homens não teve tanta sorte.

Joel encarou o agente com a testa franzida.

– Essas informações não dizem respeito à UCP.

– Não dizem respeito a ser humano algum – corrigiu o Agente B.

– Também não consigo me lembrar de tudo – afirmou Emily. – As coisas que descobri estão voltando para mim aos poucos e em pedaços. Acho que, quando você me tocou, alguns dados foram para mim e alguns para você. Tudo o que sei é que Riza desapareceu.

– Desapareceu? E foi para onde?

Emily encolheu os ombros.

– Não sei. Mas quando acordei, ela não estava mais lá. Tentei chamá-la, mas ela não respondeu. Eu tinha a esperança de recuperar suas lembranças também, mas não estavam mais lá. Arious só guarda coisas grandes, e não detalhes da vida pessoal.

Joel parecia esperançoso.

– Bem, será que, pelo menos, não encontramos uma maneira de ajudar todo mundo?

Os olhos de Emily se voltaram lentamente para Pegasus. Sua voz tornou-se um sussurro.

– Não, Joel, não há nada que possamos fazer.

Joel fechou os olhos, arrasado com a informação.

– Então só podemos ficar aqui sentados, esperando todo mundo morrer?

Ninguém respondeu. Não havia necessidade.

– Só queria que nunca tivéssemos encontrado aquela caixa idiota – disse Stella. – Nada disso teria acontecido. Vocês todos estariam no Olimpo e eu voltaria para os meus pais. – Seu olhar furioso se voltou para o Agente B. – Não me importo com onde você deveria estar!

– Não foi você – disse-lhe o pai de Emily – ou até mesmo a UCP que causou isso. Foram os Titãs. Se não tivessem criado aquela arma, em primeiro lugar, ninguém a encontraria e a utilizaria contra os olímpicos.

Paelen balançou a cabeça.

– É triste não podermos voltar atrás e impedi-los.

Todo mundo ficou em silêncio.

– Espera! – Emily se levantou e se afastou do grupo, murmurando baixinho. – Vai dar certo! Posso fazer isso, sei que posso. Vai ser perigoso. Mas eu tenho o poder...

– Fazer o quê? – perguntou seu pai.

Os olhos de Emily brilharam de entusiasmo. Ela voltou correndo para perto de Joel.

– Joel, nós podemos resolver isso! – ela gritou. – Sei como deter a arma! Por que não pensei nisso antes?

Joel se sentou.

– Em, do que você está falando?

Emily começou a pular sem parar.

– Sei como salvar Pegasus e Paelen. Podemos salvar a todos!

– Como? – perguntou seu pai.

Emily correu em sua direção, explodindo de entusiasmo.

– Arious me mostrou o que devo fazer. Eu tenho o poder de fazer com que voltemos no tempo. Iremos à Grécia Antiga e destruiremos essa arma antes que ela possa fazer qualquer mal a alguém!

22

– O quê? – gritou seu pai.

– Sim! – Emily se virou para Joel. – No momento em que você estiver se sentindo melhor, vou nos enviar de volta para o Cabo Sunião. Vamos destruir essa arma antes que ela possa ser encontrada. Dessa forma, nada disso vai acontecer e todo mundo vai viver!

O Agente B balançou a cabeça.

– Viajar no tempo não é possível. Se fosse, a UCP já teria descoberto como fazê-lo.

Emily encarou o agente.

– Não importa o tamanho e o poder que você acha que a UCP tem, ela jamais poderia ser tão poderosa quanto os Xan. Você não tem como fazê-lo, Agente B. Mas eu tenho. E tenho provas.

– Que provas? – Ele exigia saber.

Emily olhou para Stella.

– Fale para eles sobre os vasos que estão no museu, aqueles em que eu apareço ao lado de Joel. Você disse que eles eram do passado.

– Ela tem razão! – gritou Stella. E falou para o grupo sobre as duas ânforas que estavam no Museu da Acrópole. – São de milhares de anos atrás. Tinham até Mike nelas.

Todos olharam para o cão ao lado de Emily, que abanava o rabo, todo animado.

– Isso prova que voltamos no tempo. Estivemos lá.

Mais uma vez o Agente B balançou a cabeça.

– Ainda assim, isso não vai dar certo. Mesmo que esses vasos provem que voltaram no tempo, vocês obviamente falharam. A arma ainda continuou existindo e o Olimpo foi destruído. O fato de estarmos presos aqui é prova disso.

– Eu não sei o que aconteceu – disse Emily. – Nenhum de nós sabe. Mas eu tenho que tentar... e vocês não vão me deter.

– O Agente B tem razão, Em – disse seu pai. – Viajar no tempo é impossível.

– Não, não é! Pai, os vasos são prova disso. Agora que sabemos o que está em jogo, seremos ultracuidadosos.

– OK – seu pai se rendeu –, vamos dizer que *seja* possível. Mas é muito perigoso. Precisamos de você aqui, Em. Você conhece este mundo. Nós não.

Emily balançou a cabeça.

– E quanto a Diana? Pai, eu sei o que você sente por ela. Já vi vocês juntos.

– Emily – disse seu pai em voz baixa.

– Está tudo bem. Depois que mamãe morreu, você ficou muito solitário. Nós dois ficamos. Sei que ela adoraria Diana e não iria querer que você ficasse sozinho. Nem eu. Mas se eu não tentar, Diana vai morrer, assim como a mamãe.

– Isso não é como lutar contra a UCP. Em, você está falando sobre viajar no tempo. E se algo der errado e você não conseguir voltar?

– Sei que vai ser perigoso – concordou Emily. – Até entrar no Arious, eu nunca havia pensado nisso. Mas mudei de opinião. As lembranças ainda não voltaram totalmente, mas estão vindo. Sei quais poderes eu tenho e como usá-los. Posso fazer isso.

Emily fez uma pausa e pegou em suas mãos.

– Pai, não será Emily Jacobs que irá até lá. Será eu... a nova e melhorada Emily. Prometo que serei sempre sua garotinha, mas goste você ou não, também sou uma Xan completamente poderosa!

***

No dia seguinte, eles estavam prontos para viajar e a equipe já estava definida.

O Agente B ficou furioso quando Emily disse que ele não era bem-vindo. Ele alegou que a missão estava fadada ao fracasso sem sua presença. Mas Emily se recusou e deixou claro que ela nem gostava nem confiava no agente da UCP.

Levantando os braços, furioso, o Agente B saiu vociferando floresta adentro.

Enquanto todos se preparavam para partir, Emily se aproximou do pai.

– Acho que é isso.

Havia medo em seus olhos, mas sabia que ele não tentaria impedi-la. Ele havia aberto o jogo em relação aos seus sentimentos por Diana e essa era a sua única chance de sobreviver.

– Prometa-me – disse ele –, prometa que vai ter cuidado. Não corra riscos desnecessários. Apenas destrua essa arma e volte direto para cá.

– Voltaremos – prometeu Emily.

Ela olhou para o grupo de viajantes. Joel estava ao lado de Paelen, que se sentava em um dos ombros de Brue. Stella estava na cadeira de rodas ao lado de Pegasus. Mike, como sempre, estava perto de Emily.

– Todos prontos?

Joel se aproximou.

– Agora é com você, Em. O que você quer que a gente faça?

– Todos nós precisamos estar conectados. – Emily colocou um braço em torno do pescoço de Pegasus e segurou a mão de Joel com o outro. Mike estava deitado aos pés de Emily, ofegando suavemente. Logo, todos no grupo estavam tocando um ao outro, a fim de que ficassem em um grande círculo.

– OK. Aqui vamos nós.

Emily respirou fundo e fechou os olhos. Aprofundando-se no conhecimento que havia adquirido em Arious, concentrou seus poderes e ordenou que fossem levados para bem longe no passado; de volta à Terra, ao Templo de Poseidon no Cabo Sunião.

Enquanto seus poderes se manifestavam, Emily sentiu a mais estranha das sensações - quase como se estivesse derretendo. Ela abriu os olhos e pôde enxergar a todos com eles.

O mundo ao seu redor ficou turvo. Como se todos estivessem no meio de uma poderosa cachoeira. Nem parecia que estavam se movendo. Em vez disso, tudo fora do seu círculo estava em movimento. Emily não conseguia mais discernir quaisquer formas claras por trás dos amigos. Sons altos e sussurrados começavam a brotar enquanto se moviam cada vez mais rápido através do tempo e do espaço.

De repente, algo bateu violentamente contra as costas de Emily. Ela foi jogada para a frente e quebrou a conexão física com Joel e Pegasus. Naquele instante, a jornada tranquila se alterou. Foi necessária toda a sua concentração para manter todos juntos. Podia sentir seu medo e ouvir seus gritos enquanto davam cambalhotas através do tempo.

23

A jornada terminou de forma tão abrupta quanto começou. Foram parar bruscamente em cima de uma superfície de mármore muito dura e lisa.

Emily foi a primeira a abrir os olhos.

Pegasus estava no chão ao seu lado, inconsciente. As asas estavam abertas como se ele tivesse tentado voar. Emily se arrastou na sua direção, acariciou seu pescoço e pôde sentir que sua respiração era estável.

Mike estava acordado e rosnava para um grupo de homens que os encarava. Estavam sem camisa e vestiam panos que deixavam os ombros à mostra. Seus peitos estavam banhados de suor e cobertos com uma camada fina de pó de mármore. Seguravam ferramentas toscas de corte, enquanto olhavam uns para os outros e murmuravam baixinho entre si.

Vários pilares se erguiam acima deles, parecendo estar novos em folha, enquanto outros ainda estavam sendo construídos. Toda a área parecia um canteiro de obras. Acima, o sol brilhava radiante e Emily pôde sentir o gosto de sal em seus lábios e ouvir o mar batendo ao seu redor vindo do fundo dos penhascos que os rodeavam em três lados.

Estavam no Cabo Sunião, isso era mais do que claro.

Mas o momento era totalmente errado. Eles deveriam ter chegado muito depois do templo ter sido construído e virado ruínas. Não durante sua construção. Emily balançou a cabeça, tentando entender como havia feito cálculos tão equivocados.

Pegasus começou a se mexer. Ele relinchou baixinho e se sentou.

– Acalme-se, Pegs – sussurrou Emily enquanto o acariciava. – Bem devagar. Estamos aqui. Estamos no Cabo Sunião.

Emily olhou para Joel, que estava acordando. Enquanto se arrastava em sua direção, seus olhos fitaram algo indesejável.

O Agente B estava sentado, esfregando a cabeça. Ele olhou em volta, maravilhado.

– Meu Deus, deu certo! – O agente da UCP se levantou e saiu correndo do piso do templo e foi para o solo rochoso. Aproximou-se da beira do penhasco e ergueu as mãos no ar, triunfante.

– Voltamos para a Terra!

– O que ele está fazendo aqui? – perguntou Joel enquanto tentava se levantar, cambaleando.

Emily balançou a cabeça.

– Não sei. – Os outros estavam apenas começando a se mexer. - Vá ver Paelen e Stella.

Emily foi até o agente da UCP.

– Como é que você chegou aqui?

O Agente B sorriu.

– Da mesma forma que você, suponho. Considerando que foi você que nos trouxe até aqui.

– Eu não trouxe você!

– É verdade – concordou o Agente B. – Eu peguei carona no último minuto.

– Foi você! – acusou Emily. – Foi você que bateu nas minhas costas, assim que estávamos saindo. Você quebrou a minha concentração. Poderíamos ter sido todos mortos!

– Era um risco que valia a pena – defendeu-se o agente. – Embora você tenha se recuperado muito bem.

– Me recuperado bem? – Emily se enfureceu. – Você está louco? Olhe ao seu redor. Estamos aqui, mas na época errada. Deveríamos ter chegado depois que o templo foi construído, não antes. Por que você fez isso? Você realmente quer que a gente falhe?

O agente negou com a cabeça.

– Exatamente o oposto. Preciso desesperadamente que esta missão seja bem-sucedida, o que não aconteceria se eu não estivesse aqui. Tenho experiência e treinamento em situações de guerra.

– Que guerra? Chegamos aqui depois da guerra. Tudo que eu tenho que fazer é destruir a arma e está acabado. Não precisamos de você para isso!

– Você não pode ter certeza do que vai encontrar. Precisa de mim, só não quer admitir isso. Por que você não quer aceitar minha ajuda?

Emily balançou a cabeça.

– Como pode esperar que eu confie em você depois de tudo o que fez?

– O desespero é um motivador poderoso – disse o Agente B enquanto tirava o pó de mármore da calça jeans preta. – Se destruirmos essa arma, será como apertar um botão para zerar. Eu voltarei para Londres, onde estava trabalhando na UCP. Você voltará para o Olimpo e nada disso terá acontecido. Não precisaremos nunca mais nos encontrar.

– Isso vai acontecer de qualquer maneira, com ou sem a sua ajuda.

– Você não pode ter certeza disso – argumentou o agente da UCP. – Não com Pegasus a distraindo.

Emily olhou novamente para o templo. Pegasus se esforçava para ficar de pé sobre a superfície de mármore liso. Na mesma hora, ela ergueu a mão e usou seus poderes para levantá-lo. O garanhão se virou em sua direção e relinchou baixinho.

– Entenda o que eu quero dizer – disse o Agente B. – Ele é uma distração.

Emily encarou o agente e sua expressão ficou ainda mais sombria.

– Pegasus nunca será uma distração. Mas você é! Basta um movimento contra nós e eu juro que será a última coisa que fará na vida. Vamos apenas acabar logo com isso.

– De acordo – disse o Agente B.

Eles caminharam juntos de volta para o templo. Stella estava tentando falar com alguns dos habitantes do local.

– O que ele está fazendo aqui? – perguntou Joel.

Emily explicou e Joel estava a ponto de matar o Agente B.

– Acho que não há nada que possamos fazer agora. Mas se tentar mais um truque como... – avisou Joel.

– Eu sei – disse o Agente B –, você vai me matar. Emily já deixou bem clara essa ameaça.

Pegasus relinchou baixinho.

Alguns dos trabalhadores da construção se aproximavam dele cautelosamente. Emily foi até onde o garanhão estava e, quando puseram os olhos nela, eles inclinaram-se respeitosamente e sorriram.

– Mal posso acreditar. – Stella voltou com mais alguns homens. – Eles estão muito familiarizados com Zeus e todos os deuses. Já foram visitados por eles. Realmente acreditam nos deuses e aceitaram sua presença na Terra. Nossa aparição aqui não os assustou nem um pouco. Eles olham para Pegasus com suas asas como se já o conhecessem desde sempre. Brue não os incomoda!

– É claro que eles nos aceitam – disse o Agente B. – Essas pessoas sabiam que os olímpicos eram reais. Só nós da era moderna é que ficamos descrentes.

– Mas o que eles disseram? – perguntou Emily, impaciente. – Júpiter esteve por aqui recentemente? Será que eles enterraram a arma?

– Não é uma boa notícia – anunciou Stella. – Zeus nunca esteve aqui. Essa gente esperava que, se construísse o templo para Poseidon, ele viria protegê-los dos Titãs e de seus monstros marinhos.

– A guerra ainda está rolando? – gritou Joel.

Stella acenou positivamente.

– Sua língua é diferente da minha. Muito antiga. Mas pelo que pude entender, um grande vilarejo não muito longe daqui foi destruído pelos Titãs das Sombras há poucos dias. Todo mundo está com medo. Eles temem que os olímpicos os tenham abandonado.

– Então a arma não está aqui?

– Creio que não.

– Isso não basta – disse Emily. – Precisamos ter certeza. Mostre-me onde você encontrou a caixa.

Stella guiou Joel até onde os pais arrancaram a caixa dourada da rocha. Eles foram seguidos por um grande grupo de trabalhadores da construção.

– Foi lá – apontou.

– Todos para trás – advertiu Emily.

Emily usou seus poderes para abrir uma fenda no chão, bem no ponto onde a caixa dourada foi encontrada. Ela ergueu pedaços enormes de rocha sólida e os esmigalhou no ar, até que virassem poeira.

– Não está aqui! – Emily reparou e substituiu as rochas que estavam no solo. E lançou um olhar acusador na direção do Agente B. – Chegamos cedo demais! Se não fosse por você, teríamos chegado na hora certa e eu já poderia ter destruído essa arma.

– Como eu poderia saber que iria tirar vocês da rota? – defendeu-se o Agente B.

Emily foi interrompida no seu discurso por um rugido horrendo. Que vinha do mar.

Pegasus tentou se empinar e abriu as asas.

Os trabalhadores foram os primeiros a reagir. Largaram as ferramentas e fugiram correndo do templo. Mike começou a rosnar e a latir enquanto seguia para a beira do precipício.

– Mike, volte! – ordenou Emily. Mas o cachorro se recusou a obedecer. Ela usou seus poderes para erguê-lo da beira do penhasco, no instante em que um enorme tentáculo, com uma crista no topo, bateu no lugar em que ele estava.

– O quê...? – Joel engasgou.

– É uma serpente marinha – gritou Paelen. – Fujam todos! – Ele começou a chutar o pescoço grosso de Brue. – Brue, você tem que se mover! Ela vai devorar todos nós!

Um pedaço maior do enorme monstro marinho pôde ser avistado enquanto ele subia pela beira do penhasco, se arrastando, revelando sua aparência medonha. O bicho tinha muitas cabeças, cada uma com uma boca cheia de dentes afiados que mordia e rosnava na direção do grupo. Seu corpo cinzento e viscoso parecia o de uma lula gigante com, pelo menos, oito longos tentáculos que se moviam alucinadamente pelo ar, tentando alcançá-los.

– É a Hidra – gritou Joel empurrando a cadeira de rodas de Stella.

– Essa não é a Hidra – corrigiu Stella. – É uma serpente marinha!

– Não importa como se chama – gritou o Agente B. – Vamos morrer do mesmo jeito!

Enquanto corriam, outros monstros marinhos subiam pelo outro lado do penhasco, bloqueando sua rota de fuga.

– Estamos cercados – gritou Joel.

Confrontando-se pelos três lados com enormes monstros ferozes, o grupo se ajuntou. Joel pegou uma vara longa no canteiro de obras.

Emily ergueu as mãos e a Chama começou a brilhar.

Atrás dela, Paelen gritou quando Brue o deixou cair no chão. Ela se ergueu sobre suas muitas pernas. De repente, a criatura grande e gentil jogou para trás as duas cabeças roxas e uivou, furiosa. Dentes enormes e mortíferos surgiram em suas bocas enquanto os olhos da criatura brilharam, inflamados.

A Mãe da Floresta deu uma última olhada para Paelen antes de atacar a serpente marinha mais próxima. Enquanto a fera avançava para dar uma mordida, uma das cabeças de Brue virou para o lado e abocanhou o pescoço de uma das serpentes, arrancando sua cabeça medonha do corpo.

No chão, Paelen ajudou Stella a subir em uma pilha de pedras de mármore que ainda não haviam sido cortadas. Eles se esconderam atrás dela enquanto Paelen dava instruções para o grupo.

– Não fique aí parada, Emily, atire!

Ao seu lado, o Agente B pegou uma vara e tentou enfiá-la dentro da boca do monstro mais próximo. Mas as cabeças foram mais rápidas e a evitaram.

Havia serpentes marinhas para todos os lados. Emily não tinha tempo para pensar. Apenas reagir. Ela lançou chamas na direção da mais próxima, mas tiveram pouco efeito a não ser irritar ainda mais a criatura.

Emily se concentrou mais e converteu as chamas em um feixe que lembrava um raio laser. A criatura que a atacava ergueu-se sobre os tentáculos e se preparava para dar um bote, quando a menina disparou o raio e cortou todas as cabeças da besta de uma só vez. Em sua fúria agonizante, a serpente marinha tombou sobre as colunas recém-construídas do templo e as derrubou.

Não havia tempo para comemorar. Logo que Emily matou uma das criaturas, outra saiu do mar para atacá-la.

– Emily, atrás de você! – avisou Stella.

Emily virou-se a tempo de ver dentes afiados mergulharem em sua direção. Reagindo instantaneamente, cortou-lhe a cabeça com sua Chama e pulou para o lado, a fim de evitá-la enquanto caía no chão. Usou seus poderes para carregar a criatura e largá-la em cima de uma pilha de serpentes mortas.

Pegasus fazia o melhor que podia para lutar, mas o garanhão envelhecido não era páreo para a serpente marinha gigante. Tentáculos conseguiram segurar uma das asas do garanhão e o içaram do chão enquanto dentes afiados penetraram bem fundo em uma de suas patas traseiras.

O Agente B atacou e esfaqueou o pescoço do monstro que segurava a asa de Pegasus. A criatura uivou e largou o garanhão. Pegasus caiu no chão a poucos metros de Emily e gritava de dor.

Vê-lo ferido fez com que Emily se enfurecesse. Mas dessa vez, sabendo o que estava em jogo, ela concentrou a fúria. A intensidade da Chama aumentou à medida que ela girou, fazendo um movimento firme, e disparou tudo o que tinha na direção dos monstros que a atacavam. O ar se encheu de fumaça corrosiva enquanto seus corpos queimavam. Uivos e rugidos ficavam mais altos enquanto todas as serpentes marinhas eram laceradas.

Stella ainda estava escondida atrás da pilha de mármore com Paelen. Ela só apareceu novamente depois que todas as serpentes foram mortas. Ela se arrastou sozinha com a cadeira na direção de Emily, mas parou de repente.

– Veja! – gritou ela, apontando para o precipício.

Mais criaturas estavam rastejando e vindo para o topo.

– Em, detenha-os! – gritou Joel.

Emily mudou de tática. Ergueu as mãos e usou os poderes para erguer as criaturas do chão. Suspensas acima do mar, contorciam-se e gritavam em uníssono. Emily aproveitou a oportunidade para soltar uma única rajada da Chama que incinerou a todas. Uma nuvem de cinzas foi tudo o que sobrou para ficar à deriva em seu retorno para o mar.

Pronta para um terceiro ataque de serpentes marinhas, Emily esperou. Como não veio mais nenhuma, ela correu na direção de Pegasus. O sangue jorrava do nariz do garanhão, mas isso não era o pior. Uma de suas patas traseiras parecia quase ter sido arrancada - havia sangue por toda parte.

– Está tudo bem, Pegs. – As mãos trêmulas de Emily se estenderam para curar o garanhão ferido. – É só descansar, acabou. Estão todos mortos.

Pegasus gemeu e abaixou a cabeça. As laterais de seu corpo palpitavam enquanto ele ofegava pesadamente. Assim que sarou, ele se acalmou e relaxou.

O Agente B ajoelhou-se ao lado da menina.

– Como ele está?

– Ele vai ficar bem. – Emily agachou-se e olhou para o agente com novos olhos. Ele estava coberto de sangue da serpente por conta da luta, e não teve medo de enfrentar monstros ferozes. – Obrigada por salvar Pegasus.

Ele acenou com a cabeça.

– Eu lhe disse, Emily. Estamos nessa juntos. Se quisermos sobreviver, temos de confiar uns nos outros.

Atrás deles, Paelen gritava.

– Pare, por favor! – Brue havia voltado para ele e começado a lamber seu corpo inteiro. – Por favor, Brue, eu não me feri, não preciso de outro banho! – Ele se virou para Emily, – Ajude-me, antes que ela me afogue!

Emily se levantou trêmula e andou até onde estava a grande Mãe da Floresta. Suas cabeças e sua pele púrpura estavam cobertas de sangue da serpente.

– Ele está bem, Brue. Você protegeu Paelen direitinho.

Joel se aproximou da amiga.

– Você viu como ela se transformou? Estava tão feroz quanto aqueles monstros. Eu não tinha ideia de que ela poderia fazer isso.

– O tempo que ela passou em Xanadu a domesticou – disse Emily, enquanto se lembrava da informação que havia recebido de Arious. – Em seu velho mundo, ela era um predador mortal. Só espero que a levemos de volta para Xanadu antes que reverta totalmente à sua personalidade anterior.

– Fico feliz que ela esteja do nosso lado.

Emily concordou, mas depois reparou em seu braço de metal. Estava com um sulco profundo e aberto, além de marcas de dentes em toda a sua extensão.

– Joel, seu braço!

– Eu sei. – Joel tentou dobrar o metal para que cobrisse novamente os mecanismos expostos. Ele flexionou o braço e sacudiu os dedos. Lá dentro, dava para ver as polias e a parte hidráulica funcionando. – Bem, pode não ter ficado bonito, mas pelo menos ainda funciona. A serpente marinha se apoderou de mim e seus dentes cortaram a prata como se fosse manteiga. Ela teria me matado se Brue não a tivesse atacado.

Joel ajudou Paelen a subir novamente no pescoço de Brue. Emily ainda tremia enquanto se sentava ao lado de Pegasus. Mike se deitou perto dela e colocou a cabeça em seu colo.

– O que eram aquelas coisas? – perguntou Joel.

Pegasus relinchou e se sentou.

– Ele acredita que pertençam aos Titãs – traduziu Paelen.

– Os Titãs? – perguntou Joel.

– Pegasus está certo – disse Paelen. – Tenho vergonha de dizer que não pude lutar. Mas Stella e eu ficamos observando. Todas aquelas serpentes estavam tentando pegar você, Emily. Todos os outros estavam apenas em seu caminho.

– Por que eu?

– Porque você é a Chama do Olimpo. Assim como você atrai a atenção dos olímpicos, também atrai a dos Titãs. Mas suas intenções não são tão amigáveis. Eles tentarão controlá-la. Se não conseguirem, tentarão destruí-la.

– Todo mundo quer me controlar! – Emily se levantou e seus olhos se voltaram para o Agente B. – Primeiro foi você com a UCP e agora os Titãs. Se isso for verdade, temos que ir. É muito perigoso ficar aqui por mais um instante que seja. Vou usar meus poderes para que sejamos enviados mais à frente no tempo. Voltaremos para cá depois da guerra.

– Para mim tudo bem – disse Joel. – Se essas serpentes estavam com os Titãs, não quero nem ver o que mais eles têm. Especialmente os Titãs das Sombras.

– Concordo – disse o Agente B. – Temos que sair daqui agora.

Pegasus permaneceu no chão. Ele cutucou as pernas de Emily e a convidou para que se sentasse novamente antes de tentar lhes dizer algo.

Paelen baixou a cabeça.

– Não, Pegasus, por favor. Você deve estar enganado.

– O que foi? – perguntou Emily.

– Pegasus está dizendo que temos que ficar aqui. Ele acredita que nosso destino é ficar e lutar. A cerâmica do museu é prova disso. A batalha de hoje estava descrita na ânfora que você viu.

Emily se lembrou do vaso. Uma menina vestida de olímpica estava atirando chamas em monstros. Depois ela olhou para o braço rasgado de Joel, para o Agente B, e, finalmente, para Mike, deitado ao seu lado. Seu rosto estava coberto de sangue dos monstros que enfrentara. Todos estavam representados na ânfora.

– Eu sei o que vimos no museu, Pegs. Mas ficar será muito perigoso para nós. Não estamos preparados para enfrentar os Titãs. Isso nunca foi o plano.

– Pegasus é um olímpico muito idoso – disse Paelen. – Ele existia muito antes de muitos de nós. Conhece muito a História da Titanomaquia.

– A o quê? – perguntou Emily.

– A guerra com os Titãs – explicou o Agente B.

– Sim – concordou Paelen. – Pegasus está dizendo que seu pai falou muito pouco da guerra. Nenhum dos olímpicos que a testemunharam gosta de falar sobre isso. Foi um momento negro para todos nós. Mas Netuno uma vez lhe falou sobre um poder, mais antigo que os Titãs, que se juntou à batalha em um momento crítico. Isso desequilibrou a balança do poder e ajudou os Olímpicos a derrotarem os Titãs.

Emily olhou para o garanhão.

– Pegs, o que você está dizendo? Que fomos nós?

O garanhão acenou com a cabeça e relinchou.

Paelen continuou.

– Ele diz que quando você mencionou pela primeira vez a ideia de viajar no tempo, considerou a possibilidade de que fosse você. Mas, então, planejamos chegar depois da guerra, e ele reconsiderou. Agora que estamos aqui e acabamos de derrotar as serpentes dos Titãs, Pegasus acredita que ficar é o nosso destino. Você, Emily, a última Xan, é o poder antigo que ajudou os olímpicos a derrotar os Titãs.

24

Após a batalha, os aldeões os convidaram para participar de uma festa de comemoração. Emily tentou recusar o convite, mas o povo local insistiu. Essa foi a primeira batalha que testemunharam na qual os Titãs haviam sido derrotados, por isso era uma ocasião de alegria.

Um grande banquete foi preparado com um suprimento infinito de iguarias finas. Música alta e animada foi tocada pelos músicos locais e todos dançaram. Emily ficou sentada ao lado de Pegasus, comendo azeitonas e observando Stella bater papo com um menino da aldeia. Ela estava lhe mostrando como funcionava a cadeira de rodas. O menino não parecia compreender muito do que ela estava dizendo, mas sorria de qualquer maneira.

No meio da pista de dança, Joel parecia estar vivendo um momento brilhante. Ele havia coberto o braço prateado para esconder os danos que sofrera, mas enquanto dançava, a cobertura se soltou. Porém, sua parceira de dança não reagiu com choque ou medo. Stella tinha razão. Esses povos antigos aceitavam suas diferenças e lhes davam as boas-vindas em sua aldeia muito mais rápido do que as pessoas de seu tempo dariam.

No decorrer da noite, Emily fora convidada por vários meninos para dançar, mas não tinha muito ânimo. Seus olhos continuavam atentos para o que acontecia ao redor, esperando pelo próximo ataque, assim como o Agente B. Ele tentava conversar com os aldeãos, mas Emily podia ver que seus olhos desconfiados nunca paravam de se mover.

No final das celebrações, foram convidados a se hospedar nas casas dos líderes da aldeia. Enquanto andavam para se recolher, gritos de alerta encheram o ar.

– O que significa toda essa gritaria? – perguntou Joel.

– Acho que os Titãs nos encontraram! – Gritou Emily. – Vejam!

As estrelas haviam sido cobertas por uma nuvem escura em movimento. À medida que se aproximava, puderam ver que não era uma nuvem de verdade. O céu estava cheio de guerreiros voadores. Eles não emitiam nenhum som, mas a quantidade deles era avassaladora.

Gritos encheram o ar enquanto os aldeãos assustados pegavam todas as armas que tinham. O som de metal se chocando com metal se misturou aos gritos enquanto as espadas começavam a duelar.

– Eles estão atacando a aldeia! – gritou Stella.

À medida que chegavam mais lutadores alados, Brue voltou a assumir sua personalidade cruel.

– De novo não! – gritou Paelen enquanto Brue o jogava no chão. Dentes afiados e mortíferos ficaram à mostra em suas duas bocas, e garras longas e cortantes brotaram em suas muitas patas. Seus lábios se retraíram quando as cabeças começaram rosnar de raiva.

A feroz Mãe da Floresta derrubou Stella da cadeira de rodas e se ergueu sobre ela e Paelen para protegê-los, rugindo e emitindo sons ensurdecedores que eles nunca a ouviram fazer antes.

– Veja, Emily, Tartarugas Ninjas! – gritou Joel.

Atrás deles, as ruas estreitas da aldeia estavam cheias de guerreiros com aparência monstruosa. Não eram excessivamente altos, mas fortes, e usavam elmos e armaduras verde-escuros. Joel estava certo. Eles se pareciam com as Tartarugas Ninjas. Mas não eram heróis de cinema que amavam pizza. Carregavam espadas e atacavam qualquer um em seu caminho.

– Nós os trouxemos para cá – disse o Agente B. – Emily, prepare sua Chama, isso vai ser desagradável.

– Estamos cercados! – gritou Stella.

Pegasus gritava e batia as patas no chão.

– Não podemos enfrentar todos eles. Temos que fugir! – gritou Paelen.

Emily invocou o fogo de suas mãos e disparou sua chama-laser contra os ninjas mais próximos. Quando o laser tocava suas armaduras verdes, pedaços se partiam e eles tombavam no chão.

– Vire-se, Emily – gritou o Agente B.

Logo à frente os guerreiros alados estavam pousando, e puderam vê-los mais de perto. Pareciam-se com melros. Eram altos, usavam armaduras de couro escuro e asas negras nas costas. Suas cabeças estavam cobertas por elmos com bicos e penas negras.

– Joel – disse o Agente B –, tire Stella, Paelen e Brue daqui. Emily e eu vamos tentar segurá-los. Use essa sua joia. Encontre Júpiter. Diga a ele o que está acontecendo.

– Não vou deixar vocês! – gritou Joel.

– Vá, Joel! – berrou Emily. – Você não tem nenhuma arma. Fale para Júpiter sobre a arma titã. Vá agora, enquanto eu tento detê-los!

Os guerreiros-tartaruga faziam agora um ataque em sua direção.

– Vai! – ordenou Emily.

Joel tirou a joia da túnica e ordenou que ela os levasse para o Olimpo.

– Venham atrás de nós! – gritou.

Parando apenas para colocar Stella de volta na cadeira, Joel correu para dentro da Corrente Solar seguido de perto pela arfante Brue, que carregava Paelen em uma das enormes bocas.

O Agente B ficou atrás de Emily.

– E só continuar disparando – berrou. – Não importa o que aconteça, não pare. Não podemos deixar que peguem você.

Enquanto Emily rasgava lutadores ao meio, parecia que cada vez mais continuavam aparecendo do nada.

– Há muitos – gritou ela. – Não posso conter todos eles.

O Agente B gritou. Emily se virou e viu que duas tartarugas haviam se apossado do agente da UCP e estavam puxando seus braços em direções opostas.

– Agente B! – ela gritou.

– Vá! – gritou o agente da UCP. – Esqueça-me, vá embora!

Pegasus se empinou e deu um coice em um dos guerreiros que atacavam o Agente B. O elmo da criatura havia sido arrancado - mas Emily ficou chocada ao ver que não havia nenhuma cabeça dentro. A tartaruga era oca. E mesmo sem a cabeça ainda segurava o Agente B e puxava seu braço, disputando um terrível cabo de guerra com a outra tartaruga.

Mike estava aos pés do guerreiro, mordendo a espessa armadura de couro e rosnando ferozmente enquanto lhe arrancava pedaços. Emily disparou contra a tartaruga sem cabeça e cortou os braços que seguravam o Agente B. Em seguida, queimou os braços da segunda tartaruga. O Agente B desabou no chão, gemendo de dor.

Emily olhou em volta, desesperada. Estavam cercados. Era só uma questão de instantes para que os guerreiros alados os alcançassem. Mesmo com todos os seus poderes, ela não acreditava que poderia atingi-los todos antes de ser cortada.

Não havia tempo de tirar a joia do bolso. Em vez disso, Emily fechou os olhos e criou um escudo de proteção ao redor dela e do Agente B. Concentrando-se o máximo que podia, ela gritou:

– Olimpo!

A jornada terminou no mais rápido piscar de olhos. Agora estavam no Olimpo. Mas aquele não era o Olimpo que ela conhecia. Emily olhou em volta para a devastação e lembrou-se da primeira visita que fez ao local depois que os Nirads o atacaram e o conquistaram.

De algum modo, aquilo era muito pior.

Havia fogueiras queimando e uma fumaça sufocante enchendo o ar. As poucas estruturas existentes estavam em ruínas, colunas de mármore e paredes desmoronadas se espalhavam pelo chão. Não havia estátuas, jardins nem obras de arte. Aquela era realmente uma zona de guerra.

Emily se ajoelhou ao lado do Agente B. Ele urrava de dor. Seus braços, retorcidos em ângulos estranhos, pareciam terrivelmente deslocados e quebrados. Ela estendeu a mão para curá-lo, mas seus poderes não funcionaram.

– Enquanto estava em Xanadu, você comeu alguma ambrosia? – perguntou ela com urgência.

Os olhos do agente estavam apertados por causa da dor.

– Não!

– Por que não?

– A ambrosia torna os seres humanos imortais. Não quero viver para sempre! – gritou ele, ainda com os dentes cerrados.

Emily enfiou a mão no bolso e puxou a bolsa mágica de comida. Ela rapidamente pediu bolos de ambrosia embebidos em néctar.

– Tome, coma isso!

– Não!

Emily olhou em volta para a paisagem devastada. Uma batalha havia sido travada aqui recentemente, o que significava que os combatentes ainda podiam estar por perto.

– Não posso curá-lo se não tiver comido ambrosia. Agora você vai abrir a boca e comer, ou vou ter que obrigá-lo. Você sabe que eu posso fazer isso.

– Eu não quero viver para sempre! – gritou ele, em agonia.

– Você não vai. Quando quiser morrer, eu o mato. Mas agora, você vai comer!

Com seus poderes, Emily forçou o Agente da UCP ferido a se sentar.

– Abra a boca, Agente B – ordenou a menina. – Não me obrigue a fazer isso por você.

Emily forçou o Agente da UCP a comer todo o bolo de ambrosia.

– Mastigue e engula!

Ele caiu de volta no chão e Emily segurou sua mão enquanto a ambrosia percorria seu organismo. Depois de alguns minutos, ela podia sentir seus poderes começando a fazer com que seus braços quebrados sarassem.

O Agente B gemia enquanto era curado. Em pouco tempo, já podia mover os braços. Ele se sentou e olhou para Emily com fúria nos olhos.

– Isso foi errado, Emily, e você sabe disso! Você me obrigou a comer contra a minha vontade.

– Da mesma forma que a UCP está planejando me forçar a me tornar sua arma?

– Isso é diferente!

– Não é não! – disparou Emily de volta. – Você não quer viver para sempre, tudo bem. Mas quer morrer agora? Você disse que Pegasus era uma distração. Você com dois braços quebrados é uma distração ainda maior. Fiz o que tinha que fazer. Podemos brigar por causa disso mais tarde. Neste momento, estamos expostos. Acho que devíamos encontrar um lugar para nos escondermos.

Emily o ajudou a se levantar enquanto seguiam para um prédio desmoronado. Seguros dentro da estrutura avariada, o Agente B sentou-se para a última parte de sua recuperação.

– Tem alguma ideia de onde estamos? – perguntou ele.

Emily olhou em volta.

– Normalmente, a Corrente Solar nos deixa perto do palácio de Júpiter, mas isso aqui não se parece nem um pouco com a área no entorno do palácio.

– Aqui é um cenário de guerra, Emily. Nada é o que parece em um campo de batalha.

O som de clamores encheu o ar. Chamas eram disparadas em meio à paisagem soturna. Emily e o Agente B olharam no meio dos escombros e viram três enormes dragões varrendo toda a área, tacando fogo em tudo que se movia.

– Dragões? – gritou Emily. – Os mitos não mencionaram nada sobre dragões, ou sobre aquelas coisas que nos atacaram na aldeia!

– Que mitos você anda lendo? – perguntou o Agente B, agora totalmente recuperado. – É claro que havia dragões! Você esperava que Júpiter e Saturno jogassem bolas de neve um no outro? Isto é uma guerra de proporções épicas. Ela se espalhou pelo cosmos e destruiu mundos!

– Como é que eu achei que podia ajudar nisso? – De repente, Emily percebeu a profundidade do problema no qual estava envolvida. Tudo o que haviam enfrentado até agora, dos Nirads às Górgonas, e até mesmo a UCP, eram brincadeira de criança comparado a isso.

– Não sei – disse o Agente B. - Nossa primeira tarefa é encontrar Júpiter e ver o que ele tem a dizer.

À distância, dava para ver que os três dragões violentos haviam sossegado. Eles ergueram as cabeças e pareciam estar farejando o ar. De repente, suas cabeças se voltaram para o lugar onde estavam escondidos. A fumaça saía das narinas dos dragões enquanto os olhos buscavam a localização dos dois.

– Opa – disse o Agente B. – Acho que estamos em apuros.

Como se tivessem sido chamados por um apito silencioso, os dragões deram início à investida. Quanto mais se aproximavam, mais pareciam crescer. Pouco depois, Emily sentiu como se estivesse enfrentando três edifícios de dez andares, enormes e muito furiosos.

– Por que todos os monstros aqui são tão grandes? – gritou Emily.

– Eu realmente não sei – respondeu o Agente B. – Só espero que você esteja se sentindo bem forte!

Parado atrás dela, Pegasus relinchou e a cutucou suavemente nas costas. Ele estava lhe dizendo que ela era capaz de enfrentá-los. Ela só esperava que a fé que o garanhão depositava nela fosse justificada.

– Fique aqui com Pegs – ordenou Emily enquanto se arrastava para fora dos escombros. – Se isso não funcionar, encontre Júpiter e lhe diga para esconder a arma Titã em outro lugar.

Mike começou a rosnar e latir. Ele saiu correndo do esconderijo e atacou a pata alta e escamosa do dragão mais próximo.

– Esse é o cachorro mais corajoso que eu já vi – comentou o Agente B – ou o mais burro!

– Mike! – gritou Emily, enquanto corria atrás do cachorro. – Volte aqui!

Agora que estava exposta, os três dragões se focaram em Emily. Dava para sentir seu ódio crescendo. Rugidos sacudiram a área enquanto eles respiravam fundo e disparavam plumas de fogo em sua direção.

Emily se abaixou e sentiu as chamas a lamberem. No chão à sua volta, as rochas derretiam e viravam poças de vidro fundido. Pilares de mármore partidos queimaram até ficarem pretos e desmoronaram sob o calor intenso. Mas, para Emily, não havia nenhuma sensação de ardor. De fato, ela não sentia absolutamente nada.

Banhada pelas chamas dos dragões, Emily levantou-se lentamente. Quanto mais cuspiam fogo, mais forte ela ficava.

– Você quer brincar com fogo? – gritou ela. – Experimenta isso!

Emily ergueu as mãos. Uma única chama luminosa, como um raio *laser*, encheu o céu noturno enquanto ela disparava tudo o que tinha contra os dragões. Não houve tempo para os monstros reagirem ou sequer gritarem. Em um instante, eles viraram cinzas.

– Emily! – o Agente B saiu do seu esconderijo. – Você está bem? – Ele a segurou e a examinou inteira. – As chamas deles nem sequer chamuscaram sua túnica! Como isso é possível?

Emily encolheu os ombros.

– Não sei, mas isso não importa agora. Onde está o Mike?

O som de latidos quebrou o silêncio. Os dois ouviram Mike ganir e gritar antes de ficar em silêncio.

– Mike! – gritou Emily. – Mike, onde está você?

O som de muitos pés caminhando sobre escombros encheram o ar. Vários gigantes liderados por um centauro emergiram de seu esconderijo. Emily avistou Mike nos braços de um dos gigantes - sua boca era abafada por uma mão enorme.

Emily reconheceu o centauro imediatamente.

– Chiron!

O centauro era mais jovem do que quando Emily o conheceu. Seu tronco humano era forte e musculoso, enquanto o corpo de cavalo era esbelto e elegante. Os cabelos castanhos do centauro eram longos e ondulados.

Emily tentou abraçá-lo, mas Chiron se empinou sobre as patas de cavalo e apontou o arco em sua direção.

– Chiron, sou eu! Emily!

O rosto e o tronco de Chiron estavam banhados de sujeira e suor e ele tinha queimaduras profundas nos flancos posteriores. Sua expressão era sombria e ameaçadora enquanto proferia palavras pouco familiares. Ele puxou a corda do arco, ordenando que levantassem as mãos.

Obediente, Emily viu que a maioria dos gigantes também estava coberta de queimaduras. Ela não reconheceu nenhum deles, mas era evidente que todos haviam enfrentado os dragões.

Pegasus deu um passo à frente e emitiu uma longa série de sons. Chiron dialogou com o garanhão e baixou o arco, mas seu olhar desconfiado não saiu de Emily.

– Pegs, por favor, diga a ele quem somos!

– Não, Pegasus, não! – ordenou o Agente B. – Eles não podem saber quem realmente somos ou de onde viemos. Se não tivermos muito cuidado, poderemos mudar a história e alterar o futuro como o conhecemos. Devemos nos expor o mínimo possível aos olímpicos.

– Mas ele está ferido. Todos estão. – Emily deu um passo cauteloso na direção do centauro. – Será que você poderia, pelo menos, lhe dizer que eu posso curá-lo? Ele está coberto de queimaduras. Por favor, diga a ele para pegar na minha mão.

Pegasus relinchou e acenou com a cabeça na direção de Emily.

Chiron franziu a testa, mas se aproximou. Estendeu a mão esquerda, enquanto ainda segurava o arco carregado com a outra.

– Está tudo bem – disse Emily baixinho –, somos amigos. Só que você ainda não sabe.

Emily pegou na mão do centauro. Chiron resistiu ao seu toque e se virou para trás, a fim de conferir os ferimentos nos seus flancos. Em instantes, as queimaduras profundas sumiram e sararam completamente. O centauro levantou a pata traseira e flexionou a perna. Não havia dor.

Chiron acenou para Emily e Pegasus e se virou para falar com seus gigantes. Os homens altos reagiram cercando o grupo e erguendo seus bastões e demais armas. Chiron se virou e começou a liderá-los para que avançassem.

– O que está acontecendo? – perguntou Emily.

O Agente B olhou em volta.

– Acho que acabamos de ser capturados pelos olímpicos.

25

Durante metade da noite, Chiron os conduziu por terrenos acidentados e escombros. Emily teve o cuidado de manter a mão sobre Pegasus enquanto se moviam. O garanhão ficava cada vez mais cansado e começava a tropeçar nos destroços. Quando isso acontecia, Emily usava seus poderes para erguê-lo do chão e carregá-lo.

Quando mais um dia sombrio e entediante raiou, eles encontraram outros olímpicos exaustos. Emily nunca havia visto ou encontrado a maior parte deles. Havia olímpicos alados, olímpicos que pareciam serpentes e muitas outras criaturas derrotadas e cansadas de guerra. No entanto, quando ela passou, todos se levantaram e a olharam com curiosidade. Aqueles que podiam se mover começaram a segui-la.

– Pegs, veja – disse Emily. – Eles não me conhecem, mas devem estar pressentindo que sou a Chama. Estão sendo atraídos por mim.

– Isso pode ser bom ou ruim – disse o Agente B com firmeza.

Um gigante empurrou o agente da UCP e resmungou algumas palavras duras.

– Provavelmente é ruim – concluiu.

Chiron ergueu a mão e eles pararam. Estavam diante das ruínas de uma construção. Emily achava que aquele poderia ser o palácio de Júpiter, mas parecia estar na área errada.

Bem no topo, acima da entrada, havia três mulheres aladas. Havia cobras vivas que se entrelaçavam com seus cabelos, e seus rostos ostentavam uma palidez esverdeada. Elas rosnavam e ameaçavam qualquer um que se aproximasse das ruínas.

Emily olhou para as mulheres furiosas e se lembrou das Górgonas.

– Quem são elas?

O Agente B encolheu os ombros.

– Eu diria que, pela sua aparência, são as Fúrias.

– O quê?

– As três Fúrias. Eram conhecidas como as vingadoras do crime e impingiam punições severas àqueles que violavam a lei.

– Nunca ouvi falar delas.

O Agente B balançou a cabeça.

– Honestamente, Emily. Se de alguma forma sobrevivermos a isso, vou lhe dar alguns livros sobre mitologia. Apesar de ter passado tanto tempo com os olímpicos, você não sabe quase nada sobre eles!

– Como você sabe tanto?

– Uma vez que os olímpicos se tornaram conhecidos da UCP, todos fomos obrigados a estudar mitologia e nos familiarizar com o que estávamos enfrentando.

A primeira Fúria desceu voando na direção do grupo e desafiou Chiron.

Enquanto discutiam, Emily fez com que Pegasus pousasse.

– Como você está, Pegs? – perguntou ela com cuidado enquanto acariciava seu focinho. – Está bem?

Pegasus relinchou baixinho.

– Ele está exausto – disse o Agente B –, e não come há horas. Nenhum de nós, aliás.

Emily puxou a bolsa de comida e passou a mão por cima dela para produzir um grande suprimento de bolos de ambrosia para o garanhão.

– Vá em frente e coma, Pegs. – E passou um bolo de ambrosia para o Agente B. – Você também pode se alimentar. Como já foi exposto a ele, não há sentido nenhum em ficar passando fome.

Uma voz familiar proferia palavras estranhas por trás dos gigantes. Quando eles abriram caminho, Emily ficou surpresa ao ver um jovem saindo de entre os gigantes. Ele não tinha mais que dezoito ou dezenove anos, e possuía cabelos escuros e ondulados, a pele lisa e clara e olhos cintilantes. Era alto, forte e musculoso. Segurava em uma de suas mãos um longo tridente. Mas foram seus olhos que Emily reconheceu de cara – eram de um tom cinza-azulado tão fulgurante quanto um mar tempestuoso.

– Netuno – gritou Emily –, é você?

Pegasus relinchou, entusiasmado, assim que o reconheceu. Dolorosamente ele ficou de pé enquanto as velhas asas vibravam e largavam penas no chão. Não havia como disfarçar sua alegria ao ver o pai vivo novamente.

Mas seus sentimentos não foram correspondidos. Netuno ostentava uma expressão sombria e ameaçadora. Ele apontou o tridente para Emily e falava a língua dos olímpicos. Embora Emily não conseguisse entender suas palavras, a mensagem era clara. Ele não tinha a menor ideia de quem eles eram.

Pegasus relinchou e deu um passo à frente, mas Netuno nem quis ouvir. Ele ergueu a ponta do tridente. Pegasus foi içado do chão e jogado a vários metros de distância. O garanhão envelhecido caiu sobre uma pilha de pedaços de mármore, aterrissando sobre as asas. Ele gritou, tomado por uma dor profunda.

– Pegasus! – Emily se voltou para Netuno. – Ele é seu filho, seu idiota! – Ela gritou em um tom que jamais ousaria usar com o Netuno de seu tempo. Emily disparou uma rápida rajada de força que jogou Netuno para trás violentamente. Ele atingiu um dos gigantes e chocou-se contra suas pernas. Ambos caíram no chão formando uma pilha confusa.

– Emily, não! – gritou o Agente B. – Não o mate ou Pegasus nunca vai existir!

– Eu não vou matá-lo – gritou Emily –, mas ninguém pode machucar o Pegasus, nem mesmo seu pai!

Netuno se levantou e apontou o tridente para Emily. Era bem sabido que a arma podia disparar uma rajada letal de água que era poderosa o suficiente para rasgar um oponente ao meio. Emily percebeu que Netuno não estava brincando ou à espera de explicações.

Quando a primeira rajada foi disparada em sua direção, Emily ergueu as mãos e desviou a água com facilidade. Ele atingiu os gigantes ao seu redor e os derrubou no chão.

Emily se aproximou com seus poderes e levantou Netuno do chão.

– Pare com isso! – gritou ela. – Estamos aqui para ajudar você!

Mas Netuno não desistia. Mais uma vez ele virou o tridente para Emily. Porém, ela foi mais rápida. Seus poderes arrancaram o tridente de suas mãos. A arma foi parar nas mãos do Agente B.

– Segure isso enquanto Netuno e eu temos uma conversa!

Emily flutuou no ar e encontrou Netuno bem acima das cabeças dos gigantes.

– Emily, não! – gritou o Agente B. – Você pode mudar o futuro!

– Dá para confiar em mim, por favor?

De repente, da pilha de escombros, Pegasus gritou. Um adolescente estava diante dele com as mãos pressionadas firmemente contra a cabeça do garanhão.

– Não! – berrou Emily. – Deixe-o em paz!

Emily largou Netuno e voou na mesma hora para perto do menino que estava machucando Pegasus. Ela o afastou na mesma hora do sofrido garanhão. Os três tropeçaram juntos e caíram em uma cova funda e aberta, cheia de destroços.

Antes de chegarem ao fundo, o menino colocou os braços em volta de Emily e a abraçou com força. Ele os girou de modo que só ele absorveu o impacto da queda dentro do fosso.

– Emily, sou eu – gritou – Júpiter!

Emily caiu em cima do menino. Seus olhos escuros eram brilhantes e cheios de malícia, e ele ostentava um sorriso devastador e bem esculpido que revelava covinhas profundas em cada bochecha. Não havia dúvida de que era um rapaz muito bonito, mas ela não conseguia ver nenhum vestígio do líder do Olimpo em seu rosto.

– Júpiter? – Emily franziu a testa. – É você mesmo?

– Quantos outros Júpiteres você conhece? – brincou ele. – É claro que sou eu.

– E você fala inglês?

Júpiter se ergueu e estendeu a mão para ajudá-la a se levantar. Seu sorriso se abriu.

– Agora, sim. Meu sobrinho, Pegasus, acabou de me ensinar.

Emily não conseguia entender o que estava acontecendo.

– Como assim?

– Quando eu toquei nele – explicou Júpiter –, vi quem ele era e de onde veio. Vocês com certeza percorreram um longo caminho. Estou profundamente grato pela sua ajuda. Pegasus está certo. Devemos deter a arma do meu pai antes que ela destrua a todos nós.

Emily estava atordoada demais para falar.

– Você... você sabe de tudo?

– Sim – respondeu ele sorrindo. Até que seus olhos provocantes brilharam. – Eu também sei tudo sobre você.

– Como o quê?

– Bem, deixe-me ver – disse ele suavemente. – Você começou sua vida como um ser humano e, depois, tornou-se conhecida como a Chama do Olimpo. Mas na verdade você é a última Xan, uma raça antiga do reino dos mitos e das lendas. É você quem vai nos ajudar a acabar com essa guerra brutal contra os Titãs. Estou certo?

Emily ainda estava muito chocada para se mover. A alegria de ver Júpiter vivo de novo era grande demais. Ela esperava poder encontrá-lo aqui no passado, mas nunca esperava que estivesse do jeito que estava. O brilho em seus olhos jovens e provocantes fazia com que seu coração palpitasse e a maneira como ele falava a fazia lembrar muito de Paelen.

Júpiter colocou o braço em volta da cintura de Emily e sorriu enquanto os fazia levitar para fora do poço, para onde Netuno estava em pé, mais uma vez segurando o tridente sobre o Agente B e Pegasus. Júpiter a soltou, correu na direção do irmão e colocou as mãos sobre sua cabeça.

Enquanto Júpiter transferia a informação, Netuno cambaleou. Quando se recuperou, ajoelhou-se diante de Emily. O azul em seus olhos suavizou de tom assumindo o aspecto de um mar calmo e morno - a cor que ela conhecia e amava.

– Por favor, me perdoe. Eu não sabia.

– Não é a mim que você deve desculpas! – Emily correu até onde Pegasus estava deitado. O Agente B estava ao seu lado e se esforçava para ajudá-lo a levantar.

– Peguei você agora, Pegs – disse Emily delicadamente enquanto o tirava dos escombros e curava suas asas feridas. – Isso está acontecendo com você frequentemente. Gostaria que todo mundo o deixasse em paz.

– Pegasus, meu filho – gritou Netuno –, por favor, me perdoe. Eu sinceramente acreditava que vocês eram Titãs que vieram aqui para nos destruir. – Ele colocou os braços em volta do pescoço de Pegasus e lhe deu um forte abraço.

– Você disse a ele! – acusou o Agente B. – Está louca? Ninguém deve saber seu próprio futuro, especialmente os olímpicos!

Emily sacudiu a cabeça.

– Não fui eu, foi Júpiter. Quando tocou em Pegasus, ele leu sua mente. Agora sabe tudo sobre nós e aprendeu a nossa língua. E acabou de contar tudo o que descobriu para Netuno.

– Júpiter? Onde ele está?

– Aqui – disse Júpiter. Ele se aproximou do Agente B e estendeu a mão. – Depois do que Pegasus me mostrou, me surpreende muito o fato de que um Agente da UCP esteja disposto a ajudar. Mas meu sobrinho tem fé em você.

– Você é Júpiter? – perguntou o Agente B, incrédulo. – Como? Você é apenas um garoto.

– Um garoto? Sou muito mais do que apenas um garoto. Sou Júpiter!

– Não estou entendendo mais nada – disse o Agente B. – Como você conseguiu aprender a nossa língua tão rapidamente?

– Somos olímpicos – disse Júpiter, como se isso explicasse tudo.

Emily ficou observando a conversa de Júpiter com o agente da UCP e se viu em um conflito doloroso. Ela já o conhecia havia eras. Seu Júpiter – o velho Júpiter. Ele era poderoso, mas estava mais para um avô doce e idoso. Mas aquele Júpiter era um jovem ainda mais poderoso, com a idade de Joel. O Cupido, que era considerado o olímpico mais belo, não chegava a seus pés. Apesar da sujeira da batalha, a pele de Júpiter era lisa e dourada. Seus olhos brilhavam e seu corpo musculoso era mais forte do que o de Joel.

Pegasus cutucou Emily e relinchou baixinho.

Ela podia ver que o garanhão estava rindo da sua reação súbita ao jovem Júpiter.

– Pare com isso, Pegs. – Ela corou.

Júpiter acariciou o rosto de Pegasus e sorriu para Emily.

– O que foi que eu perdi?

Emily corou de novo e balançou a cabeça.

– Nada de mais. Mas precisamos conversar. Será que poderíamos ir para um lugar mais tranquilo?

Júpiter assentiu com a cabeça e fez um sinal para Netuno.

– Chame Plutão, Juno, Vesta e Ceres, eles também precisam saber disso. Depois, poderemos fazer nossos planos. – Ele voltou para Emily e a pegou pela mão. – Venha, não sobrou muita coisa do palácio, mas ainda há uma câmara do Conselho onde poderemos conversar em particular.

Antes de entrarem no palácio danificado, Júpiter fez uma pausa para se dirigir ao seu povo e fez um breve discurso. Quando terminou, pediu para que um dos gigantes se aproximasse e deu-lhe instruções. Os outros se curvaram diante de Júpiter e retornaram aos seus deveres, e as Fúrias assumiram novamente sua posição na entrada.

– Você não lhes contou tudo, certo? – perguntou o Agente B.

Júpiter inclinou a cabeça para o lado.

– Eu sou jovem, Agente B, não estúpido. Você tem razão. Ninguém deve saber seu próprio futuro. É melhor que ninguém, além dos primeiros olímpicos, saibam quem você realmente é. Acabei de enviar os gigantes para alertar meu povo. Seus amigos estão por aí, em algum lugar, no meio dessa batalha. Devem ser encontrados e trazidos até aqui ilesos.

Quando Vesta chegou, com Juno e Ceres, Emily se emocionou ao ver sua professora tão jovem e viva. Ela não via a hora de abraçá-la, mas Vesta a encarou com profunda desconfiança. Foi só depois que Júpiter compartilhou seu conhecimento que as três mulheres se mostraram mais acessíveis e começaram a falar inglês.

– Você é a última Xan – disse Vesta em estado de choque – e é parte da Chama que chegou ao Olimpo há pouco tempo. Ela queimava ao atravessar nosso céu em uma bola brilhante de luz, e caiu no solo formando uma grande cratera.

– Riza já está aqui? – gritou Emily. Ela olhou em volta, para o grupo de combatentes esfarrapados e através de um buraco na parede do palácio que dava para as terras áridas e queimadas do lado de fora. – Mas eu achava que a Chama lhes dava mais poderes. Ela os ajudou a ganhar a guerra. Uma vez você me disse que a Chama era a fonte dos seus poderes.

– É verdade que nos tornamos muito mais poderosos desde que ela chegou – explicou Júpiter. – Mas o mesmo aconteceu com os Titãs. Eles querem nos roubar a Chama e levá-la para Titus. Esta é a batalha que travamos e a causa da guerra. Se os Titãs conseguirem controlá-la, vão nos escravizar e a todos os mundos ao nosso redor.

– Mas Saturno é seu pai – disse Emily. – Você não tem como falar com ele e fazê-lo parar?

Netuno balançou a cabeça.

– Nosso pai é louco. Uma vez lhe disseram que seus filhos iriam derrubá-lo. Ele está tão desesperado para obter o controle que chegou a nos aprisionar em Tártaro até Júpiter conseguir escapar e nos libertar.

O Agente B balançou a cabeça.

– Os mitos dizem que ele comeu todos vocês. Mas quando Júpiter nasceu, sua mãe, Reia, alimentou Saturno com uma pedra em vez de lhe dar o bebê. Júpiter foi criado em Creta e finalmente libertou seus irmãos e irmãs fazendo com que Saturno os vomitasse.

Júpiter começou a rir. Era uma gargalhada leve e profunda que fez Emily ruborizar.

– Você sempre acredita em tudo que lê? – Ele riu. – Essa história é uma loucura. Todos nascemos em Titus, um mundo irmão do Olimpo. Nosso pai não nos comeu. Nem nos vomitou. O que ele fez foi nos aprisionar até que eu consegui escapar. Voltei e libertei meus irmãos e irmãs. É verdade que passamos um bom tempo na Terra. Mas depois acabamos fixando residência permanente no Olimpo. Esperávamos permanecer aqui, livres de Titus e do nosso pai.

– Mas quando essa chama chegou, tudo mudou – continuou Netuno. – Nosso pai e alguns de seus irmãos nos atacaram, tentando tomá-la. Para acabar com a guerra, consideramos a possibilidade de extingui-la.

Pegasus relinchou alto enquanto Emily gritava.

– Não, vocês não podem fazer isso!

Emily segurou as mãos de Vesta.

– Se vocês extinguirem a Chama, tudo irá mudar no futuro. Eu não estaria aqui e nunca conhecerei Pegasus.

– Não entendo – disse Vesta. – Fiquei confusa com o que Júpiter me mostrou.

– É muito simples – começou Emily. – Não vai demorar muito, e vocês vão pegar o coração dessa Chama e escondê-lo em uma menina na Terra. Ele vai viver dentro dela, sem ninguém saber, por toda a sua vida. Então, quando ela morrer, ele será passado para outra menina, e depois outra, por incontáveis gerações, até chegar a hora em que eu vou nascer com o coração da Chama. Viverei em um lugar chamado Nova York e é lá que Pegasus vai me encontrar. Ele me levará ao Olimpo para entrar no Templo da Chama e ela nascerá em mim.

– Mas não há nenhum templo construído para a Chama – afirmou Vesta. – Ela queima no fundo de uma cratera no solo.

– Se Emily diz que há um templo construído para a Chama... e eu já vi isso na mente do meu sobrinho... ele deve ser construído – insistiu Júpiter. – Se ganharmos a guerra, vamos construir o Templo da Chama.

O Agente B olhou para Emily, confuso.

– Nunca soube que foi assim que você veio a ter todos esses poderes.

– Ninguém na UCP sabe – disse Emily. – Era meu destino.

– E agora esse destino corre grave perigo – disse o Agente B. Ele olhou para os olímpicos. – Ouçam-me, todos vocês. É extremamente importante que vocês sigam o que aprenderam com Pegasus. Se alguém desviar do que está fadado a acontecer, o futuro irá mudar. Isso poderia ser devastador para a Terra, assim como para o Olimpo.

– É claro – disse Vesta. – Vamos agir de acordo com o que soubemos.

Emily se aproximou de Júpiter.

– Vocês já ouviram falar de Joel e Paelen? Eles estão lá fora há muito tempo, sozinhos e desarmados.

– Vi quem eles eram na mente de meu sobrinho. Joel é cheio de recursos. Tenho certeza de que eles estão bem. Mas vou pedir para que mais gigantes saiam à sua procura.

Quando Plutão chegou, ele era tão jovem e atraente quanto os irmãos. Assim que os Três Grandes ficaram diante de Emily, ela sorriu para si mesma – mais pareciam uma *boy band* do que os líderes do Olimpo.

Plutão recebeu a notícia de sua chegada com a calma habitual. Decidiu-se que mais um olímpico deveria ser convidado em segredo. Chiron foi chamado para a reunião e devidamente apresentado a Emily. O centauro se curvou profundamente, pediu desculpas pelas grosserias que havia feito mais cedo e agradeceu a Emily por ter curado seus ferimentos.

– Então, o que podemos fazer para ajudar a encontrar a arma de Saturno? – perguntou Emily. – Se não a destruirmos agora, não haverá futuro para nenhum de nós.

– É claro – disse Júpiter. – Estou enojado de saber que nosso pai seria capaz criar uma coisa dessas. Será mesmo que ele nos odeia tanto?

– Nosso pai é insano – disse Vesta. – Nada do que ele faz me surpreende mais.

– Mas onde ele a construiria? – perguntou o Agente B. – Será que podemos ir lá e detê-lo?

Júpiter balançou a cabeça.

– Se essa arma é tão poderosa assim, ele a manterá bem escondida e protegida enquanto estiver sendo desenvolvida. Ela pode estar em qualquer lugar: Titus, Tártaro ou em qualquer um dos cem mundos. Mandaremos nossos espiões, mas isso vai levar tempo.

Emily se viu fascinada pela maneira como Júpiter passava os dedos no cabelo grosso e escuro. Enquanto ele flexionava os músculos do braço, o coração de Emily disparou a ponto de ela ter que desviar o olhar.

– Pelo que vejo – prosseguiu Júpiter –, Saturno usou seus novos poderes da Chama para criar um exército de monstros e uma raça temível de lutadores, os Titãs das Sombras. Eles são diferentes de qualquer coisa que já encontramos antes. Invadiram partes da Terra e do Olimpo em uma tentativa de nos derrotar e pegar a Chama.

– Acho que já os encontramos – disse o Agente B. – Na Terra, na Grécia. Alguns se parecem com grandes melros e alguns lembram tartarugas gigantes.

– São eles – disse Júpiter. – Embora também haja mais dois tipos por aí.

– Mas você pode vencê-los, certo? – perguntou Emily. Ela olhou para Plutão. – Não basta você acenar com a mão no ar para matá-los?

– Você não pode matar o que não está vivo – disse Plutão. – Acredite em mim, eu já tentei.

– O que você quer dizer? Tenho certeza de que matei alguns.

– Não, Emily, você os destruiu – corrigiu Júpiter. – Os Titãs das Sombras não são seres vivos. Aquela armadura de couro deles não passa de uma concha vazia. Eles têm olhos, mas não têm corpo. Não falam nem sentem dor. Um Titã das Sombras não se rende quando é cercado. Eles lutam até não haver mais ninguém com quem lutar.

O Agente B esfregou os braços recém-curados.

– É, já percebi.

Plutão prosseguiu.

– Os Titãs das Sombras têm uma denominação apropriada. Eles são apenas as sombras ambulantes dos quatro guerreiros originais: Aronder, o Minotauro; Mertik, o Guerreiro-Tartaruga; Dythram, o Guerreiro-Melro; e, finalmente, Quinux, o Guerreiro-Dragão. Parece que vocês só se encontraram com os Melros e as Tartarugas das Sombras.

– O Minotauro está lutando ao lado dos Titãs? – gritou Emily. – Como isso é possível? Ele viveu pacificamente no Olimpo até que o desastre aconteceu. Podia ser meio bronco, mas não era mau ou perverso.

– Nenhum deles era mau – disse Júpiter. – Os Quatro Guerreiros eram prisioneiros, assim como nós fomos. Enquanto eles existirem, Saturno poderá criar um suprimento ilimitado de Titãs das Sombras que só responderão a ele. Com o tempo, seu contingente irá inchar para nos derrubar. Com ou sem a arma do nosso pai, se não detivermos os Titãs das Sombras, seremos derrotados.

– Então, pareceria lógico libertar ou destruir os originais antes que isso aconteça – disse o Agente B.

– Verdade – concordou Júpiter. – Mas eles ficam trancados. Não sabemos onde, embora tenhamos espiões por aí procurando por eles.

– E quanto aos hectarônquiros? – perguntou o Agente B.

Emily franziu a testa.

– O quê?

O agente da UCP olhou para ela, exasperado.

– Realmente, Emily, você precisa ler os mitos!

– O que têm eles? – perguntou Chiron impacientemente. O centauro andava pela câmara com os braços cruzados no peito. Seus cascos batiam ruidosamente no chão e ele parecia muito agitado.

– Eu li tudo sobre a Titanomaquia – disse o Agente B. – Estava escrito que os hectarônquiros os ajudaram a derrotar os Titãs.

– Isso é loucura – gritou Juno. – Saturno os mantém presos nas profundezas de Tártaro. Não conseguimos libertá-los quando escapamos. Eles estão presos lá para sempre.

– Bem, é melhor você tentar novamente – disse o Agente B –, pois todos os mitos antigos dizem a mesma coisa. Eles os ajudam a ganhar a guerra.

Júpiter estava diante de Emily, e olhou para o Agente B.

– Tem certeza de que pode confiar nesse homem? Posso não saber tudo sobre a UCP, só o que Pegasus me mostrou. Mas pelo que eu vi, meus instintos dizem que eu não devo acreditar nele.

– Normalmente eu sentiria o mesmo – concordou Emily –, mas o Agente B quer ir para casa tanto quanto eu. A única maneira de isso acontecer é destruirmos a arma e ganharmos a guerra. Então, se ele diz que os hectarônquiros podem ajudar, eu acredito.

Chiron continuou marchando de um lado para o outro.

– Se isso é para valer, como faremos? Como chegaremos a Tártaro para resgatá-los com todos os Titãs das Sombras guardando a prisão?

– Destruindo os Titãs das Sombras antes – gritou Joel enquanto entrava na câmara. Atrás dele vinham Paelen sobre Brue, e Stella sendo empurrada por um sátiro. O menino-bode acenou para Júpiter e os outros respeitosamente e deixou a câmara.

– Joel! – Emily saiu correndo e o abraçou com força.

– Você está bem?

Nice, a Vitória Alada, estava ao lado de Joel. Ela era alta e elegante, e falava baixinho com Júpiter em sua língua.

Júpiter se aproximou.

– Sim, Nice, obrigado – respondeu ele em inglês. – São esses mesmos. Você fez um bom trabalho.

Paelen estendeu a mão enrugada para Emily. Seu rosto se encheu de alívio ao vê-la.

– Como você conseguiu fugir da aldeia? Havia tantas daquelas coisas vindo em nossa direção. Elas também estão aqui no Olimpo. Tentamos combatê-las, mas são muito fortes. Poderia tê-las derrotado se eu pudesse me esticar de novo.

Emily sorriu para o velho amigo.

– Tenho certeza que sim, Paelen. Mas essas coisas são os Titãs das Sombras. Quase não conseguimos escapar deles. Duas Tartarugas das Sombras pegaram o Agente B e acharam que ele era um ossinho da sorte. Quebraram seus dois braços.

– Estou bem – disse o Agente B rispidamente. – Mas o que aconteceu na Grécia foi apenas uma prévia. Parece que Saturno tem um suprimento ilimitado deles.

– Encontrar essa arma e deter os Titãs das Sombras deve ser nossa prioridade, antes de tentarmos libertar os Hectarônquiros de Tártaro – disse Júpiter. – Temos que fazer nossos planos.

– Quem é você? – perguntou Joel. Ele olhou ao redor do recinto. – Onde está Júpiter? Nós realmente precisamos falar com ele.

– Joel, este *é* Júpiter – disse Emily enquanto apresentava os olímpicos.

O choque no rosto de Joel se refletia também nos rostos de Paelen e Stella.

– Mas vocês estão todos tão jovens!

– Fomos informados disso – disse Júpiter. – Mas isso não muda a situação. – Ele olhou para Joel de cima a baixo e o encarou. – Você me parece muito forte para um ser humano, mas será que pode lutar? Foi treinado?

Joel encolheu os ombros.

– Não exatamente.

Júpiter se virou para o Agente B, para Emily e depois para Stella.

– E quanto a vocês? Algum de vocês teve treinamento de guerra?

O Agente B levantou a mão, mas Stella negou com a cabeça.

Emily disse:

– Até agora, eu só tenho usado os meus poderes.

– Poderes são bons – disse Plutão. – Mas não são o suficiente. Não contra os Titãs. Vocês vão precisar de mais.

– Vocês se saíram muito bem. – Júpiter se dirigiu a Emily e seus amigos depois de dias de intenso treinamento com armas. – Melhor do que poderíamos esperar. Agora é hora de se juntarem aos seus regimentos.

– Regimentos? – repetiu Emily. – Não, temos que encontrar aquela arma. Todo o futuro depende disso. Temos que acompanhar os espiões para tentar encontrá-la.

– Concordo – disse o Agente B. – Essas crianças não estão equipadas para lidar com a guerra. Voltamos aqui por causa da arma, isso é tudo. Vencer a guerra é com vocês e os Hectarônquiros.

Júpiter olhou para os irmãos. Plutão o cutucou.

– Vá em frente, Júpiter, diga a eles.

– Estamos perdendo a guerra – disse Júpiter, sem rodeios. – A cada dia que passa, vemos mais olímpicos feridos, capturados ou levados para longe, enquanto o número de Titãs das Sombras e monstros cresce. Nossos espiões nos disseram que não há indícios de que essa arma esteja sendo desenvolvida.

– Nós acreditamos – acrescentou Chiron – que Saturno não está sentindo a necessidade de criar essa arma porque estamos sendo derrotados sem ela.

– Vocês não podem perder a guerra – disse Joel. – Os mitos disseram que vocês ganharam! Você são os Três Grandes, possuem poderes incríveis. Todos os olímpicos os possuem. Vocês não podem perder.

– Os mitos estavam errados – disse Júpiter com tristeza. – A não ser que encontremos uma maneira de virar o jogo; é apenas uma questão de tempo para que sejamos forçados a nos render.

– Render? – gritou Joel. – Vocês não podem fazer isso!

– Você pode nos oferecer outra solução? – perguntou Netuno.

Júpiter estendeu as mãos para Emily.

– Só existe uma maneira de mudarmos nosso destino. Precisamos que você lute conosco, Emily. Você é uma Xan. Tem o poder para derrotar os Titãs das Sombras com um aceno de mão. Pelo que aprendi com Pegasus, você não pode se machucar e tem o poder de cura.

Emily ouviu as palavras e seu sangue gelou. Júpiter estava dizendo exatamente a mesma coisa que o Agente B havia lhe dito. Que ela era a arma definitiva.

– Júpiter, por favor – implorou Emily. – Não me peça para fazer isso. Eu não sou uma arma.

Júpiter balançou a cabeça.

– Eu não a chamei de arma. Mas você é uma Xan. Pode virar o jogo. Se pudermos mostrar a Saturno que está conosco, ele pode parar essa guerra insana.

– Saturno não pode saber que Emily é uma Xan – disse o Agente B. – Ninguém pode saber quem ela é.

Chiron se juntou a Júpiter.

– Ele não vai saber que você é uma Xan, mas, a não ser que você se junte a nós no campo de batalha, vamos perder esta guerra sem que essa arma jamais seja criada. Quando isso acontecer, não haverá futuro para nenhum de nós.

26

Emily precisava de tempo para botar os pensamentos em ordem – havia muito em que pensar. Mas depois de um dia inteiro fazendo ponderações, não estava perto de nenhuma resposta.

– Riza, cadê você? – chamou baixinho. – Preciso que você me diga o que fazer.

Mas, no fundo de sua mente, só havia silêncio. Será que Riza havia ido embora para sempre? Emily havia se acostumado com o fato de ela estar o tempo todo ao seu lado. Agora, sentia-se vazia e solitária.

Ela olhou para Pegasus. Sem a arma por perto, havia parado de envelhecer. Mas ele ainda estava muito velho e com dores.

– O que eu devo fazer, Pegs? Se entrar na guerra, vou me tornar a arma que o Agente B disse que eu era. Mas se não fizer isso, os olímpicos vão perder.

Pegasus a cutucou e lambeu sua mão. Emily já sabia o que ele queria que ela fizesse. Havia lhes dito que um poder antigo havia se juntado à batalha e os ajudado a vencer. Se isso fosse verdade, significava que ela era o tal poder, e que devia entrar na guerra.

– Emily, você está bem? – O Agente B se aproximou e se sentou em uma coluna quebrada ao seu lado.

– Não exatamente – disse Emily sem olhar para cima.

Ele pegou na mão dela e Emily olhou para cima, surpresa, enquanto ele a apertava gentilmente.

– Não posso imaginar o que está sentindo agora, por isso vou lhe dizer o que fazer. Em última instância, a decisão é sua. Mas fique sabendo. Se decidir entrar na luta, Joel e eu vamos estar ao seu lado. Isso não é o que nenhum um de nós queria, mas, com toda a honestidade, lutar ao lado dos olímpicos pode ser a única maneira de fazer com que voltemos para casa.

– Então eu me torno a arma definitiva, no fim das contas – disse Emily, arrasada.

O Agente B balançou a cabeça.

– Sinto muito por ter me referido a você desse jeito. Foi errado da minha parte. Aquela noite no museu parece ter ocorrido há uma vida inteira, não?

Emily acenou positivamente com a cabeça.

Ele pegou o queixo da menina e o levantou para que ela o encarasse.

– Ouça-me, Emily. Você não é uma arma. Eu sei disso. Assim como você. E se resolver entrar na batalha, será como um soldado qualificado, assim como o resto de nós, e não como uma arma.

– E se eu não entrar na guerra?

– Então vamos aguentar as consequências. Poderíamos voltar para Xanadu e viver o resto de nossas vidas por lá.

– Sem o Olimpo e sem a Terra?

O agente da UCP deu de ombros.

– É uma escolha difícil, mas a escolha é sua. Nenhum de nós vai lhe dizer o que fazer.

Emily olhou para o agente.

– Por que você está sendo tão bondoso?

Ele deu de ombros novamente.

– Acho que finalmente estou vendo a vida através dos seus olhos, bem longe da UCP.

– O que você vê?

O Agente B se levantou

– Alguém que vai tomar a decisão certa.

***

A guerra era feia.

Não havia outras palavras para descrevê-la. Era muito pior do que Emily jamais poderia ter imaginado. Dias e noites misturados numa espécie de frenética exaustão que nenhuma quantidade de descanso poderia aliviar.

Emily, Pegasus, Joel e o Agente B foram mantidos juntos e serviam com Chiron. Paelen, Brue e Stella foram trabalhar com Vulcano em sua forja, fabricando armas.

Ao passar o dia inteiro lutando ao lado dos melhores guerreiros olímpicos, Emily aprendeu tudo o que podia sobre os Titãs das Sombras. Usando seus poderes, conseguiu capturar duas Tartarugas e um Minotauro das Sombras. Mas eles não ficaram presos por muito tempo. As criaturas rasgaram os laços que as prendiam, livrando-se das amarras. Os olímpicos nada aprenderam com a experiência, exceto a constatação de que os Titãs das Sombras eram criações estúpidas projetadas exclusivamente para matar.

Quando chegaram pela primeira vez ao Olimpo, Emily encontrara um caderno vazio em algum entulho. Era um livro muito bem encadernado, com uma bela capa de ouro cheia de entalhes, e páginas de pergaminho brancas. Ela nunca havia mantido um diário antes, mas com a guerra rolando à sua volta, quis dar início a um.

A cada dia ela registrava tudo o que experimentava, incluindo as perdas que os olímpicos sofriam. Ela anotou os nomes dos lutadores que havia conhecido e que morreram antes que pudesse curá-los ou que foram capturados pelos Titãs. Seu coração se partiu no dia em que teve que escrever os nomes de Vesta e Juno. Embora não estivessem necessariamente mortas, acabaram se juntando à longa lista dos desaparecidos.

Depois de mais um longo dia, eles voltaram para o seu abrigo a fim de descansar e comer. Pegasus estava deitado atrás de Emily, devorando um farto suprimento de bolos de ambrosia misturado com sorvete de chocolate. Aos seus pés, Mike estava feliz comendo a refeição que Emily havia lhe preparado.

Enquanto comiam, Emily fazia anotações no diário. Quando terminou de escrever, deu uma folheada nas páginas. Não havia datas que pudesse registrar, pois os olímpicos notoriamente perdiam a noção do tempo, mas ela havia nomeado cada dia em ordem numérica, começando com o dia de sua chegada até o presente.

– Estamos aqui há 115 dias – anunciou.

– Uau – disse Joel. – Não é à toa que estou cansado. Depois de todo esse tempo, parece que não avançamos nem um pouco.

– Eu sei – concordou Emily –, mas Chiron diz que estamos fazendo avanços. Os Titãs das Sombras estão sendo expulsos do Olimpo.

Joel assentiu com a cabeça.

– Eu gostaria que já tivéssemos atacado Titus. Se pudéssemos dominar Saturno, poderíamos acabar com isso antes de a arma ser criada.

– Eles tentaram. Mas Júpiter diz que Saturno resolveu se esconder. Eles não conseguem encontrá-lo.

O Agente B chegou parecendo estar tão cansado quanto todos os outros. Havia deixado suas roupas da UCP. Vestia-se agora como um olímpico e tinha o corpo esculpido de tanto treinar e lutar.

Os sentimentos de Emily e Joel em relação ao agente da UCP haviam mudado. O Agente B vinha provando seu valor sucessivamente com os olímpicos. Mantinha o moral da tropa com um suprimento de piadas infames, que levantava seus espíritos no final de um dia cansativo de lutas. Nem ela nem Joel esperavam que o agente da UCP pudesse ter algum senso de humor.

Seu lado sensível também vinha à tona; toda noite, depois que Joel ia para a cama, ele costumava ficar acordado com Emily enquanto ela e Pegasus atravessavam o acampamento, curando todos os feridos. Ele falava pouco, mas sempre oferecia seu apoio silencioso.

Quando ele se sentou, exausto, à sua mesa, Emily sacou a bolsa de alimentos.

– O que você gostaria de comer?

O agente balançou a cabeça.

– Nada, obrigado. Estou muito cansado.

– Você tem que comer – disse Joel. – Você é sempre a pessoa que fica me perturbando para comer.

O Agente B escondeu a cabeça no meio das mãos.

– Isso se chama "faça o que eu digo e não o que eu faço", Joel –murmurou. – Sou mais velho que você, posso lhe dar ordens.

– E eu posso forçá-lo a comer, lembra-se? – brincou Emily. – Mas então, o que você quer comer?

O Agente B ergueu a cabeça e se inclinou em sua direção.

– Você está me ameaçando, minha jovem?

Emily olhou para Mike.

– Você acha que eu o estou ameaçando?

O cachorro latiu e abanou o rabo.

Emily sorriu para o agente da UCP.

– Ele diz que estou. Então é melhor você comer.

O Agente B finalmente se rendeu e pediu um prato de bolos de ambrosia e uma xícara de café preto forte. Depois de todo o tempo que passaram por lá, ele havia começado a gostar da comida olímpica, mas ainda detestava néctar.

– Vamos nos mudar novamente hoje à noite – disse ele. – Há relatos de que uma enorme onda de Titãs das Sombras e de dragões está chegando ao Olimpo. Estão vindo por aqui.

Logo se tornou evidente que Emily era o ímã que atraía os guerreiros mais perigosos em sua direção.

Ela havia se tornado a isca.

Enquanto os Titãs destacassem seus guerreiros mais poderosos para capturar Emily, Júpiter e seus soldados podiam comandar batalhas em outras partes do Olimpo. Plutão e Netuno, com seus combatentes, travavam combate separadamente com os Titãs na

Terra, enquanto Minerva e sua tropa de Harpias se concentravam em levar espiões para Titus, a fim de saber se estavam começando a desenvolver a arma.

– Você teve notícias de Paelen? – perguntou Joel para o Agente B. – Ele está bem?

O Agente B acenou positivamente.

– Recebemos uma mensagem hoje à tarde.

Estão todos em segurança, mas em movimento. Neste momento, Stella está trabalhando em estreita colaboração com Vulcano numa espada de fogo baseada nos poderes de Emily. Foi tudo ideia dela. Esperam ter um protótipo pronto em breve. Se funcionar, todos os nossos guerreiros terão chances muito melhores contra os Titãs das Sombras.

O alívio tomou conta de Emily. Ela odiava estar separada deles, mas, por conta da idade de Paelen e da incapacidade de Stella, ficavam mais seguros e eram mais úteis longe da batalha principal. O arranjo funcionou perfeitamente, pois Stella havia sugerido vários modelos de armas bem-sucedidas que já estavam em uso.

Emily se ajoelhou em frente a Pegasus. Ela acariciou seu rosto e lhe deu um tapinha no pescoço.

– Você está bem, Pegs? – perguntou.

Pegasus relinchou, mas virou-se, recusando-se a olhar para ela.

– Pegs? – perguntou Emily, preocupada. – Qual é o problema?

– Em, o que houve? – Joel se aproximou dela e também ficou perto do garanhão.

– Não sei.

Ela segurou o focinho do garanhão e virou sua cabeça. Quando o encarou bem fundo nos olhos, ambos ficaram ofegantes.

O Agente B se ajoelhou.

– O que aconteceu?

– Veja os olhos dele – gritou Emily. – Estão completamente brancos!

– Pegasus, você consegue enxergar? – perguntou Joel.

O garanhão bufou e tentou se afastar.

O Agente B chamou um sátiro que estava fazendo a sua refeição.

– Fale com Pegasus, pergunte a ele o que está acontecendo.

Como todos os combatentes no campo de batalha, o sátiro agora falava inglês. Júpiter insistiu para que se tornasse a língua olímpica de guerra. Era um código novo que nenhum dos Titãs conseguia entender.

– Diga-nos, Pegasus, o que houve? – perguntou o sátiro.

Pegasus relinchou baixinho. Virou a cabeça para Emily e era como se estivesse pedindo um afago.

– Bem? – perguntou ela. – O que ele disse?

O sátiro baixou a cabeça.

– Ele está dizendo que a guerra está quase no fim.

– Como ele sabe? – perguntou o Agente B.

– Porque Saturno começou a desenvolver a arma. Pegasus está envelhecendo de novo.

– Pegasus, não! – entendeu Emily. – Pegasus estava cego.

Como ela podia não ter notado? Ele vinha se movendo mais lentamente. E ela precisava ficar do seu lado para protegê-lo dos Titãs das Sombras que atacavam.

O Agente B se levantou. Ele pegou no braço do sátiro.

– Encontre Júpiter e seus irmãos. Diga-lhes o que aconteceu. E fale que estamos perdendo tempo. Temos que avançar contra Saturno imediatamente!

27

Stella empurrou a cadeira de rodas para mais perto da bancada. Theo, um gigante, estava ao seu lado, esperando suas instruções. Havia sido designado para ficar com ela como assistente particular e era muito atencioso.

Vulcano estava misturando metais em um caldeirão fundo para ajudá-la a desenvolver seu novo projeto, a espada-chama.

– Esta fórmula deve ser mais estável. Aqueles outros metais derretem rápido demais. Se fizermos isso direito, sua ideia pode funcionar. – Ele sorriu para ela. – Você tem um talento único para isso, Stella. Talvez, quando a guerra acabar, você possa ficar comigo. Poderíamos fazer coisas incríveis juntos.

O coração de Stella se encheu de emoção. Ser convidada para ficar e trabalhar com Vulcano era um sonho que se tornou realidade. Ela o conhecia dos mitos gregos como Hefesto: o artesão e engenheiro mais talentoso em toda a mitologia.

Vulcano não se importava se o cabelo dela era despenteado ou se suas mãos e unhas estavam imundas por conta do trabalho na forja. Ele não a importunava para que limpasse a fuligem do rosto. Deixava-a experimentar novas ideias e a incentivava a continuar desenvolvendo projetos.

Ela havia levado algum tempo para se acostumar com ele – da mesma forma que ele demorara a se acostumar com ela e sua cadeira de rodas. Ao contrário dos outros olímpicos, Vulcano não era conhecido por sua beleza. De fato, alguns diriam que ele era grotesco. Seu rosto era marcado e cheio de cicatrizes por conta dos metais fundidos com os quais trabalhava. Era corcunda e tinha pernas artificiais, assim como o braço de Joel. Sua voz era rouca e seus modos, rudes. Vulcano dizia o que pensava. Fosse bom ou ruim.

– O molde está pronto quando você estiver – gritou Stella para Vulcano enquanto ela se afastava da bancada na cadeira de rodas. – O canal central deve ser fundo o suficiente para permitir que a chama se mantenha acesa enquanto a arma estiver em sua bainha.

– Muito bom – disse Vulcano, enquanto erguia o caldeirão de metal fundido. – Isso aqui está pronto.

Ele o levou para a bancada e derramou o ouro líquido enriquecido no molde que ela havia criado. Até agora, a maior parte das armas do Olimpo era de pedaços de metal socados. Essa tinha um novo design e Stella estava ansiosa para vê-la funcionar.

Uma fumaça cáustica encheu a forja enquanto o metal entrava em contato com o molde. Quando terminou de derramá-lo, Vulcano examinou a arma que esfriava com um olhar crítico.

– Não há razão para que isto não funcione. Não se a mistura estiver correta.

O molde que resfriava foi baixado para uma bandeja de água fria. O vapor subiu e cobriu a todos com uma película úmida. – Isso deve temperá-la bem – disse Vulcano. – Com um pouco de sorte, poderemos testá-la amanhã. Mas precisamos de Emily aqui para carregá-la com seus poderes.

– Você tem notícias deles? – perguntou Stella.

Vulcano secou a testa suada com um pano encardido.

– Chiron mandou hoje. Eles estão em movimento. Combinamos de nos encontrar para que Emily enriqueça a arma. Temos que destruir a forja e nos preparar para ir embora ainda hoje, mais tarde.

Stella odiava ter que se mudar. Era um grande esforço ter que acabar com toda uma forja e uma oficina. Mas com os Titãs das Sombras ainda no Olimpo, não poderiam permanecer em um único lugar por muito tempo.

Enquanto esperavam a espada esfriar, começaram a embalar as coisas. Quando tinham apenas começado o trabalho, ouviram gritos vindos de fora e, instantes depois, Seren e Jasmine irromperam na oficina. As centauras gêmeas tinham a idade de Stella e haviam se tornado grandes amigas.

– Os Titãs das Sombras nos encontraram – gritou Seren.

– E têm dragões com eles, prontos para cuspir fogo – acrescentou Jasmine. – Temos que ir agora!

Paelen estava sentado sobre Brue nos fundos da oficina. Ele e a grande Mãe da Floresta haviam passado todos os dias por lá, apesar do calor intenso. Paelen agora estava quase completamente surdo e não conseguia mais andar por conta própria. Ao perceber a agitação, ele e Brue se aproximaram.

– O que foi? – gritou ele. – O que está acontecendo?

– Dragões! – berrou Vulcano. – Temos que fugir!

– Mas a espada não está pronta. Não podemos partir – gritou Stella.

– Leve-a com você – gritaram as centauras gêmeas em uníssono.

Stella pegou a espada, ainda no molde, e a enfiou em um dos encostos para os braços na cadeira de rodas.

– Peguei, vamos embora.

Vulcano olhou para fora das portas da oficina e praguejou.

– Há Titãs das Sombras vindo para cá. – Ele apontou para o gigante. – Theo, deixe todo o resto. Só tirem Stella e Paelen daqui. Encontre-nos no lugar combinado.

O gigante acenou positivamente, mas, quando alcançou Stella, um rugido encheu o ar.

– Os dragões estão aqui! – gritou o gigante. – Tarde demais para fugir!

Ao som dos monstros furiosos, Brue rosnou. Com o tempo, ela havia provado que era um membro valioso do seu grupo, pois elementos da feroz criatura que ela havia sido estavam, agora, sempre presentes. Dentes longos e afiados se projetaram de sua boca. Suas muitas pernas tinham garras dilacerantes e ela podia invocar uma personalidade mais agressiva e lutadora em momentos de perigo. Ela era afeiçoada a Paelen, mas era letal para quaisquer Titãs das Sombras ou monstros que se aproximassem.

Paelen também havia sido treinado no manejo da espada e, juntos – ele sentado no ombro de Brue – formavam uma dupla letal.

Quando as duas cabeças selvagens de Brue começaram a se agitar no ar, rosnando e mordendo, Paelen sacou sua arma.

– Brue, Paelen, não! – gritou Stella. – Fiquem aqui!

Paelen olhou para Vulcano e ergueu a espada. Era quase pesada demais para que seu braço atrofiado pudesse levantá-la.

– Vamos atrasá-los – gritou ele. – Tire Stella e a espada daqui. Ganhem a guerra!

Antes de passar pela porta, Paelen se virou para Stella e lançou um sorriso torcido e alegre. De repente ele não parecia mais um homenzinho velho e fraco. Havia algo em seus olhos - algo muito jovem e maravilhoso.

– Foi uma honra conhecê-la, Stella – gritou ele, curvando-se o máximo que podia. E lhe atirou um pequeno anel. – Por favor, dê isso para Emily. Diga a ela que eu a amei – sempre.

E a Mãe da Floresta correu para fora e avançou na direção do dragão que estava mais próximo.

– Pare! – Stella andou com a cadeira até a entrada da forja. Sob a luz do sol radiante, Brue disparou na direção do dragão. O monstro tinha mais que o triplo do seu tamanho, mas isso não impediu a destemida Mãe da Floresta.

– Paelen, pule! – alertou Stella. – Afaste-se daí!

Mas Paelen estava surdo para os gritos de Stella. Ele cravou sua espada profundamente na pata inferior do dragão. As duas cabeças de Brue atacaram mais para cima, arrancando grandes pedaços do animal e fazendo com que tombasse.

O monstro urrou de dor. Seus pedidos de socorro chamaram a atenção dos outros dragões que se aproximavam da oficina. Quando chegaram perto do dragão que estava caído, inspiraram bem fundo.

– Paelen, saia daí! – gritou Stella.

Mas já era tarde demais. Uma rajada mortal de fogo saiu das bocas de todos os dragões ao mesmo tempo.

– Paelen! – gritou Stella enquanto a dor a rasgava por dentro. – Paelen, não!

Ela não conseguia ver o amigo por causa de todas as chamas. Tudo o que viu foi o fogo e o contorno do dragão ferido, que também foi incinerado no ataque.

Theo estava atrás dela, observando.

– Paelen está morto – disse ele –, mas nos deu tempo para escapar. Não podemos desperdiçá-lo. – Ele ergueu Stella em sua cadeira de rodas e levou-a para longe da forja. Mas enquanto corria, seus movimentos chamaram a atenção dos dragões. Eles o atacaram por trás e acertaram Theo no meio das costas com uma força que fez com que Stella escapasse de suas mãos.

Stella embalou a espada enquanto gritava e caiu a alguns metros no chão. Sua cadeira de rodas absorveu o peso do impacto, pois suas rodas acabaram se dobrando e sua estrutura foi danificada. Sem largar o protótipo da arma, ela começou a se arrastar para longe.

Atrás dela, Theo enfrentou um dos dragões. O monstro era mais alto, mas o gigante era mais forte. Ele envolveu o pescoço da criatura com as mãos e o apertou. Um som terrível de estalo encheu o ar enquanto seus ossos se partiam.

Quando a fera caiu morta no chão, os outros atacaram Theo. O gigante foi dominado e jogado no chão. Ele caiu a poucos metros de Stella. Acima dele, os dragões se juntaram e começaram a inspirar profundamente.

Theo se jogou sobre Stella, mantendo-a protegida com a dobra de seu braço. Deitada embaixo dele, ela ouviu o urro dos dragões que os atacavam e, em seguida, os terríveis gritos de dor do gigante. Theo estava sendo incinerado. Mas ainda assim ele não se moveu, e, com isso, não a expôs à fúria do dragão.

Theo aguentou tudo para que ela pudesse viver.

28

Emily disparou uma rajada de chamas nas legiões de Titãs das Sombras que a atacavam. Eles foram imediatamente destruídos. Mas logo atrás deles havia outra onda. Aquele fora o maior ataque até então. De um lado estava Joel e, do outro, o Agente B, que se postava com firmeza. Suas espadas estavam desembainhadas e cortavam tudo que se aproximava.

Pegasus estava atrás de Emily. Ele gritava e se esforçava para se levantar. Emily o mantinha sob proteção com seus poderes. Mas Pegasus não estava gostando disso. Ele queria se juntar à luta.

Mike corria de forma desenfreada, atacando os Titãs das Sombras. Por razões que nenhum deles compreendia, as temíveis criaturas ignoravam o cachorro, por isso Mike conseguia arrancar pedaços de armadura de um número incontável delas, enquanto Joel as finalizava.

Em todo o campo de batalha, olímpicos enfrentavam os Titãs das Sombras. Monstros que em mitos posteriores seriam retratados como inimigos lutavam lado a lado com as forças de Júpiter. Caranguejos gigantes pegavam Guerreiros das Sombras com suas garras enormes e os rasgavam ao meio. Corriam por todo o lado, derrubando muitos oponentes.

As mortíferas Harpias, filhas de um Titã, enchiam os céus com seus gritos de guerra insuportáveis. Os terríveis combatentes alados caíam sobre os Titãs das Sombras. Com suas garras nos pés, eles os faziam em pedaços.

A Hidra também estava lutando do lado dos olímpicos. A serpente de muitas cabeças deslizava pela batalha, apoderando-se dos Titãs das Sombras, e os esmurrava até que nada sobrasse.

Mas ainda assim os olímpicos estavam perdendo.

Chiron, sem fôlego, aproximou-se de Emily. Um corte profundo atravessava seu peito coberto de suor.

– Estamos cercados – disse ele, engolindo em seco. – Há muitos deles e estamos sobrecarregados. Por favor, Emily, use seus poderes, tire-nos daqui antes que sejamos todos capturados.

Joel estava com uma ferida profunda na perna enquanto o Agente B havia sido atingido nas costas. Ambos estavam sangrando e pareciam à beira de um colapso.

Chiron estava certo. Aquela batalha estava perdida. Emily ficou parada e fechou os olhos. Ela lançou seus poderes por todo o imenso campo de batalha e abarcou todos os aliados ainda vivos. Concentrando-se o máximo que podia, enviou todos eles para o ponto de encontro.

Em um instante estavam em um campo de batalha hostil, cercados pelos Titãs das Sombras, no seguinte, eles se viram em uma bela e serena campina. Lindas flores silvestres cobriam o chão e uma brisa suave e perfumada enchia o ar.

Aquela era uma parte do Olimpo que nunca vira a guerra. Era o Olimpo do qual Emily e Joel se lembravam. Não aquela terra assolada pela guerra.

Emily curou Joel primeiro e depois cuidou do Agente B. Depois, seguiu em meio aos guerreiros que descansavam, curando todos os que achava que precisavam dela. Pouco tempo depois, pôde retornar e ficou triste ao descobrir que não havia nada que pudesse fazer para aliviar o sofrimento de Pegasus. O garanhão estava envelhecendo aceleradamente.

No momento em que Emily deitou ao seu lado, Nice, a Vitória alada, aterrissou no chão à sua frente.

– Estamos muito contentes por você ter chegado – disse Nice. – Por favor, venha comigo, precisamos de você. Stella foi gravemente ferida. Vulcano teme que a criança humana esteja morrendo.

– Por favor, fique aqui com o Agente B, Pegs. Prometo que não demoro. – Ela lhe deu um leve tapinha no pescoço antes de erguer a Joel e a si mesma no ar para acompanhar Nice.

Havia olímpicos feridos por toda parte. Mas esses não eram combatentes. Eram os trabalhadores que sustentavam o esforço de guerra, preparando alimentos, confeccionando roupas e fabricando armas para serem utilizadas no campo de batalha.

– O que aconteceu? – perguntou Joel. – Essas pessoas deveriam estar seguras e longe da luta.

– Os Titãs atacaram a forja de Vulcano – explicou Nice. – Capturamos um de seus espiões. Interrogado, ele nos disse que Saturno sabia do projeto da espada de Stella. Temendo que pudesse dar certo, enviou monstros para matá-la e destruir a espada antes que pudesse ser testada.

Duas jovens centauras correram na direção de Emily. Ambas mancavam muito e tinham queimaduras profundas nas costas.

– Por favor, tenha pressa – implorou Seren.

– Stella está morrendo – finalizou Jasmine. – Você tem que salvá-la.

Eles entraram em uma tenda repleta dos combatentes mais gravemente feridos. Não muito longe da entrada, Vulcano estava sendo atendido por seus assistentes. Ele estava queimado e tinha um ferimento bem fundo na cabeça.

– Vulcano – gritou Joel. – Em – você tem que ajudá-lo.

Emily se aproximou de Vulcano, mas ele a repeliu.

– Eu não, salve Stella primeiro.

– Venha – acenaram as gêmeas –, ela está aqui.

Emily e Joel andaram em meio aos feridos. No final, aproximaram-se da cama onde Stella estava deitada. Ela estava mortalmente pálida e mal conseguia respirar.

Emily imediatamente se agachou ao seu lado e a tocou.

– O que aconteceu com ela?

– Foi terrível – Seren começou a contar. – A oficina de Vulcano foi destruída. Theo tentou afastar Stella dali, mas havia muitos dragões. Quando o atacaram, ele a blindou com seu corpo, mas acabou esmagando-a quando morreu.

A respiração de Stella voltou ao normal assim que os poderes de Emily começaram a funcionar. A cor voltou ao seu rosto.

– Ei, onde está Paelen? – Joel olhou em volta. – Pensei que estivesse aqui com Stella.

As duas centauras gêmeas abaixaram as cabeças.

– Lamento muito, Joel – começou Jasmine. – Perdemos Paelen e Brue durante a batalha.

– O que você quer dizer com "perdemos"? – perguntou Emily, ofegante.

Seren lhes contou sobre a bravura de Paelen contra os dragões.

– Tentamos encontrar seu corpo depois que o fogo se apagou, mas não restou nada – acrescentou Jasmine. – Ele e Brue foram completamente incinerados.

– Paelen morreu para nos salvar – acrescentou Vulcano, rispidamente, enquanto se aproximava da cama de Stella. – Ele afastou os dragões da forja e nos deu tempo para escapar. Ele, Brue e Theo serão lembrados para sempre.

– Você tem certeza? – A voz de Joel deu uma trava. – Talvez ele tenha fugido.

Vulcano deu um tapinha em suas costas.

– Sinto muito, não há como se enganar. Ele foi morto pelos dragões.

– Por quê? – gritou Joel, chorando. – Por que ele fez isso?

– Joel, me escute – disse Vulcano. – Paelen estava muito velho e frágil. Já não tinha mais a força de um olímpico. Com a arma Titã sendo desenvolvida, seu envelhecimento se acelerou. Ele sabia que não duraria muito mais tempo, por isso escolheu a hora certa para morrer. Paelen pode ter sido um ladrão notório que gostava de roubar as minhas ferramentas, mas morreu como um herói corajoso.

Emily caiu no chão. Ela não podia falar e mal conseguia respirar.

Joel caiu ao seu lado.

– A culpa é minha. Eu lhe disse para ficar aqui. Achei que ele e Stella estariam mais seguros, longe da batalha.

Os dois se abraçaram, em descrença.

Como isso pôde acontecer? Eles eram um time. Estavam destinados a ficar juntos para sempre.

Ao cair da noite, um pesado silêncio tomou conta do enorme acampamento, enquanto lamentavam as muitas perdas. Ninguém verbalizava, mas todos temiam que mesmo com a ajuda de Emily a guerra já estivesse perdida.

Uma pequena fogueira ardia e lançava cinzas para o céu, enquanto Joel a alimentava com outro pedaço de madeira.

– Eu realmente não consigo acreditar que ele se foi – disse ele, murmurando.

Emily estava muito deprimida para falar. Ela tinha um laço especial com Paelen e a dor era mais profunda do que ela imaginava ser possível. Pegasus estava no chão atrás dela e a cutucava gentilmente.

O Agente B falou de modo suave:

– Ouça-me – disse ele. – Sim, Paelen se foi. Mas se vencermos esta guerra, destruirmos a maldita arma e apertarmos o botão de reset, ele vai estar esperando por você quando voltar para Xanadu. Tão jovem, forte e encrenqueiro quanto antes. O sacrifício de Paelen não será em vão.

Atormentados demais com a perda de Paelen e Brue para conseguir dormir, Emily, Joel e o Agente B passaram a noite inteira juntos, sentados.

Na madrugada, Vulcano retornou ao seu pequeno acampamento. Todos ficaram surpresos ao ver Stella do seu lado. Ela estava em uma nova cadeira de rodas dourada, com um cobertor sobre as pernas. A cadeira de rodas era diferente de tudo que eles já viram antes. Stella não tinha que usar os braços para movê-la. Não havia mais compartimento de bateria ou motor para impulsioná-la, ela simplesmente se movia por conta própria.

– Stella – gritou Joel –, você está bem?

O peso caía sobre seus olhos. Parecia que ela não havia dormido nada. Ela acenou com a cabeça e sorriu com tristeza para Vulcano.

– Vulcano ficou acordado a noite toda construindo esta nova cadeira para mim. O nome dela é Maxine.

– Sua cadeira de rodas tem um nome? – perguntou Joel.

Stella acenou com a cabeça.

– Ela é linda, não é? Maxine irá me levar para onde eu pedir. Ainda não sei como conseguiu montá–la sem sua forja, mas ele o fez.

Vulcano colocou o braço em volta dos ombros de Stella.

– É uma cadeira de rodas especial para uma menina muito especial. – Ele se voltou para Emily. – Até agora, Stella e Paelen ainda não haviam me falado sobre quem realmente eram ou de onde vinham. Era um segredo que eles guardavam para si. Mas, ontem à noite, Stella finalmente explicou tudo. Ela me falou do que aconteceu com o Olimpo no futuro, sobre Xanadu, quem todos vocês eram e como haviam vindo para destruir a arma Titã. Vocês arriscaram tudo para estar aqui por nós.

– Não temos escolha – disse Emily. – Não se quisermos que o Olimpo sobreviva.

O Agente B concordou.

– Esta guerra tem que ser vencida pelos olímpicos e essa arma Titã terá que ser destruída ou não haverá futuro para nenhum de nós.

Vulcano acenou positivamente.

– Então assim será. Agora que sei o que está em jogo, farei tudo o que posso para garantir que todos vocês voltem para casa em segurança.

Stella olhou para a sua mão. Tirou um anel do dedo e o entregou para Emily.

– Paelen me pediu para lhe dar isso pouco antes de... – Sua voz foi morrendo. Ela ergueu os olhos para Emily. – Ele me pediu para lhe dizer que a amava. Que sempre a amou.

Emily pegou o anel. Era uma safira azul em um belo aro de prata. Paelen sabia que aquela era sua pedra favorita.

– Onde ele conseguiu isso?

Vulcano riu baixinho.

– Ele roubou de Minerva. Eu o fiz para ela há muito tempo.

Emily lhe deu o anel.

– Tome, por favor, devolva para ela.

Vulcano balançou a cabeça.

– Não, fique com ele. Paelen queria que você o usasse. Tenho certeza de que Minerva vai compreender.

Emily colocou o anel no dedo. Ela sempre soube que Paelen gostava dela, mas nunca poderia imaginar o quanto.

– Oh Paelen...

Stella acenou para Vulcano.

– Acho que você devia mostrar para eles.

Vulcano produziu uma espada. Ela tinha um design elegante e era feita de ouro. Um canal profundo percorria o centro da lâmina.

– Aqui está – disse ele em voz baixa. – Foi por causa disso que Paelen morreu. A espada de Stella. Mesmo no calor da batalha, ela a guardou e a protegeu. Se isso funcionar, poderemos ter uma chance contra os Titãs das Sombras.

– Mas a forja foi destruída – disse Stella. – Mesmo que ela funcione, não poderemos fazer outras.

– Podemos construir uma nova forja – disse Vulcano. – Conheço a fórmula para este metal e temos seu molde. Se tudo der certo, podemos começar a produzir espadas imediatamente.

– Ainda precisamos testá-la – disse Stella.

– Claro que sim. – Vulcano se aproximou de Emily. – Entendo que você esteja de luto. Mas precisamos da sua ajuda.

Emily se levantou, mas sem entusiasmo. Sentia como se algo dentro dela tivesse morrido com Paelen.

– Vamos lá, Em – Joel a abraçou. – Paelen não gostaria que fôssemos derrotados por isso. Temos que prosseguir.

Emily assentiu.

– Vou tentar. O que você precisa que eu faça?

Depois de algumas tentativas fracassadas, Emily encontrou uma maneira de usar seus poderes para manter ardente o projeto da espada de Stella.

Ela descobriu que se cortasse o dedo e esfregasse uma pequena quantidade de sangue no canal central, aquilo abastecia a espada.

– OK, está queimando – disse Emily suavemente. – E agora?

Vulcano sorriu triunfante.

– Vamos usá-la para queimar os Titãs das Sombras.

Joel balançou a cabeça.

– O fogo não os destrói. Já tentamos. Só a Chama de Emily pode fazê-lo. Por isso, embora sua espada esteja queimando, ela ainda é apenas fogo.

– Isso não é simplesmente uma espada de fogo, Joel – disse Vulcano. – Ela é muito especial. Diga-me, do que você precisa para destruir uma sombra?

Joel franziu a testa.

– Não tenho certeza.

– Para remover uma sombra, você precisa de luz – respondeu o Agente B.

– Exatamente – concordou Vulcano. – Não do fogo, mas da luz. Os Titãs das Sombras são criados a partir das sombras dos

Quatro Guerreiros originais. Vesta nos disse que Emily possui o poder do sol. Você foi a única capaz de destruir os Titãs das Sombras com facilidade, porque usa o poder do seu sol. Você usa a *luz*.

– Achávamos que esta espada poderia conter parte da sua energia solar – explicou Stella. – Se essa coisa funcionar, ela poderá destruir um Titã das Sombras tão facilmente quanto você.

O Agente B tirou a espada abrasadora da mão de Vulcano e a examinou atentamente. As chamas ao longo do eixo continuavam a queimar radiantes sem destruir o sangue de Emily.

– Você acha que isso poderia ganhar a guerra?

– Poderia ajudar – disse Vulcano.

O Agente B deu um golpe com a espada no meio do ar. Não importava o que fizesse ou tentasse, as chamas não se extinguiam.
– Tudo de que precisamos agora é capturar um Titã das Sombras para testá-la.

– Já o fizemos – disse Vulcano. – Stella e eu gostaríamos de convidá-lo para o teste.

29

Enquanto caminhavam para o local do teste, Joel puxou Emily de lado e pediu para que os outros fossem em frente sem eles. Ele segurou a mão de Emily e olhou para o anel que Paelen havia lhe dado.

– Eu sabia o quanto Paelen gostava de você. Sempre soube.

Emily balançou a cabeça.

– Por que ele nunca me disse?

– Porque Paelen era meu melhor amigo – disse Joel com a voz embargada. – Ele sabia dos meus sentimentos por você, por isso não dizia nada.

– Paelen sabia?

Joel acenou positivamente.

– Ele dizia que ambos vínhamos do mesmo mundo, então estávamos destinados a ficar juntos. E que teria que se contentar em ser apenas seu amigo.

– Oh, Paelen – sussurrou Emily. – Eu devia ter lhe falado sobre o que sentia.

– O que você quer dizer com "o que sentia"? – A voz de Joel soava tensa.

– Não, Joel, nada a ver. Eu não estava apaixonada por Paelen. Eu gostava dele como amigo. É você que eu... – Ela fez uma pausa.

– O quê?

Emily baixou a cabeça. A guerra estava levando muitas pessoas. Ela não podia deixar aquele momento passar sem que Joel soubesse o que ela realmente sentia.

Finalmente, ela ergueu os olhos.

– Eu te amo, Joel.

Joel puxou Emily para mais perto.

– Eu também te amo.

E então ele a beijou.

Foi um beijo longo, carinhoso e cheio de muitas promessas.

Quando chegaram ao local do teste, ficaram surpresos ao ver os Três Grandes. Emily ouviu que Vênus havia acabado de voltar de Tártaro, aonde fora para procurar os Hectarônquiros, mas não sabia se ela os havia encontrado ou não.

– Fiquei triste quando soube de Paelen. – Júpiter andou na direção de Emily. – Ele foi uma perda muito grande para todos nós.

Netuno acenou com a cabeça.

– Acho que, quando essa guerra terminar, deveríamos construir uma estátua para ele e Brue. Acredito que ele iria gostar disso.

Emily engoliu em seco e concordou.

– Gostaria, sim.

Ao lado de Emily, Pegasus relinchava baixinho.

– Pegasus diz que está envelhecendo mais rápido – traduziu Netuno. – Saturno deve estar quase terminando de construir a arma.

– Temos que destruí-la antes que todos vocês envelheçam – gritou Joel.

– Vocês não perceberam? – disse Netuno. – Já estamos envelhecendo.

Júpiter deu um sorriso largo para Emily que deixou suas covinhas ainda mais fundas.

– Sim, estou perdendo meu brilho juvenil! Será que não lhe pareço mais velho? Mais maduro? – Ele flexionou os braços e estufou o peito largo. – Não sou mais tão bonito como antes.

Emily riu do que ele estava tentando fazer para levantar seu ânimo. Havia algo nele que a fazia se lembrar de Paelen. Um descaramento que constantemente a surpreendia.

– Você parece estar bem, Júpiter.

– Pare com isso, Jupe – disse Netuno. – Deixe a pobre menina em paz. – Ele olhou para os outros. – É por isso que nos reunimos aqui. Chegou a hora de lançar nossa última cartada sobre Titus antes que nosso pai lance sua arma contra nós.

Vulcano ergueu a espada flamejante.

– Esta é a arma da qual falamos. Emily descobriu uma maneira de acendê-la. Estamos prestes a testá-las nos Titãs das Sombras que vocês trouxeram.

– Isso vai ser divertido – disse Júpiter, esfregando as mãos. – Traga-os para cá.

Um gigantesco caranguejo caminhando para o lado sobre várias pernas veio em sua direção. Duas grandes redes estavam suspensas pelas garras dianteiras do crustáceo. Presos dentro delas estavam os Titãs das Sombras. Permaneciam em silêncio enquanto tentavam rasgar a rede e fugir.

– Estes representam os quatro tipos de guerreiros – disse Júpiter. – Vulcano, teste a espada. – Dentro da rede mais próxima estavam um Minotauro das Sombras e uma Tartaruga das Sombras. Eles se debatiam e lutavam para sair. Quando viram Vulcano se aproximando, tentaram se esticar através da rede para agarrá-lo.

– São como zumbis – sussurrou Joel para Emily. – Não estão exatamente com medo. Tudo o que querem fazer é matar.

– Espero que isso funcione. – Emily estava ao lado de Pegasus e podia senti-lo tremer como se estivesse com frio, embora fosse um dia quente. – Você está bem, Pegs?

O garanhão acenou com a cabeça e se inclinou para mais perto dela. Havia algo no jeito como ele se movia que a assustava. Ela se lembrou do velho Chiron pouco antes de... Emily parou de pensar. A perda de Paelen havia sido muito recente e dolorosa. Em vez disso, ela se concentrou no teste.

Com a espada flamejante erguida, Vulcano cortou a rede. As cordas cederam e os dois Titãs das Sombras caíram no chão. A plateia engoliu em seco quando os Guerreiros das Sombras avançaram sobre ele.

Com a habilidade de quem trabalhou com armas por toda a vida, Vulcano evitou os ataques dos oponentes. Com um único golpe preciso, ele cortou o Minotauro das Sombras ao meio. A armadura oca caiu no chão em pedaços e parou de se mexer. Com um segundo golpe, a Tartaruga teve o mesmo destino do parceiro.

Os olímpicos foram à loucura. Bateram palmas e urraram enquanto Vulcano fez um serviço rápido com o Melro e o Dragão das Sombras.

– Pegasus, funcionou! – gritou Emily enquanto jogava os braços em volta de seu pescoço. – Gostaria que você pudesse ver. Os Titãs das Sombras desmoronaram assim que Vulcano tocou neles com a espada.

Pegasus relinchou e concordou com a cabeça.

Vulcano balançou a espada flamejante no ar em sinal de triunfo. Chamou Stella para que viesse à frente e deixou claro para todos que fora seu projeto que derrotou os Titãs das Sombras. Enquanto o nome de Stella era entoado pela multidão, Vulcano chamou seus operários.

– Construam uma forja para mim, temos armas para fazer!

A nova forja de Vulcano ardia dia e noite enquanto a oficina produzia espadas flamejantes. Stella trabalhava em estreita colaboração com Vulcano, supervisionando a construção de mais moldes. Em pouco tempo as armas eram produzidas aos milhares.

Emily carregou cada lâmina com uma pequena quantidade de seu sangue. Assim que uma espada era terminada e acesa, ela era dada a um olímpico que imediatamente era enviado de volta ao campo de batalha.

Enquanto a batalha principal continuava, Júpiter e seu conselho de guerra se reuniram e pediram para que Emily, Pegasus, Joel e o Agente B se juntassem a eles. Os primeiros a falar foram Vênus e Minerva, que fizeram um relatório completo sobre o que haviam descoberto em suas missões de espionagem.

A boa notícia era que haviam encontrado o lugar onde os Hectarônquiros eram mantidos em Tártaro. Seria difícil e perigoso libertá-los, mas não impossível. Milhares de Titãs das Sombras guardavam a prisão, porém, com a nova espada flamejante e lutadores suficientes, ficava mais fácil planejar uma invasão.

Um bônus inesperado foi o fato de elas terem descoberto que os Quatro Guerreiros também estavam em Tártaro. Eram mantidos em uma prisão subterrânea. A partir desse local os Titãs das Sombras surgiam em um fluxo constante de lutadores.

A má notícia veio no relatório de Minerva. Ela se postou diante do grupo.

– No pouco tempo que ficamos em Titus, não conseguimos descobrir onde a arma está sendo desenvolvida. Mas todos sentimos seus efeitos terríveis. Ele nos privou de nossas forças e nos deixou gravemente doentes. Não conseguimos ficar lá por muito tempo sem arriscar nossas vidas. Mesmo agora eu me sinto fraca e envelhecida por causa do pouco tempo que fiquei exposta.

– E os Titãs? – perguntou o Agente B. – Eles não estão sendo afetados por sua própria arma?

Minerva balançou a cabeça.

– Não sabemos. Não conseguimos encontrar um só Titã vivo por lá – embora houvesse milhares de Titãs das Sombras. Seja lá quem ou que esteja trabalhando nessa arma deve ser imune a seus efeitos, ou então são morto-vivos.

Minerva terminou avisando que um ataque a Titus não passaria de uma missão suicida para aqueles que fossem. Ela se sentou, parecendo tensa e exausta. Sua curta visita a Titus havia sido extenuante e ela e sua equipe precisavam de tempo para se recuperar.

Júpiter encarou o conselho de guerra. O sorriso jovial deixou seu rosto e Emily conseguiu enxergar um esboço do homem que ele se tornaria.

– Não temos escolha a não ser voltar para Titus. Essa arma deve ser apreendida antes que seja concluída. A única maneira de conseguir isso é com a ajuda dos Hectarônquiros. Vamos reunir nossos melhores lutadores e ir a Tártaro para libertá-los. De lá, iremos para Titus enfrentar os Titãs das Sombras. Enquanto nossos combatentes e os hectarônquiros estiverem enfrentando-os, um grupo seleto vai seguir em frente e se apoderar da arma.

30

Enquanto se preparavam para o primeiro ataque a Tártaro, Vulcano começou a trabalhar para criar a caixa dourada que abrigaria a arma. Por ter visto a caixa no futuro, Stella se ofereceu para ajudar no seu design e construção.

Emily se deliciava observando os jovens Júpiter, Netuno e Plutão treinarem. Demonstravam muito mais poderes do que ela julgava que possuíssem e os integravam aos golpes com a espada flamejante. Eles podiam voar, fazer coisas levitarem e se mover numa velocidade incrivelmente vertiginosa. Eram mais fortes do que jamais imaginou. Ela enfim entendeu por que eram chamados de os Três Grandes.

Mas à medida que cada dia ia e vinha, a preocupação de Emily com Pegasus aumentava.

O garanhão ficava cada vez mais fraco. Seu brilho natural foi definhando até sumir completamente. Ele já não comia alimentos sólidos. O máximo que Emily conseguia fazer com que digerisse era sorvete de chocolate cremoso misturado com néctar.

– Vamos, Pegs, coma – disse Emily delicadamente enquanto aproximava bolos de ambrosia da boca do garanhão. Mas Pegasus virava o rosto.

Pegasus não parava de tremer. Sentia frio constantemente, e Emily se assegurava de que estivesse sempre envolto com vários cobertores. Todas as suas penas haviam caído e os pelos que cobriam seu corpo eram como os de um bebê.

O único alívio do treinamento e da preocupação com Pegasus vinha quando Stella visitava seu acampamento para mostrar uma nova e louca adição à supercadeira de rodas, Maxine. Ela agora podia voar e carregar várias armas escondidas, incluindo a adaga de prata com o cabo de mármore e a gema esverdeada. Stella e Vulcano a haviam feito juntos e a menina ria, sabendo que aquele era o mesmo punhal que seus pais encontrariam no futuro. O melhor de tudo era que a cadeira de rodas também tinha um lugar para ela guardar a própria espada flamejante.

Duas noites antes da partida para Tártaro, Netuno entrou no pequeno acampamento de Emily e pediu para falar com ela e Pegasus em particular. Em vez de mover o garanhão que descansava, Joel e o Agente B resolveram se afastar.

Netuno se sentou diante do fogo. Ele acariciou Pegasus e não conseguia encarar Emily.

– Precisamos conversar – começou ele em um tom pesado. – É sobre Pegasus.

Seu jeito e seu tom de voz fizeram com que Emily sentisse uma pontada de medo.

– O que ele tem?

Netuno suspirou profundamente.

– Pegasus sabe que é hora de partir.

A mão de Emily foi para a boca.

– Não...

– Sim, Emily – disse Netuno. – Ele se manteve vivo tanto quanto pôde... talvez mais do que deveria, pois não podia suportar a ideia de deixá-la. Mas agora ele está velho e muito cansado. Pegasus sabe sobre a batalha que você está travando. Você vai precisar de toda a sua sagacidade e não deve ficar preocupada com ele.

Emily estava balançando a cabeça.

– Não, por favor. Pegs, eu posso lutar muito bem com você ao meu lado. Sempre lutei. Somos uma equipe. Eu preciso de você...

– Olhe para ele, Emily – disse Netuno. – Olhe e o veja de verdade. Veja como ele está sofrendo.

Emily olhou para seu amado Pegasus. Ele estava cego e dolorosamente magro. Não tinha dentes e estava sempre com frio. O garanhão sentia dores terríveis. Ela sabia disso. Mas a ideia de deixá-lo ir embora era insuportável.

– Por favor, Pegs – sussurrou ela, desesperadamente.

Netuno se agachou no chão ao seu lado.

A cabeça de Pegasus estava no colo de Emily e ela podia senti-lo lutar a cada respiração.

– É hora de Pegasus descansar. Ele fez por merecer.

– Não posso deixá-lo ir.

– É preciso – disse Netuno. – Emily, seu amor por ele o está mantendo aqui. Mas isso não é justo para nenhum de vocês. Você precisa libertá-lo.

– Como posso perdê-lo?

– Você não irá perdê-lo, não mesmo – disse Netuno. – Depois que você destruir a arma, tudo vai voltar a ser como antes. Ele estará esperando por você em Xanadu. Assim como Paelen e Brue. Ele estará lá, Emily. Tão jovem e poderoso como sempre. Quando voltar para lá, vocês dois poderão finalmente visitar todos os continentes que queriam conhecer.

Netuno fez uma pausa, mas logo prosseguiu.

– Aquele Pegasus que você conheceu. Não esse garanhão velho, cego e sofrido. Deixe-o ir, Emily. Deixe que seu amor por Pegasus o liberte.

Com as mãos trêmulas, Emily acariciou a cabeça de Pegasus. Ela não podia suportar. Este era Pegasus. Seu Pegasus.

– Não posso... – sussurrou ela.

Pegasus, bem enfraquecido, levantou a cabeça de seu colo. Relinchou suavemente e lambeu sua mão.

– Ele está implorando pelo seu perdão por ter que lhe deixar, mas precisa ir.

Soluços profundos brotaram de Emily. Ela usou seu lenço bordado para secar as lágrimas antes que pudessem cair e ferir o cavalo moribundo.

– Ah, Pegasus...

Emily beijou seus olhos fechados.

– Não quero mais te machucar. Vá dormir, Pegs – disse ela suavemente. – Só saiba que eu te amo. Sempre amei e sempre amarei. Vá agora e seja livre.

Emily desabou sobre Pegasus enquanto sua dor a oprimia. Abaixo dela, dava para sentir sua respiração cada vez mais difícil. A cada instante ela ficava mais rasa. Com um suspiro final, tudo acabou.

– Pegasus! – berrou Emily.

Netuno estava a seu lado, murmurando baixinho. Mas Emily não conseguia ouvi-lo. Não conseguia sentir Mike ao seu lado se lamentando e colocando a pata sobre ela. Não conseguia ver ou fazer nada, a não ser chorar sua perda. Não era a mesma coisa como quando ele desaparecera na Área 51. Desta vez, não havia como errar. Sua cabeça repousava em seu colo, silenciosa e imóvel.

Joel ouviu seus gritos. E se agachou ao seu lado. Sua mão repousava na asa sem penas do garanhão.

– Pegasus?

– Ele se foi, Joel – sussurrou Emily.

Joel não tentou esconder as lágrimas. Pegasus significava para ele quase tanto quanto para Emily. Perder Paelen e Pegasus em um tempo tão curto era insuportável.

O Agente B se ajoelhou no chão atrás de Emily.

Ele a embalou delicadamente em seus braços.

– Bota tudo para fora, Emily – ele tentava acalmá-la enquanto ela se sentia arrasada. – É só botar tudo para fora.

31

Pegasus está morto...

Emily queria escrever mais em seu diário, mas não conseguia. Cada vez que tentava, as lágrimas ameaçavam cair e ela tinha que parar.

De repente ela foi lançada de volta para os dias sombrios, logo depois que sua mãe tinha morrido. Quando o mundo não fazia sentido e tudo o que conhecia era a dor. Ela não conseguia comer, dormir nem fazer muitas outras coisas.

Netuno lhe dissera que Pegasus não havia realmente desaparecido. Se encontrassem e destruíssem a arma, ele estaria esperando por ela em Xanadu. Mas não havia garantias de que eles a encontrariam. Minerva havia deixado isso claro em seu relatório.

Saber que poderia vê-lo novamente no futuro não a impedia de conter sua dor no presente.

Emily usou seus poderes para acender a pira funeral de Pegasus. Joel estava ao seu lado, segurando sua mão. O Agente B estava do outro lado. Ele permaneceu em silêncio e imóvel durante a breve cerimônia, com o braço ao redor dos ombros de Emily.

A maioria das pessoas no grande acampamento sabia do velho garanhão alado que vivera com Emily e era a sua companhia mais constante. Apenas uns poucos sabiam quem ele realmente era e o quanto significava para os olímpicos. Foram esses poucos que participaram da cerimônia na pira.

Stella, Seren e Jasmine ficaram mais trás com Vulcano.

Depois que o fogo queimou e virou brasa, Vulcano se aproximou e recolheu um pouco das cinzas. Sem dizer nada, ele e seus três assistentes saíram em silêncio e voltaram para a forja.

Depois de uma longa noite de insônia, Emily se levantou e afastou-se do acampamento. Ela precisava ficar algum tempo sozinha. Mike, no entanto, nunca a obedecia quando lhe dizia para ficar. Então, gostando ou não, o cachorro permaneceu ao seu lado.

O grande acampamento ainda estava montado na bela campina. Não havia nenhum sinal de Titãs das Sombras, apesar de eles já estarem lá há algum tempo. Emily havia aprendido a "sentir" a proximidade dos Titãs das Sombras e sabia que seus aliados estavam a salvo no momento.

Ela e Mike vagaram em meio a uma bela e densa névoa. O sol brilhava intensamente mais acima. À sua volta, pássaros cantavam lindamente nas árvores e as enormes borboletas do tamanho de carros, que ela sempre amara no Olimpo, esvoaçavam de uma flor gigante para outra.

O dia estava perfeito. Mas para Emily isso não significava nada. Ela se sentia perdida e sozinha sem Pegasus ao seu lado.

– Sinto muito, Emily. Sei o quanto você e Pegasus significavam um para o outro.

– Riza! – gritou Emily, chocada com seu retorno súbito depois de tanto tempo. – Onde você estava?

– Onde sempre estive, criança. Profundamente dentro de você.

– Mas por que não me disse nada? Eu a chamei, mas você se manteve em silêncio. Passamos por tanta coisa juntas. Eu realmente precisava da sua ajuda.

– Você não precisa da minha ajuda, Emily, de forma alguma. E vinha sendo muito bem-sucedida antes de eu me tornar conhecida. Tem se saído muito bem até agora.

– Mas o que aconteceu? Para onde você foi?

– Eu nunca saí daqui. Mas quando você recebeu o conhecimento dos Xan e Joel a tocou, a quantidade de informação era muito

grande e poderia matá-lo. Fiz tudo o que pude para protegê-lo, mas ele me enfraqueceu muito.

– Você salvou a vida dele?

– *Como não poderia?* – perguntou Riza. – *Ele é o nosso Joel. Mas depois disso, fiquei fraca demais para poder falar com você. Fraca demais para alertá-la das suas ações.*

– Que ações? – perguntou Emily. – Você está se referindo ao fato de termos vindo para cá?

– *Sim. Foi uma tentativa muito perigosa. Você está brincando com o tempo, Emily. Nem mesmo os Xan tentariam fazer isso. Não se pode dizer que danos o futuro poderia sofrer, com a sua presença aqui no passado.*

– Não poderiam ser piores do que o que já aconteceu no Olimpo e, possivelmente, atingirá a Terra. Era um risco que eu tinha que correr.

– *Eu sei. Também sei que você é jovem e precisa cometer seus próprios erros. Por isso fiquei em silêncio para deixá-la fazer o que julgava ser necessário. Mas quando Pegasus morreu, parte de você morreu com ele. Você precisa trazer essa parte de volta, caso queira ter sucesso no que está fazendo.*

– Você sabe o que estamos planejando?

– *Sim. E acabei concluindo que vocês estavam certos. Acredito que estavam destinados a fazer parte dessa guerra. Mas isso não elimina o perigo que representam para o futuro, caso não tenham muito cuidado. Você deve ir a Tártaro e libertar os Hectarônquiros. Depois, irá para Titus destruir a arma. Mas preste atenção ao meu aviso, Emily. Dentro de você está o poder para matar o mais forte dos Titãs. Isso não pode acontecer. Você pode acabar com todos os Titãs das Sombras que encontrar. Mas se matar um Titã de verdade, irá alterar o futuro.*

– Terei cuidado – disse Emily, delicadamente. Ela se sentou na grama alta. Mike sentou-se ao seu lado, arfando de felicidade. Colocou a pata no braço da menina, pedindo para ser acariciado.

Emily acariciou a pele quente do cachorro e o apertou contra seu rosto.

– Só preciso de um pouco de tempo antes de partirmos.

– *O tempo é um item que você não tem* – advertiu Riza. – *Você já sabe disso, mas seu pesar por causa de Pegasus a está cegando. A arma está quase terminada. Os Titãs irão usá-la contra os olímpicos assim que estiver pronta. Todo mundo aqui vai morrer se você não a detiver agora. Não haverá futuro para ser protegido.*

As palavras de Riza cortaram a dor de Emily como se fossem uma faca. Eles estavam em grave perigo e ela estava perdendo um tempo precioso. Júpiter havia dito que ela poderia ter todo o tempo de que precisava para se recuperar. Mas isso era algo que eles não podiam respeitar.

Emily se levantou, agora resolvida.

– Por favor, diga-me, Riza. Se isso der certo e eu destruir a arma, ele vai reiniciar o tempo? No início, eu tinha certeza de que isso era a coisa certa a se fazer. Mas agora eu já não sei. Você pode me dizer: se eu destruir a arma, será que Pegasus e Paelen estarão esperando por nós em Xanadu, como se nada tivesse acontecido?

– *Sim, criança, se você tiver sucesso, as coisas voltarão a ser como eram antes da caixa dourada ser aberta. Tudo o que você perdeu será restaurado, inclusive Pegasus e Paelen. Mas fique sabendo. Haverá um preço a pagar.*

O coração de Emily deu um salto.

– Para ter Pegasus e Paelen de volta, eu pago qualquer preço!

Emily era uma nova pessoa quando voltou ao acampamento. O pesar havia sido substituído por uma sólida determinação. Nada a impediria de ter Pegasus de volta.

Ela encontrou Joel e o Agente B e lhes disse que Riza havia voltado.

– Temos que ir agora – insistiu. – Quanto mais cedo terminarmos isso, mais rápido poderemos voltar para Xanadu.

Eles encontraram os Três Grandes conversando com Vênus e Minerva, trabalhando nos detalhes mais sutis de sua próxima manobra na guerra.

A energia renovada de Emily era contagiante e se espalhou como um incêndio na mata. Júpiter convocou todos os que estavam no grande acampamento de guerra e ficou suspenso no ar, para que sua voz pudesse ser ouvida por todos os olímpicos reunidos.

– Meu povo – gritou –, agora é a hora de fazermos o nosso movimento. Os Titãs das Sombras estão aumentando o seu número na Terra. Vamos viajar de volta para Delfos e enfrentar os Titãs. Vamos lhes mostrar, de uma vez por todas, que não toleraremos mais seus ataques ao Olimpo ou à Terra. Eles experimentarão o poder da nossa nova espada flamejante. Sentirão nossa força e nossa determinação. É hora de Saturno abdicar. Arrumem suas armas e preparem-se para a batalha. Partiremos assim que o sol se pôr!

A multidão ficou em êxtase e gritou o nome de Júpiter.

Emily e Joel olharam um para o outro.

– Delfos... isso não fica na Grécia? – perguntou Joel.

O Agente B observava a multidão.

– Algo está muito errado aqui. – Ele balançou a cabeça.

– Como você sabe? – perguntou Joel.

– Dá para sentir – disse ele em um tom sombrio. – Talvez Netuno possa nos iluminar.

Eles traçaram um caminho em meio à densa multidão até alcançarem Netuno, que estava envolvido em uma profunda conversa com Chiron.

– Netuno, do que Júpiter está falando? – perguntou Emily em voz baixa. – Precisamos ir para Tártaro, não para Delfos.

Os dois olímpicos olharam em volta para se certificar de que ninguém os ouvia.

– Já estávamos suspeitando há algum tempo – sussurrou Netuno –, mas agora temos certeza. Há espiões Titãs entre nós, neste acampamento.

– Como vocês podem ter certeza? – perguntou o Agente B. – Alguém já foi interrogado?

Chiron balançou a cabeça.

– Não. Isso deixaria muito evidentes as nossas suspeitas. Mas, como lutadora, você já deve ter percebido que estamos intocados há muito tempo. Emily atrai os Titãs e seus Titãs das Sombras para onde quer que vá. E ainda assim, depois de todo esse tempo que passamos aqui, não fomos perturbados nenhuma vez.

O Agente B concordou com a cabeça.

– Eu estava pensando a mesma coisa. Saturno sabe do perigo que Emily representa para ele e para seu povo. Ele também sabe da existência das espadas flamejantes. Vão querer ganhar tempo enquanto terminam a arma.

– Precisamente – concordou Netuno. – Por isso, estamos todos indo para a Terra. Enquanto a maior parte dos nossos combatentes estiver enfrentando os Titãs das Sombras em Delfos, alguns de nós irão escapulir discretamente e seguir para Tártaro e Titus. Essa guerra será vencida com discrição, não com batalhas em campo aberto.

– Bom plano – concordou o Agente B. Ele se virou para Emily e Joel. – É isso. De uma forma ou de outra, nosso destino será determinado nesta noite.

32

Em tempo recorde, o acampamento foi desmontado e todos se prepararam para partir. Mesmo aqueles que nunca haviam lutado antes foram treinados e equipados com armas. Só os muito jovens estariam dispensados do combate. Esta seria a batalha final da guerra. Seu resultado determinaria o futuro de todos.

Enquanto o sol se punha, Vulcano, Stella e as centauras gêmeas encontraram Emily, Joel e o Agente B. Stella mantinha um largo sorriso no rosto.

– Aqui está – disse com orgulho. Ela se inclinou para a frente e apontou para uma caixa coberta que estava suspensa do seu assento. – É a caixa de ouro, do jeito que eu me lembrava. Maxine vai carregá-la para nós.

Emily e Joel se ajoelharam e puxaram a cobertura da caixa. Emily passou os dedos ao longo da imagem impressa dos Três Grandes.

– Está realmente linda.

O Agente B se juntou a eles.

– Eu lhes disse que era uma obra de arte.

– Você estava certo – concordou Emily –, mas mal posso esperar para enterrá-la.

– Amém! – disse Joel.

Quando se levantaram, Vulcano lhes entregou alguns pacotinhos.

– Eu mesmo não acredito em sorte. No entanto, espero que isso aqui nos traga tudo o que há de melhor.

Emily abriu seu presente. Dentro havia um pequeno amuleto de prata com a figura de Pegasus preso em uma corrente trançada. O garanhão estava voando e parecia tão jovem e poderoso como sempre.

– Eu fiz isso a partir das cinzas de Pegasus – explicou Vulcano – para que ele possa estar conosco na batalha final.

Emily estava muito emocionada para falar qualquer coisa. Joel sempre gostou muito de Vulcano, mas ela nunca soube o quão calmo e solícito ele era na verdade. Ela jogou os braços em volta do olímpico encardido e o abraçou com força.

– Eu nunca mais vou tirá-lo! – gritou. – Agora não podemos mais perder. Pegasus nos protegerá!

Joel também recebeu com gratidão o seu pingente. Ele ajudou Emily a colocar o dela antes de fixar o seu.

Emily observou surpresa o Agente B também colocar o seu pingente. Quando a pegou olhando em sua direção, ele encolheu os ombros.

– Isso não pode doer.

Emily ergueu a mão no ar.

– Para a Equipe Pegasus!

Os outros bateram palmas.

– Equipe Pegasus – gritaram.

– Agora, se estão prontos para partir – disse Vulcano em um tom mais sério –, fomos convidados a nos juntar a Júpiter. Ele quer que todos fiquemos próximos.

– Estamos prontos – disse Emily. – Vamos acabar com isso.

Os olímpicos chegaram à Terra aos milhares. Em Delfos, os habitantes locais saudaram sua chegada com alívio e gratidão. Os Titãs vinham matando todos que capturavam e destruindo vila após vila.

Emily e Joel olharam com espanto. Estavam no meio de uma montanha alta, cercada por outras, ainda mais imponentes, cobertas de árvores. Delfos não se parecia com Atenas e nem mesmo com o Cabo Sunião. Era difícil imaginar que ainda estavam na Grécia. Aquilo ali mais parecia com as cadeias de montanhas na Virgínia Ocidental ou nas Carolinas.

– Eu não venho aqui desde o acidente que me deixou deficiente – disse Stella. – Tudo parece tão diferente. Não há ruínas.

– Que ruínas? – perguntou Seren.

Stella apontou para um grande templo de mármore, mais abaixo na montanha. Seus altos pilares se erguiam até o céu e ele possuía paredes laterais sólidas e um telhado de mármore. Muito parecido com um prédio olímpico.

– As ruínas estavam lá.

– Como assim? – perguntou Jasmine. – Esse lugar é novo. Os humanos acabaram de construi-lo.

– É uma longa história – disse Stella –, mas um dia haverá ruínas aqui.

– Que templo é esse? – perguntou Emily.

– É o Templo de Apolo em Delfos – explicou Stella. – Foi lá que o Oráculo se sentou para predizer o futuro. Dizia-se que ela podia entrar em contato com Apolo e falar com todos os deuses.

– Quem é Apolo? – perguntou Jasmine.

Emily começou a explicar quem era o filho de Júpiter, mas o Agente B a interrompeu.

– Já basta, Emily. Lembre-se, o que você disser pode afetar o futuro. É melhor não falar mais nada.

– Desculpe – disse Emily para as gêmeas –, ele está certo, eu não devo mais falar.

Um aviso na forma de um grito veio de montanha abaixo. Havia milhares de Titãs das Sombras vindo em sua direção. O céu, mais acima, estava cheio de Melros das Sombras de asas negras e, com eles, monstros de todas as formas e tamanhos.

Alguns caminhavam, enquanto outros rastejavam, deslizavam ou voavam.

O Agente B praguejou.

– Netuno estava certo. Havia espiões no acampamento. Os Titãs estavam nos esperando. É uma armadilha.

– Isso é perfeito. – Júpiter parecia imperturbável enquanto se virava para Emily. – Vocês, meus irmãos e eu vamos enfrentar as Sombras voadoras. Vamos destruir tantos quanto forem possíveis, enquanto nossos outros lutadores tomarão suas posições nas montanhas. Os Titãs devem acreditar que estamos jogando nossa cartada final aqui.

Vulcano e Chiron se aproximaram de Joel e do Agente B.

– Tudo está definido. Estamos apenas esperando a chegada de nossas armaduras. Já enviamos diversos caranguejos para recolhê-las. Partiremos no momento em que chegarem aqui.

Mais acima na montanha, Emily estava lado a lado com os Três Grandes. Júpiter à sua direita. Quando a pegou olhando em sua direção, ele piscou e sorriu, esfregando as mãos com entusiasmo.

– Isso vai ser bom!

Do outro lado, Netuno e Plutão não estavam tão entusiasmados quanto Júpiter, mas sua emoção veio à tona quando juntaram seus poderes para enfrentar os Titãs das Sombras.

Emily agarrou o novo pingente com Pegasus, levou-o aos lábios e o beijou para dar sorte.

– Para você, Pegs!

– Agora! – gritou Júpiter.

Com os olímpicos mais poderosos ao seu lado, Emily soltou sua Chama e disparou grandes raios de fogo para o céu, que vaporizavam instantaneamente cada Titã das Sombras que acertavam.

Ao seu lado, Júpiter atirava relâmpagos e trovões em cobras voadoras, dragões e Titãs das Sombras que se precipitavam em sua direção.

Netuno e Plutão direcionaram seus poderes para as criaturas que subiam a montanha pelos lados, detonando grandes grupos de monstros a cada rajada.

Mais abaixo, a batalha se intensificou enquanto os olímpicos iam de encontro aos Titãs. Caranguejos gigantes enfrentavam dragões. A Hidra pegou uma cobra voadora e fez um serviço rápido. As Fúrias e as Harpias pegaram os monstros Titãs e os levaram para longe. Até mesmo os menores sátiros ergueram suas espadas flamejantes contra os Titãs das Sombras.

– Emily, veja! – gritou Joel.

Na montanha vizinha, o monstro mais aterrorizante que Emily já tinha visto alcançava o cume. Nenhuma criatura de nenhum filme de terror poderia se comparar com a "coisa" que ia em sua direção.

Sua enormidade avassaladora fez com que a grande montanha lembrasse uma pequena colina. O monstro se assemelhava a um polvo retorcido com pelo menos vinte tentáculos que brilhavam e pairavam no ar à sua volta. A criatura tinha um corpo bulboso e ondulante que se movia como um balão de água meio cheio. Sua pele úmida, viscosa e com manchas marrons deixava um rastro de ácido ardente. Não havia olhos que Emily pudesse avistar, mas a monstruosidade tinha visão, pois conseguia arrancar árvores enormes e jogá-las nos olímpicos reunidos.

– O que é isso? – gritou o Agente B.

Júpiter se virou e ficou sem fôlego.

– É o Copac-ra!

– Não, você deve estar enganado – argumentou Netuno. – Ele está trancafiado nas profundezas de Tártaro. Nem mesmo os Titãs ousam se aproximar dele.

– E, no entanto, lá está ele – disse Plutão.

– Como o pai o trouxe para cá? – perguntou Júpiter. – Ninguém pode comandar o Copac-ra.

– Parece que ninguém pode – gritou Emily. Mais acima, o Copac-ra se apoderou de um Titã das Sombras voador e puxou-o para seu corpo em movimento. Um buraco se abriu e o Titã das Sombras sumiu dentro de uma boca grotesca. Outro tentáculo pegou um guerreiro humano que gritava e acabou sofrendo o mesmo destino.

– Ele está comendo todo mundo que pega – gritou Joel. – Não importa de que lado esteja.

Emily ergueu as mãos no ar e se preparou para disparar contra o monstro.

– *Não, Emily, você não deve!* – gritou Riza. – *O Copac-ra é o último de sua espécie. Ele deve ser protegido. No futuro, viverá pacificamente em Xanadu.*

– O futuro é agora! – gritou Emily. – Agora, que essa coisa está prestes a comer todos nós.

– *Use os seus poderes, criança* – sugeriu Riza. – *Envie-o para Xanadu. Liberte-o.*

– Como? – perguntou Emily

– *Confie em mim* – disse Riza com delicadeza. – *Você sabe o que fazer. Apenas se concentre em enviá-lo para Xanadu. Eu farei o resto.*

Erguendo as mãos novamente, Emily invocou todos os seus poderes.

– Xanadu – gritou. – Vá para Xanadu!

Emily sentiu Riza trabalhando com ela e guiando seus poderes para que o Copac-ra fosse enviado para Xanadu. O ar em torno do monstro faiscou e a criatura desapareceu.

– Meu pai está jogando tudo o que tem sobre nós – gritou Júpiter. Ele olhou ao redor, para os monstros e os Titãs das Sombras que se apinhavam nas montanhas à sua volta. Os olímpicos e os humanos estavam em séria desvantagem. – Esta guerra não será vencida facilmente.

– Precisamos dos Hectarônquiros – gritou Chiron. – Mantenham os Titãs das Sombras ocupados enquanto reúno nossas últimas armaduras.

Emily e os Três Grandes concentraram os esforços em deter tantos Titãs das Sombras quanto fosse possível, enquanto, montanha abaixo, os olímpicos travavam combates corpo a corpo. O brilho das espadas flamejantes erguia-se da encosta, enquanto eles usavam as armas contra seus oponentes.

À medida que o dia avançava, Emily temia que seus aliados jamais conseguissem vencer os implacáveis Titãs das Sombras. Eles nunca se cansavam. Mas os olímpicos e os humanos, sim. Apesar de estarem se esforçando ao máximo, os Titãs das Sombras, em números esmagadores, ganhavam terreno contra seus adversários.

Chiron apareceu por trás de Júpiter, usando parte de uma armadura dos Dragões das Sombras. Se a situação fosse menos desesperadora, Emily teria caído na gargalhada. A metade da frente do corpo do centauro fazia com que ele se parecesse exatamente com um Dragão das Sombras. Mas quando ele se virou, suas costas ainda eram as de um alazão.

Atrás dele, Joel estava vestido como um Minotauro das Sombras. Seu corpo inteiro estava coberto pela armadura, que só deixava exposta a sua cabeça. Ele segurava um elmo de Minotauro nas mãos. Mesmo nesses momentos críticos, Emily se permitia uma pausa para apreciar como Joel estava atraente na armadura.

O Agente B parecia surpreendentemente convincente como um Melro das Sombras. As asas do guerreiro pareciam frouxas nas suas costas, mas ele havia aprendido a simular seu caminhar. Minerva e Vênus também estavam disfarçadas e pareciam assustadoras como Tartarugas das Sombras.

Vênus havia amarrado Seren e Jasmine frouxamente para dar credibilidade à sua presença em Tártaro. O plano era apresentar as centauras gêmeas e Stella como "prisioneiras".

– Estamos com suas armaduras prontas – disse Chiron para os Três Grandes.

Emily continuou disparando seus poderes contra as massas de Titãs das Sombras. Quando parou para tomar fôlego, ela se virou para Chiron.

– Como você conseguiu a armadura?

– Cada traje foi feito a partir de vários Titãs das Sombras destruídos pela espada flamejante – explicou Chiron. – Joel escolheu uma Tartaruga das Sombras para você.

Os Três Grandes assumiram a posição de Emily enquanto ela vestia a armadura de Tartaruga. Antes de Minerva ajeitar seu peitoral, o Agente B puxou Emily para o lado. Em sua mão coberta pela armadura havia um pequeno livro com capa de couro.

– Será que você poderia guardar isso para mim? – perguntou ele, enquanto lhe passava o volume. – Ponha ele junto com seu próprio diário. Venho mantendo um também. Se alguma coisa acontecer comigo...

– Nada vai acontecer com você – insistiu Emily, sentindo-se muito desconfortável por ter se virado para conversar.

– Espero que não – prosseguiu ele –, mas se algo acontecer, quero que fique com isso. E, se você conseguir destruir a arma e apertar o botão que vai restaurar tudo, estou lhe pedindo, como amigo, que venha me encontrar em Londres... meu endereço está na frente do livro. Encontre-me e, por favor, me afaste da UCP.

Ele inclinou a cabeça para o lado e sorriu.

– Agora você me conhece. Sabe que eu vou lutar por você. Levem-me para o Olimpo ou para Xanadu, tanto faz. Mostre-me este diário. Force-me a lê-lo – ele sorriu novamente – como só você pode. Escrevi mensagens secretas para mim mesmo que só eu entenderia. Alertei a mim mesmo para que deixasse a UCP.

– Por que você está fazendo isso? – perguntou Emily.

– Sério, você não sabe? – perguntou ele, incrédulo. – Depois de todo esse tempo aqui, acabei me afeiçoando muito a você, Joel e todos esses olímpicos loucos. Não posso mais fazer parte de nenhuma agência que busca destruí-los e explorar você. Uma vez que o outro "eu" ler esse diário, espero que ele venha ajudá-la a acabar com a UCP. Sei de coisas, Emily. Coisas que podem expor a Unidade Central de Pesquisas e mostrar o que ela realmente é.

Emily podia ver sinceridade em seus intensos olhos azuis. Ela aceitou o diário e o colocou no bolso da túnica, ao lado do seu.

– Eu prometo – disse ela, enfim. – Aconteça o que acontecer, vou encontrá-lo e fazer com que leia isto.

– Obrigado – disse o Agente B. Ele vestiu o elmo de Melro. – Agora termine de se vestir. Vamos partir assim que estiver pronta.

Logo que todos estavam com as armaduras de couro dos Titãs das Sombras, Emily e os Três Grandes juntaram seus poderes. Todos se deram as mãos e se aproximaram, enquanto Júpiter, Netuno e Plutão fechavam os olhos.

– Tártaro – gritaram.

33

Emily se perguntava se um dia se acostumaria a visitar novos mundos. Uma coisa era ler livros de ficção científica ou ver outros mundos em filmes, mas nada poderia prepará-la para os lugares estranhos onde esteve.

O céu estava escuro e tempestuoso, assim como o mundo dos Nirads. Mas ao contrário do ar seco e árido de lá, os ventos violentos de Tártaro rasgaram as costuras de sua armadura. Era um lugar frio, úmido e miserável. O terreno era acidentado e lamacento. Nada cresceu ali e, como ela pôde ver em volta, não havia nenhum vestígio de vida selvagem.

– Que lugar miserável – disse o Agente B por trás do elmo.

– É um planeta-prisão – explicou Júpiter. – Nada vive aqui além dos infelizes presos abaixo de nós.

Por conta do elmo de Melro que cobria sua cabeça, Emily não podia ver o rosto de Júpiter. Mas podia ouvir a angústia em sua voz. Aquele havia sido o lugar de sua infância, onde Saturno o aprisionara junto com os irmãos até eles conseguirem escapar.

Júpiter e os irmãos estavam vestidos de Melros Titãs assim como o Agente B, mas, estranhamente, era fácil distingui-los pela maneira de caminhar e de seus movimentos.

– Por aqui – disse Júpiter enquanto os conduzia em frente. -Deste momento em diante, nós não falamos, não importa o que vejamos ou ouvirmos. Entendido?

Todo mundo concordou.

Cada movimento que faziam havia sido cuidadosamente planejado muito antes de chegarem a Tártaro. Emily, Joel e o Agente B vinham logo atrás dos Três Grandes, enquanto seguiam até a entrada da prisão.

A área estava repleta de Titãs das Sombras. Enquanto os olímpicos e seus aliados se moviam lentamente em meio a milhares de inimigos, Emily ficou se coçando para liberar rajadas de chama contra eles. Mas os disfarces estavam funcionando. Não foram parados e caminhavam livremente.

Na entrada da prisão, Titãs das Sombras empurravam e carregavam prisioneiros olímpicos capturados. Boa parte deles Emily conhecia pessoalmente. Júpiter e os irmãos conheciam a todos. Emily teve que reunir forças para não chamá-los e tentar ajudá-los. Nenhum deles parou ou estragou seu disfarce enquanto observava alguns membros de seu povo sofrendo abusos dos Titãs das Sombras.

As pesadas portas principais da prisão estavam abertas, fazendo com que um fedor asfixiante viesse de baixo. Os olímpicos começaram a descer pelas intermináveis escadas entalhadas nas paredes rochosas. A fumaça pungente da queima das tochas embaçava o ar úmido e estagnado.

Emily olhou para trás, alguns degraus acima, e viu Vulcano, com a armadura de Minotauro, carregando Stella, enquanto Minerva levava Maxine.

Os rostos de Seren e Jasmine estavam cheios de medo enquanto as centauras se concentravam para não escorregar nos degraus molhados. Seu medo não era fingimento. A prisão em Tártaro era aterrorizante.

Eles desciam cada vez mais nas entranhas da prisão; passando por vários níveis que guardavam os prisioneiros olímpicos. Passaram por Titãs das Sombras de verdade que levavam prisioneiros para as celas. Os guerreiros não lhes davam sequer uma segunda olhada. Emily estava preocupada com a possibilidade do corpo exposto de Chiron denunciá-los. Mas o centauro tinha razão. Os Titãs das Sombras não notavam a diferença. Eram simplesmente *drones* seguindo comandos, sem nenhum pensamento livre ou movimento independente.

Eles conseguiram chegar mais fundo do que imaginavam ser possível. Vênus assumiu a frente e os levou para onde ela e sua equipe haviam encontrado os Cem-braços. Nenhuma palavra foi dita; ela apenas fez um rápido aceno que os orientou.

Eles deixaram a escada e percorreram um corredor escuro e úmido que parecia nunca ter visto muito tráfego. No final, encontraram outro lance de degraus estreitos.

Na volumosa armadura de Tartaruga, os ombros de Emily roçavam as paredes de cada lado da passagem. Mais à frente, Júpiter e os irmãos tiveram que virar para o lado para que pudessem descer os degraus de pedra. Se os Cem-braços eram tão grandes como se imaginava, como chegaram até lá? E, mais importante, como fariam para sair?

Júpiter havia dito que os olímpicos perdiam os poderes dentro dos muros da prisão. Ali, eram tão vulneráveis quanto seres humanos. Sem Titãs das Sombras por perto, Emily valeu-se de uma parte de seus poderes e se sentiu levitando.

– Sim! – disse ela enquanto dava um leve sorriso. Os poderes olímpicos podiam ser neutralizados em Tártaro, mas os dela não. Ela ainda era uma poderosa Xan.

Na parte inferior das escadas, adentraram por vários metros de uma água viscosa e malcheirosa que atravessava a armadura e encharcava seus pés. Emily achou o terreno muito escorregadio e precisou de toda a força de vontade para não gritar de nojo. Ela olhou para Joel e pôde ver, pela maneira cuidadosa com que colocava os pés no chão, que ele sentia a mesma coisa.

– Paelen teria algo engraçado para dizer sobre isso - sussurrou ela baixinho para Joel.

– Psiu! – disse o Agente B.

Joel encolheu os ombros e, em seguida, acenou para Emily.

Depois de seguirem Vênus por uma passagem estreita, as paredes se abriram. Eles entraram em uma caverna profunda e inacreditavelmente grande que era mal iluminada por uma luz no teto bem acima de suas cabeças.

Quanto mais penetravam na caverna, mais os sentidos ficavam abalados pelo pior fedor que Emily já havia encontrado na vida. Era um cheiro de legumes estragados misturado com o de velhas meias de ginástica suadas e odor de gambá suficiente para deixar uma pessoa gravemente enferma. Era pior do que o cheiro do pior dos Nirads cinza, e quase fez Emily engasgar dentro do elmo.

Olhando ao redor, podia garantir que os outros sentiam o mesmo. Seren e Jasmine tapavam as narinas com as mãos, enquanto Stella mantinha a mão sobre o nariz e a boca.

A cada passo, o cheiro piorava. Só quando Emily achou que não poderia mais aguentar, eles se depararam com três celas maciças ao longo das paredes da caverna. As barras de aço em frente às celas sujas e úmidas se erguiam a uma altura de pelo menos cinco andares.

Eles se aproximaram da primeira cela. Júpiter e os dois irmãos retiraram os elmos e se inclinaram para mais perto das barras. Começaram a falar baixinho na língua dos olímpicos.

Na penumbra, ela não conseguia ver com quem estavam falando. Mas em seguida escutou um som de algo pesado se arrastando enquanto um vulto grande se aproximava das grades. Emily quase gritou quando viu o primeiro hectarônquiro. Havia sido advertida por Stella e pelo Agente B sobre o que os mitos diziam em relação à sua aparência. Mas nada poderia prepará-la para a criatura que agora contemplava.

Era enorme. De seus ombros robustos saíam cem longos braços, além de mãos e dedos grossos. Pelo menos cinquenta cabeças se estendiam do seu pescoço enquanto Emily assistia, com espanto, como todas falavam juntas com Júpiter e seus irmãos. O som lembrava Emily de concertos musicais que ela havia presenciado, nos quais a multidão cantava em uníssono com o cantor.

– Este é Briareos – Júpiter voltou-se para Emily. – Ele é o mais forte dos hectarônquiros e concordou em nos ajudar se ajudarmos a libertar todos os seus irmãos que estão aqui.

– Achava que eram só gigantes hectarônquiros...

– E são – concordou Júpiter. Ele apontou para outra cela. – Lá está Cottus e, na última cela, Gyges. Mas eles têm outros irmãos aqui. Os ciclopes.

– Você vai libertá-los todos?

Júpiter balançou a cabeça.

– Eu não, Emily, e sim você. Nossos poderes não vão funcionar dentro deste lugar escuro e miserável, e nossas forças não são suficientes para abrir as portas. Mas você não é afetada por Tártaro. Será que você pode abrir as portas dessas celas?

– Claro – concordou Emily.

Todo mundo deu um passo para trás enquanto Emily tirava o elmo e ficava sozinha diante da imensa porta. Ela estendeu os braços e, com seus poderes, ordenou que todas as portas das celas em seu nível se abrissem.

Momentos depois, o ar se encheu de sons horrendos e de rangidos de dobradiças de metal que não eram abertas havia milhares de anos envergando.

Quando a porta da prisão se abriu, Briareos e os dois irmãos saíram das celas e correram um para o outro, dando ensejo a uma reunião barulhenta.

– É demais para uma fuga furtiva – disse o Agente B. – Estou certo que eles podem ouvir os três lá da superfície.

– Talvez – concordou Vulcano –, mas vão ser necessários mais do que todos os Titãs das Sombras em Tártaro para contê-los novamente. Os Titãs tiveram que enganá-los para que entrassem em suas celas muito tempo atrás. Os hectarônquiros não serão ludibriados novamente. Eles estão livres e vão continuar assim.

Os sons de outros gritos encheram a câmara barulhenta enquanto ciclopes avançavam e cumprimentavam seus irmãos.

Joel se aproximou de Emily. Seus olhos estavam tão arregalados que mais pareciam pratos de porcelana.

– Eles não são demais?

Emily concordou.

– Com certeza. – Depois de dizer isso ela se virou, para tentar combater um surto de náusea. – Mas eles com certeza poderiam tomar um banho!

Enquanto os enormes Cem-braços cumprimentavam todos os olímpicos, o som de uma marcha organizada encheu o ar.

– Acho que temos companhia – disse o Agente B.

Júpiter vestiu o elmo.

– Muito bem, pessoal, vamos fazer tudo como planejamos. Minerva, pegue sua equipe e siga em frente. Liberte tantos olímpicos quanto puder no caminho. Depois, leve Cottus, Gyges e os ciclopes de volta à Terra e os arme com espadas flamejantes. Temos que fazer com que os Titãs vejam que estamos com os Cem-braços do nosso lado.

Para Vênus ele disse:

– Você e Briareos vão ficar conosco. Vamos libertar os Quatro Guerreiros, depois seguiremos direto para Titus atrás da arma.

Os Titãs das Sombras começaram a surgir dentro da caverna, sacaram as armas e começaram a fazer ataques às cegas.

A fúria reprimida do longo período que passaram na prisão explodiu quando os Cem-braços e os ciclopes começaram a atacar os Titãs das Sombras. Apesar de estarem em grande desvantagem numérica, os corpulentos lutadores não tiveram a menor dificuldade.

– Uau! – Joel observava hipnotizado. – Agora entendi. Olha só como lutam!

– Saquem suas espadas flamejantes, vamos passar! – gritou Júpiter.

Parada na frente com Júpiter, Netuno e Plutão, Emily se juntou à luta e avançou para o enxame de Titãs das Sombras. Ela disparava rajada após rajada contra os guerreiros que os atacavam. Briareos ficou mais atrás e usou metade dos seus cem braços para acenar e se despedir dos irmãos que partiam, enquanto usava a outra metade para continuar estraçalhando os antigos captores.

Usando a luz de seus poderes para se orientar, Emily avistou a passagem que os Titãs das Sombras usavam para entrar na caverna – era enorme, grande o suficiente para que Briareos e seus irmãos pudessem passar.

Reforços de Titãs das Sombras chegavam a cada segundo e os combates se intensificaram. Mas os esforços combinados dos olímpicos, dos Cem-braços, dos ciclopes e de Emily abriram caminho em meio aos guerreiros.

Com Minerva levando os lutadores para uma direção, Vênus levava o grupo de Júpiter para outra. Parecia haver uma fonte inesgotável de Titãs das Sombras, pois a cada passo que davam, mais guerreiros os bloqueavam. Eles lutaram para abrir caminho rumo às escadas que levavam para cima e para fora da prisão. Emily deu uma olhada para trás e viu Joel e o Agente B lutando ombro a ombro.

Mais atrás, Vulcano havia colocado Stella em Maxine enquanto empunhava uma espada flamejante em cada mão. A menina usava as próprias armas contra os agressores. Até mesmo as delicadas centauras gêmeas pareciam temíveis enquanto gritavam e abriam caminho em meio aos Titãs.

Eles conseguiram sair da escada e Vênus os conduziu por um longo corredor. Mas os Titãs das Sombras não os seguiram.

– Para onde eles estão indo? – perguntou Joel, enquanto tirava o elmo. Seu rosto estava banhado de suor. – Por que não estão nos seguindo?

– Não sei – disse Netuno. – Mas acho que devíamos ficar em guarda. Algo está muito errado por aqui.

Júpiter fez com que o grupo parasse.

– Vênus, quanto falta?

Vênus tirou o elmo de Tartaruga.

– Não estamos muito longe. Basta chegarmos ao final.

Emily ficou olhando para o corredor escuro e silencioso.

– Isso parece uma armadilha.

– Concordo - disse Júpiter –, mas não temos muita escolha. Não teremos sucesso se mais Titãs das Sombras continuarem aparecendo. Eles precisam ser detidos.

Ele estudou o grupo grande que o acompanhava.

– Chiron, será que você, Stella e as gêmeas poderiam esperar aqui? Briareos ficará ao seu lado para dar apoio. Façam o que puder para evitar que os outros venham atrás de nós. Vamos encontrar os Quatro Guerreiros e libertá-los.

Os outros lutadores seguiram Vênus rumo à porta na extremidade do corredor. Era uma porta de bronze, bem grossa, e parecia ser muito segura. À medida que se aproximavam, podiam ouvir gemidos vindo do outro lado.

– Esse é Aronder – disse Júpiter. – Reconheço sua voz. Ele está sofrendo.

– Todos estão – acrescentou Vênus.

Júpiter examinou a porta, e pediu para que os irmãos se aproximassem.

– Juntos, vamos empurrar em três.

Enquanto forçavam a porta de bronze, Emily ergueu as mãos e se preparou para atirar em qualquer um que viesse do outro lado. Mas atrás da porta aberta descortinava-se uma visão mais horrível do que qualquer coisa que poderiam imaginar. Mesmo depois dos horrores que testemunhara em primeira mão no campo de batalha, ela não estava preparada para a visão que teve dos Quatro Guerreiros originais.

Suspenso no teto estava o Minotauro. Correntes grossas cortavam seus pulsos ensanguentados e enrolavam seus pés para mantê-lo no lugar. Seu robusto corpo de homem estava coberto de queimaduras profundas, enquanto leves gemidos vinham da sua boca de touro.

Ao lado estava o Guerreiro Melro. Na carne, ele não se parecia muito com um guerreiro - apenas com um melro muito grande. Assim como o Minotauro, estava suspenso no ar por correntes grossas que perfuraram suas grandes asas negras, enquanto correntes do piso envolviam seus pés com garras. Sua cabeça estava abaixada, e o bico longo e negro, aberto, emitindo um trinado suave e cheio de dor. As penas em suas costas estavam chamuscadas.

Os guerreiros Tartaruga e Dragão também pareciam estar vulneráveis e se contorciam de dor. Todos eram animais grandes e inteligentes, e não se pareciam em nada com os mortíferos Titãs das Sombras criados a partir deles.

Não mais do que um metro à frente de cada um dos Quatro Guerreiros, havia um buraco no chão. Emily se aproximou do que estava mais perto e descobriu que se tratava de uma rampa. Mas não conseguia ver onde ela dava.

– Meu Deus – disse o Agente B, tirando o elmo. – O que está acontecendo aqui?

Enquanto o grupo se aproximava, os Quatro Guerreiros levantaram as cabeças e disseram palavras que Emily não conseguia entender. Mas não precisava. Era óbvio que imploravam por ajuda.

Vulcano apontou para um cristal grande, redondo, cortante, que girava lentamente por trás dos guerreiros. Conectada à parte traseira do cristal havia uma lupa poderosa e de grande espessura. Impresso na superfície do vidro havia o contorno das armaduras dos quatro Titãs das Sombras.

– Vejam aqui. É assim que eles estão sendo modelados. Primeiro a luz atinge a lente de aumento com o design das armaduras. Ela passa através do cristal e atinge os Quatro Guerreiros. As sombras que eles projetam criam os Titãs das Sombras!

– Como isso é possível? – perguntou Joel. – É apenas um vidro de cristal.

Enquanto observavam, o cristal virou novamente.

– Protejam seus olhos! – avisou Vulcano.

Com pouco tempo de sobra, todos colocaram as mãos nos olhos. Mesmo assim, puderam ver uma luz branca abrasadora e sentir um grande aumento de temperatura no ambiente. À medida que se intensificava, os Quatro Guerreiros gritavam em agonia.

A luz se apagou, a temperatura caiu e o cristal continuou se movendo em torno da lenta plataforma giratória. Deitado no chão em frente a cada um dos Quatro Guerreiros, havia um Titã das Sombras recém-criado. As criaturas ocas e blindadas se levantaram. Sem olhar para trás, na direção de seus criadores, elas deram um passo à frente e desapareceram rampa abaixo.

Júpiter correu para o Minotauro.

– Ajudem-me – disse ele para os outros. – Este sofrimento tem de acabar agora!

Emily já avançava. Imediatamente ela incinerou as correntes que prendiam os quatro guerreiros ao teto. Quando se libertaram, os outros estavam à sua espera para recebê-los.

– Cuidado com o cristal – avisou Plutão. – Em breve, ele irá se voltar contra nós.

– Não vai mesmo! – gritou Vulcano. Ele se aproximou do grande cristal redondo e da lupa, içou-o para fora da plataforma giratória, e o jogou para o lado. Ele caiu sobre o chão de pedra e se partiu em milhares de pedaços inofensivos.

Atrás de onde o cristal estava, viram a fonte de luz. Era uma pequena fogueira do tamanho de um punho. Não havia combustível para alimentar a chama. Ela simplesmente queimava em um pequeno pedestal de mármore.

– *Isso faz parte de mim!* – gritou Riza, alarmada. – *Posso sentir. Esse fragmento de chama veio parar aqui e tem sido a causa do seu sofrimento. Eu sou a razão por trás dessa guerra terrível.*

– Não, Riza – disse Emily. – São os Titãs. Eles encontraram os fragmentos da Chama e descobriram como fazer isso.

– É por isso que os Titãs das Sombras são atraídos para você – concluiu o Agente B, depois que Emily explicou o que Riza havia lhe dito. – Você carrega a Chama dentro de você – a fonte de sua criação. Precisamos extingui-la antes que eles possam fazer tudo novamente.

– *Não deixe que eles extingam a chama* – gritou Riza, alarmada. – *Puxe-a para dentro de você. Talvez este fragmento de Chama contenha as minhas lembranças perdidas. Anseio por ser inteira novamente e não continuar sendo fragmentos espalhados pelo universo.*

Emily se aproximou da Chama e estendeu a mão. Ela não precisou fazer nada, a Chama saltou do pedestal para sua mão estendida.

– Em! – gritou Joel.

Mas Emily estava sorrindo.

– Joel, está tudo bem. É uma sensação estranha, mas igualmente maravilhosa. Como se eu estivesse dando falta de um pedaço meu que, de repente, foi encontrado. – Ela podia sentir a alegria de Riza. Mas tingida de uma tristeza. O fragmento da Chama não continha suas memórias perdidas.

Com a Chama segura em seu interior, Emily voltou a atenção para os Quatro Guerreiros deitados no chão, gemendo baixinho. Ela estendeu a mão para um de cada vez, e deixou que seus poderes de cura trabalhassem em suas queimaduras.

– Como é que os Titãs descobriram como fazer isso? – perguntou Joel.

– Não tenho ideia – respondeu Júpiter. – Mas só uma mente verdadeiramente distorcida poderia conceber esse plano hediondo. A malevolência de Saturno não conhece limites. Isso não passa de pura tortura.

Quando Emily terminou de curar os Quatro Guerreiros, ela se levantou.

– Pelo menos o impedimos.

– VOCÊS NÃO IMPEDIRAM NADA! – trovejou uma voz imaterial.

Um clarão ofuscante encheu a sala enquanto a Corrente Solar se abria. Figuras enormes irromperam da luz. Antes que alguém pudesse reagir, uma grande rede foi jogada sobre Emily e Mike, depois em Joel. Os três foram arrastados de volta para a Corrente Solar e desapareceram.

34

Stella ouviu gritos vindos de dentro da câmara onde os Quatro Guerreiros eram mantidos. Antes que Chiron e Briareos tivessem a chance de sair em disparada pelo corredor, Júpiter irrompeu da câmara.

– Os Titãs capturaram Emily e Joel! Eles usaram a Corrente Solar para entrar e sair. E se foram.

Chiron praguejou.

– Como? Nossos poderes não funcionam aqui em baixo. Nem os dos Titãs. Como puderam fazer isso?

– Não sei – ponderou Júpiter. – Talvez tenham outra amostra da Chama.

– Isso não vai nos deter! – gritou Netuno. – Existe muita coisa em jogo.

– Mas temos que ir atrás deles! – berrou Stella. – Não podemos deixar que Saturno machuque Emily ou Joel.

Júpiter lançou o elmo para o lado, violentamente; seu rosto era a mais pura expressão da fúria.

– Meu pai foi longe demais. Ele tem que ser detido!

O Agente B colocou uma das mãos, de modo reconfortante, no ombro de Stella.

– Saturno não pode ferir Emily. – Ele fez uma pausa e esfregou o queixo. Embora ela tenha uma grande fraqueza. Joel. Ele ainda é humano e muito vulnerável. Podem tentar usar as emoções de Emily contra si mesma e ameaçar feri-lo caso ela não coopere.

– Como você sabe disso? – perguntou Júpiter.

– Porque isso é exatamente o que a UCP planejava fazer.

Júpiter começou a andar pelo corredor. Ele batia na parede com o punho e soltava estilhaços de pedra. – Não podemos ir atrás dela – disse ele, finalmente.

– O quê? – gritou Stella. – Temos que ir.

Netuno olhou para o irmão mais novo e balançou a cabeça.

– Jupe está certo. Saturno quer que abandonemos nossas tentativas de pegar a arma que está em Titus. Se perdermos um tempo precioso indo atrás de Emily, irão finalizar a arma e usá-la contra nós.

– Mas são Emily e Joel! – gritou Stella.

O Agente B concordou com a cabeça.

– Eles têm razão, Stella. Isso é apenas uma manobra para nos distrair da nossa missão principal.

– Mas eles vão feri-los.

– Creio que não – disse Júpiter. – Pelo menos não imediatamente. Meu pai fez com que seus espiões nos observassem por algum tempo. Ele sabe que Emily tem grandes poderes, mas duvido que saiba quem ela realmente é. Saturno jamais, em sã consciência, tentaria algo assim contra uma Xan. Ao pegar Emily, ele demonstrou ter os olhos maiores que a boca.

– Nós devíamos, de fato, ter pena dele – disse o Agente B. – Eu já vi pessoalmente o que acontece quando Emily perde a calma.

Júpiter pegou novamente o elmo.

– Isso pode vir a jogar ao nosso favor. Enquanto Emily distrai Saturno, temos que seguir para Titus. Vamos para a superfície e sair daqui.

Eles tiveram que lutar para sair da prisão. Na superfície, se depararam com mais Titãs das Sombras. Os Quatro Guerreiros, agora curados, ficaram ao lado de Júpiter.

Era uma maravilha assistir como Briareos enfrentava centenas de Titãs das Sombras de uma vez. Nenhum dos guerreiros sequer se aproximou de Stella ou das centauras. Com o hectarônquiro do seu lado, eles abateram os Titãs das Sombras até sobrar espaço suficiente para que os Três Grandes pudessem combinar seus poderes e transportar a todos de Tártaro para Delfos, na Terra.

O local para o qual voltaram não se parecia nem um pouco com o que haviam deixado. O chão estava cheio de armaduras de Titãs das Sombras e monstros mortos. Ainda havia alguma luta, mas bem longe dali. Stella olhou para a montanha em frente ao templo. Os dois Cem-braços andaram por sobre as árvores, pisando e rasgando seu caminho em meio às forças dos Titãs das Sombras.

Pouco tempo depois de sua chegada de volta à Terra, com as forças dos olímpicos renovadas, os ciclopes e os Cem-braços, o jogo estava virando. Embora os Titãs das Sombras não estivessem se entregando, tinham grandes perdas em suas fileiras. Era só uma questão de tempo antes que estivessem todos destruídos.

– Nosso sucesso aqui não vai significar nada se os Titãs lançarem sua arma – disse Júpiter. – Não temos tempo a perder. Temos que ir agora para Titus.

Todos se ofereceram para ir à missão rumo a Titus. Mas os Três Grandes foram muito seletivos em relação a quem deveria ir com eles.

O Agente B e Stella trariam a caixa dourada, acompanhados por Vulcano, Briareos e os Quatro Guerreiros.

Mais uma vez, os Três Grandes uniram seus poderes. Juntos, levantaram as cabeças e gritaram:

– Titus!

35

Quando Emily e Mike emergiram da Corrente Solar, deram em um lugar escuro e silencioso. Mal a Corrente se abriu, Emily e o cachorro foram expulsos e ela se fechou firmemente. Quem quer que os tenha tirado de Tártaro havia se movido com mais rapidez do que ela imaginou ser possível. Ela não havia tido tempo de dar uma boa olhada no seu agressor, quanto mais de reagir. Tudo o que vira era algo grande e negro.

Não fora capaz de ver Joel. O medo que ele tivesse sido levado para outro lugar apertou seu coração.

– Joel! – gritou Emily. – Joel, você está aí?

Só os lamentos de Mike podiam ser ouvidos ao seu lado.

Emily se ajoelhou e acariciou o cachorro. Levantou a outra mão e invocou a Chama. Mas não importava o quão grande a Chama ficava, nada continha a escuridão opressiva. Embaixo dela havia um piso de pedra fria, mas ela não podia ver ou sentir paredes. Não havia vento, nem som. Apenas escuridão.

– Está tudo bem, garoto – assegurou ela a Mike. – Nós vamos sair daqui.

Emily se levantou e disparou uma rajada de laser. Seguiu seu brilho enquanto ele viajava em meio à escuridão, até desaparecer na distância. De alguma forma, o lugar parecia ilimitado. A tentativa seguinte foi erguer a si mesma e a Mike para tentar voar para fora dali. Também não deu certo. Parecia não haver fim para aquela escuridão.

– Deixe-me sair daqui! – uivou Emily. Ela disparou uma rajada ainda mais poderosa no meio da escuridão. Não deu em nada. Girou no ar, disparando rajadas de fogo em todas as direções.

– *Emily, pare* – chamou Riza, baixinho. – *Não fale em voz alta comigo, eles estão ouvindo. Apenas desça para o chão e me ouça.* –

Emily parou de atirar e pousou no chão escuro.

– *Sente-se, criança, e ouça. Você está em uma prisão muito especial chamada Vácuo Energético. Não consigo me lembrar dos detalhes de onde ou quando, mas alguém que me é muito querido já ficou preso em tal lugar. Descobriram que, quanto mais poderes usassem, maior e mais forte ficava a armadilha. É como se fosse um buraco negro. A energia entra, mas não sai.*

– Mas... – começou Emily.

– *Shh... Não deixe que a ouçam falar. Só escute. Só há uma maneira de sair de um Vácuo Energético. Mas isso pode ser impossível para alguém como você.*

Emily queria saber como. Ao ouvir seus pensamentos, Riza prosseguiu.

– *Emily, você sente as coisas muito profundamente. Mas aqui nesta prisão, suas emoções são seu maior inimigo. Assim como acontece com seus poderes, as emoções alimentam a armadilha. Seu temor pelo que aconteceu a Joel fortalece as muralhas. Seu sofrimento por causa de Pegasus e Paelen segura o telhado. Sua preocupação para com os olímpicos mantém os bloqueios sólidos e no lugar. Todos esses pensamentos a contêm aqui. Os Titãs não precisam fazer nada para derrotá-la. Você está derrotando a si mesma.*

– Como faço para combatê-los? – pensou Emily.

– *É aqui que a fuga será difícil. Você precisa renunciar às suas emoções e bloquear seus poderes profundamente dentro de si. Pense apenas naquelas coisas que lhe dão uma sensação de tranquilidade. Vá mentalmente para um lugar de paz, onde suas emoções estão mais calmas.*

Riza estava certa. Naquele lugar escuro e assustador, encontrar uma maneira de sentir em paz e calma seria impossível enquanto a guerra pegava fogo sem ela.

– *Então os Titãs já venceram.*

– EMILY. – Era a voz sombria que ela ouvira em Tártaro.

Mike começou a rosnar e latir.

– Quem é você? – Emily exigia saber.

– Alguns me chamam de Cronos. Você me conhece como Saturno.

– Deixe-me sair daqui! – gritou Emily. Ela se levantou e tentou descobrir de onde vinha a voz.

Mais à frente, uma faísca de luz mínima parecia pulsar e, em seguida, cresceu até assumir a forma de um homem. Mas não era sólida – estava mais para uma imagem difusa parcamente transmitida por uma estação televisiva. A imagem era grande e imponente. Mas o rosto era familiar. Dava para vislumbrar um Júpiter, um Netuno e um Plutão mais velhos.

Mike atacou Saturno, mas atravessou a imagem. Finalmente, ele voltou para perto de Emily, rosnando suavemente.

– Eu não vou liberá-la até você me dizer quem é e de onde veio.

Emily fez uma careta.

– Como você consegue falar a minha língua?

– Uma linguagem secreta não consegue permanecer secreta se você possui bons espiões – disse Saturno, casualmente. – E tenho os melhores.

– Eles não são tão bons, se não sabem quem eu sou.

– Talvez não – concordou Saturno. – Então, quem é você? Por que está aqui?

– Estou aqui para ajudar os olímpicos – disse Emily. – Mas eu não devia estar fazendo isso. Eles são seus filhos. Por que está tentando matá-los?

– Sim, eles são meus filhos! – Saturno cuspia enquanto seu rosto se contorcia em fúria. – No entanto, não demonstram ter nenhuma lealdade. Querem me derrubar e gostariam de me ver preso em Tártaro.

– Não foi lá que você os trancafiou?

– Você não sabe do que está falando – disse Saturno com desdém. – Vou derrotá-los tão facilmente quanto derrotei você.

– Você não me derrotou – disse Emily. – Acha que me derrotou, mas está enganado.

A imagem brilhava e cintilava. Emily sabia que ele estava ficando com raiva.

– Não abuse da minha paciência, criança – avisou Saturno. – Sei o quanto gosta do menino humano. Não vou hesitar em feri-lo.

– Estou avisando, Saturno – desafiou Emily –, as Górgonas uma vez ameaçaram aqueles que eu amo. Derreti uma delas e a outra virou cinzas. Se você machucar Joel, juro que farei a mesma coisa com você!

– Ameaças de uma criança! – Saturno deu uma gargalhada.

Era difícil para Emily odiá-lo pelo fato de ele ter um rosto muito parecido com o de Júpiter.

– Não, Saturno – disse ela, calmamente. – A promessa de uma Xan!

– *Emily, não* – disse Riza, em silêncio. – *Você não deve lhe dizer mais nada.*

– Xan? – Por um instante, a imagem de Saturno piscou. Em seguida, ele caiu numa gargalhada das mais ásperas. – Não há Xan. Eles eram mitos criados pelos nossos anciãos para nos assustar.

– Ah, é mesmo? – continuou Emily. – E eu suponho que a Chama que você usou para fazer os Titãs das Sombras foi criada quando esfregou dois pedaços de madeira.

– Ela veio de uma estrela moribunda que caiu em Titus – disse Saturno –, nada mais que isso.

– Ela veio de mim! – gritou Emily. A Chama brilhou intensamente em sua mão. – Isso lhe parece familiar?

Emily podia sentir a angústia de Riza e ouvir seus avisos. Mas ela e Riza eram pessoas diferentes de dois mundos muito diferentes. Riza era de Xanadu, um mundo de calma e paz. Emily nasceu e cresceu nas ruas mais duras de Nova York. Ninguém ameaçava seus amigos e ficava por isso mesmo. Mesmo se fosse o líder dos Titãs.

– Você está mentindo – insistiu Saturno. – Não sei quem você é ou de onde veio, mas você não é uma Xan... eles não passam de um mito.

– Você está disposto a arriscar? – perguntou Emily. – Não quero lhe machucar, por isso estou lhe dando uma alternativa. Devolva Joel para mim. Solte-nos e acabe com essa maldita guerra.

– Ou? – perguntou Saturno.

– Ou posso perder a calma e as coisas vão ficar muito feias, muito rapidamente.

Saturno hesitou, mas só por um instante. Sua imagem tornou-se sólida.

– Se você é realmente uma Xan, seus poderes a manterão presa aqui para sempre. Vou lhe dar o menino de presente para mostrar o quanto posso ser generoso. Mas não vou te soltar ou acabar com esta guerra. Meus filhos traiçoeiros serão punidos por sua rebeldia. Vou lançar minha arma contra eles e pronto. Depois discutiremos como você vai me servir.

A imagem de Saturno desapareceu.

– Servi-lo? – gritou Emily furiosamente. – Nunca! – Ela disparou rajada após rajada na escuridão, tentando sair do vácuo.

– *Emily, pare!* – gritou Riza. – *Você está apenas fortalecendo as muralhas da sua prisão. Controle seu temperamento agora, antes que seja tarde demais!*

A calma de Emily foi para o espaço enquanto ela devolvia seus pensamentos para Riza.

– Sei que você me disse que eu não deveria destruir um Titã. Mas juro, se Saturno lançar a arma contra os olímpicos, essa será a última coisa que ele vai fazer!

36

– Tudo está morto. – Stella olhou ao redor de Titus.

No momento em que chegaram a Titus, Stella percebeu o quanto se parecia com o Olimpo a partir de um breve vislumbre que havia tido, vindo do futuro. O ar era praticamente o mesmo e, assim como no Olimpo, havia edifícios e estruturas de mármore magníficas.

– É que nem o Olimpo depois que a UCP mandou a arma para lá.

As árvores ao seu redor estavam secas e murchas. A grama era marrom, e não se escutava o som de pássaros, animais ou insetos.

– É assim que o Olimpo ficou depois do nosso ataque? – disse Agente B, em uma espécie de choque silencioso.

Stella fez que sim com a cabeça.

– Era tão bonito e, contudo, tão morto.

– O Olimpo e Titus eram mundos gêmeos magníficos – disse Júpiter com tristeza. – Ao criar essa arma, Saturno destruiu esse mundo só para nos derrotar.

Havia algo em sua voz que chamou a atenção de Stella. O som da voz de Júpiter o denunciava. Ele não parecia estar muito bem. Começava a se curvar. E olhou em volta para os outros olímpicos – também pareciam estar doentes.

– O que há de errado? – O Agente B retirou o elmo de melro e se voltou para Júpiter.

– Estamos perto da arma – disse ele, engasgando. – Minerva nos avisou, mas eu não acreditava que isso me afetaria tão rapidamente como afetou. Precisamos encontrá-la antes que ela nos mate.

O Minotauro bufou e bateu no chão. O Guerreiro Tartaruga se enfiou dentro de sua carapaça e gritou de dor enquanto o Guerreiro Melro crocitava e o Guerreiro Dragão rugia. Até mesmo Briareos tinha reações violentas à proximidade da arma.

Stella foi com a cadeira de rodas até onde Vulcano estava e tocou de leve em seu braço.

– Você pode sentir de onde a dor está vindo?

– De toda parte – disse ele, gemendo.

– Seja mais específico – ordenou bruscamente o Agente B. – Não podemos deter a arma se não pudermos encontrá-la!

Vulcano cerrou os punhos. Ele se levantou e tirou o elmo. O rosto estava contorcido por causa da dor terrível. Ele virou-se lentamente e apontou para um belo edifício com pilares que se assomava à distância.

– Vem de lá, do palácio de Saturno.

– Só poderia ser – afligiu-se o Agente B. – Olha. É lá que todos os Titãs das Sombras recebem a sua orientação. – Ele verificou o céu ao seu redor. – Pelo menos não consigo ver nenhuma sombra voadora. Eles provavelmente estão na Terra para a batalha final. – O agente da UCP sacou a espada flamejante. – Espero que vocês, olímpicos, possam colaborar, pois Stella e eu não conseguiremos enfrentá-los todos sozinhos.

Plutão se contorcia de dor.

– Eu não manifestarei quaisquer poderes enquanto essa arma estiver exposta – disse ele, com os dentes cerrados. – Mas pelo menos ainda posso empunhar uma espada.

– Eu também – concordou Júpiter, enquanto sacava a arma. – Temos que nos mover agora, antes que essa coisa acabe conosco.

Stella sacou a própria espada flamejante da bainha montada em sua cadeira de rodas.

– Maxine, preciso da sua ajuda – disse ela à cadeira. – Por favor, me leve para o palácio de Saturno. Temos que chegar aonde a arma está.

Abaixo dela, a cadeira reagiu ao pedido. As rodas começaram a girar enquanto a cadeira avançava.

Muito antes de chegarem ao palácio, os Titãs das Sombras perceberam sua presença em Titus. Eles irromperam pelas estradas pavimentadas e atacaram os olímpicos com toda a ferocidade que possuíam.

Mais uma vez, Briareos provou seu valor. Mesmo sob os efeitos doentios da arma, ele era um lutador poderoso. E abriu caminho em meio às hordas de Titãs das Sombras.

Mas os Três Grandes estavam perdendo as forças. A cada instante, seus movimentos ficavam mais lentos enquanto se esforçavam para respirar.

Júpiter foi atingido nas costas pela espada de um Titã das Sombras invisível. A armadura que usava o protegeu, mas mesmo assim ele foi jogado ao chão. O Agente B lutou para abrir caminho e chegar até o olímpico caído, e usou a espada flamejante para destruir um guerreiro. Ele ajudou a Júpiter a se levantar, penosamente.

– Não podemos vencer assim – disse Júpiter ofegante, segurando o braço do agente para ter apoio. – O poder da arma é muito grande. Ela vai nos matar muito antes de chegarmos ao palácio. Você e Stella são nossa única esperança. Eu imploro, vão até o palácio e guardem a arma dentro da caixa dourada. Com ela coberta, nossa força poderá retornar. Vá agora, antes que seja tarde demais.

Stella ordenou que Maxine a levasse pelo ar.

– Agente B, Maxine pode levar nós dois!

– Você tem certeza que essa coisa pode nos erguer?

Maxine deu um rasante. O Agente B não titubeou, deu um salto e se agarrou a uma de suas rodas.

– Sim, pode! – Stella deu um grito enquanto Maxine os carregava, sobrevoando a contenda, rumo ao palácio.

– Ela pode fazer qualquer coisa!

O Agente B usou sua mão livre para matar o maior número de Titãs das Sombras que podia com a espada flamejante.

Atrás deles, a batalha continuava. Briareos pairava sobre os guerreiros que o atacavam. Mas o enorme Cem-braços estava ficando com os movimentos mais lentos. Mesmo daquela distância, podiam ver a dor cravada em seu rosto imundo.

– Se ele cair, todos caem – alertou o Agente B.

– Rápido, Maxine, temos de parar essa arma!

Enquanto se aproximavam do imponente palácio, Stella percebeu um movimento no telhado.

– Alguém está lá em cima.

– Esse é o ponto mais alto da região. É uma plataforma perfeita para que a arma seja ativada.

Stella pediu a Maxine para que imprimisse mais velocidade e pousasse no telhado. Com a espada flamejante erguida, o Agente B pulou de Maxine bem na hora em que a cadeira pousou na superfície lisa de mármore.

Eles pararam de repente a alguns metros de uma figura que, outrora, podia ter sido um homem. Era algo muito seco e enrugado para que se pudesse dizer do que se tratava. Em seus braços, ele se esforçava para carregar uma grande pedra. A mesma que Stella vira caindo da caixa dourada não muito tempo atrás.

– É essa aí... essa é a arma! – gritou.

– É isso que você está procurando, humana? – perguntou a criatura enrugada. – Você chegou tarde demais. Em instantes eu estarei morto e você vai testemunhar o maior triunfo de Saturno. No momento em que chegarmos ao Olimpo, eu a detonarei. Os poderes da arma irão crescer e se espalhar por todo o cosmos, destruindo todos os olímpicos vivos que existem. Esta vitória vale o meu sofrimento. – A criatura ergueu uma pedra azul que parecia semelhante a que Joel e Emily tinham.

– Não! – gritou o Agente B. Ele ergueu a espada e atacou.

Seis Titãs das Sombras surgiram no telhado do palácio e correram na direção do Agente da UCP.

– Stella, faça alguma coisa. Detenha-o! – gritou o Agente B enquanto encarava todos os Titãs das Sombras que o atacavam.

Não havia tempo para pensar. O velho ergueu a joia.

Stella largou a espada flamejante e sacou a pequena adaga de prata. Vulcano havia lhe ensinado como arremessá-la com precisão mortal. Mas aquilo era treino. E agora se tratava da realidade.

– Olimpo! – gritou o velho.

Stella segurou o punhal da lâmina e prendeu a respiração.

A Corrente Solar se abriu em frente ao velho e ele começou a se mover.

Stella usou toda a sua força para lançar a adaga.

Ele atingiu a criatura hedionda bem no peito.

Ele largou a pedra e cambaleou para o lado, longe da Corrente Solar que se abria.

– A pedra, Stella – gritou o Agente B. – Coloque-a na caixa.

– Maxine, mova-se – gritou Stella. – Leve-me até aquela pedra.

Stella se jogou da cadeira de rodas e se esforçou para soltar a grande caixa dourada sob seu assento.

– Solte a caixa.

A cadeira de rodas se inclinou para trás até a caixa cair dos suportes de retenção. Ela caiu no escorregadio piso de mármore e deslizou para mais longe.

Stella soltou um palavrão e tentou rolar a pedra para dentro da caixa dourada. Mas, enquanto se movia e sentia seu peso, ela percebeu que jamais poderia levantá-la e colocá-la dentro do recipiente.

– Maxine, empurre-a para perto de mim!

A cadeira de rodas fez o que lhe foi ordenado e empurrou a caixa para onde a pedra estava. Stella se ergueu o máximo que pôde e levantou a pesada tampa de ouro.

– Agente B – gritou –, a pedra é muito pesada para mim, não consigo levantá-la e colocá-la na caixa.

Havia apenas três Titãs das Sombras enfrentando o Agente B. À sua volta, estavam dispersos os restos dos outros lutadores. Sua espada flamejante brilhou no ar enquanto rasgava um quarto Titã das Sombras. Com apenas dois guerreiros Tartaruga sobrando, o Agente B correu na direção de Stella.

– Prepare a tampa! – Ele deixou cair a espada e ergueu a pedra pesada no ar. Quando estava prestes a colocá-la na caixa, os dois guerreiros Tartaruga avançaram e perfuraram a armadura do Agente B com suas espadas.

O agente da UCP engasgou em agonia. Stella viu as lâminas cobertas de sangue saindo da frente de sua armadura. As Tartarugas puxaram suas armas e o apunhalaram novamente.

– Pegue a tampa – disse o Agente B, engolindo em seco. Quando caiu, ele usou suas últimas forças para largar a pedra dentro da caixa dourada. Lutando com o peso, Stella conseguiu fechar a tampa sobre a arma.

O Agente B caiu sobre o telhado do palácio e parou de se mexer.

Stella esforçou-se para pegar a caixa. Sem arma alguma, ela olhou com ar desafiador para os rostos cobertos dos Titãs das Sombras que avançavam em sua direção.

37

– Saturno – gritou Emily. – Onde está você, seu mentiroso!

Emily não sabia ao certo há quanto tempo estava no Vácuo Energético. Mas, certamente, era tempo suficiente para que Saturno pudesse trazer Joel para ela, se é que realmente tinha essa intenção.

Ela andava de um lado para o outro, furiosa com a sua prisão. O que estava acontecendo lá fora? Será que os outros estavam bem? Será que haviam conseguido chegar a Titus e obter a arma?

Com Mike ao seu lado, Emily continuou a disparar rajadas de energia, na esperança de encontrar um ponto fraco. Mas toda vez que o fazia, Riza dizia que fortalecia sua prisão.

– Se você realmente quiser sair daqui – avisou Riza –, *terá realmente que encontrar a calma. Pare de usar qualquer um dos seus poderes. Negue sua raiva e sua dor. Traga a paz para si mesma. É a única maneira de derrotar um Vácuo Energético.*

Emily já havia escutado a mesma coisa várias vezes, mas se perguntava como poderia colocar as emoções de lado quando tudo estava em jogo. Finalmente, ela se sentou e apagou a chama em sua mão. Sentada na escuridão, ela se concentrou e tentou respirar com mais tranquilidade.

– Muito bem – disse Riza. – *Agora, vá para algum lugar em sua mente. Vá para onde você fica mais tranquila. Imagine-se por lá e em nenhum outro lugar.*

Emily fechou os olhos. Mike deitou a cabeça em seu colo enquanto ela acariciava, suavemente, todo o seu corpo quente. Ela imaginou que Mike fosse Pegasus. Eles estavam andando juntos na sua praia prateada particular. Era noite e as estrelas estavam refletidas como diamantes na água. O ar era quente e perfumado e os únicos sons que podia ouvir eram os cascos do garanhão na água.

A sensação de calma tomou conta de Emily. Não havia mais nada. Só ela e Pegasus. Nenhuma guerra, nenhuma violência e nenhuma perda – apenas as águas paradas, as estrelas e o garanhão alado ao seu lado.

Emily estava em paz.

Depois de algum tempo, ela levantou a cabeça e sentiu uma leve brisa no rosto. Mas, à medida que os momentos avançavam, as coisas mudavam. Não estava tão quente quanto antes. Na verdade, tudo cheirava a mofo e umidade. Ela abriu os olhos.

A praia de prata havia desaparecido. Pegasus também. Era a cabeça de Mike em seu colo, não a do garanhão. Emily se viu sentada em um chão de pedra frio, em um poço muito profundo.

– *Você conseguiu!* – gritou Riza. – *Emily, você derrotou o Vácuo Energético, apesar das suas emoções. Sinto muito ter duvidado de você.*

Emily se levantou, desorientada. Em um instante, estava com Pegasus na praia prateada, no outro, sozinha em um poço úmido com Mike. O som de água escorrendo vinha de toda parte. Tudo voltou. Ela havia sido encarcerada em um lugar cuja escuridão não tinha limites. Havia a guerra, a arma Titã, e Joel.

Saturno estava com Joel!

– Sim, Riza – disse Emily com raiva. – Eu sou emotiva. Mas isso não significa que sou fraca. Quer dizer que, apesar de todos esses poderes, eu ainda me importo com as pessoas. E, agora, o que mais me importa é encontrar Joel!

Bem acima dela havia uma luz débil. Usando seus poderes, ela tomou impulso e se ergueu do chão. A necessidade urgente de encontrar Joel havia se tornado insuportável. Se Saturno o tivesse machucado, não haveria como detê-la.

No topo do poço, Emily foi recebida por vários Titãs das Sombras. Ela os despachou de forma eficiente com a Chama. A porta vinha logo depois, quando ela usou seus poderes para arrancá-la de suas dobradiças.

– Vamos, Mike, vamos encontrar Joel!

No corredor, Emily se lembrou da prisão em Tártaro. As paredes grossas de pedra estavam cobertas com uma camada de bolor, assim como na carceragem, e o ar cheirava a mofo do mesmo jeito. Ela também recordou a breve viagem que havia feito pela Corrente Solar. Foi muito rápida e muito curta.

– Ainda estamos em Tártaro!

Júpiter lhe dissera que a prisão em Tártaro era enorme. Ela se estendia muito para o fundo, no subterrâneo, e protegia os Titãs contra os efeitos da arma. Como era iria encontrar Joel?

Emily se ajoelhou ao lado do cachorro e coçou suas orelhas.

– Eu vinha pensando como uma humana, quando tenho os poderes dos Xan!

Emily colocou os braços ao redor do cão, fechou os olhos e imaginou o rosto de Joel. Ela se concentrou para que fosse transportada ao local onde o rapaz estava. No momento seguinte, foi parar em uma cela escura.

– Joel?

– Em?

Mike latia animadamente. O alívio tomou conta de Emily quando viu Joel agachando-se para cumprimentar o cachorro. Ele estava imundo, mas vivo!

– Graças a Deus! – gritou Joel enquanto corria para abraçá-la. Ele a levantou do chão e deu-lhe o maior abraço e o melhor beijo que ela já havia provado. – Eu estava tão preocupada! Onde você esteve?

– Saturno me trancou em uma coisa chamada Vácuo Energético.

– Você escapou de um Vácuo Energético? – Um jovem, um pouco mais velho que Joel, desceu de um beliche mais acima.

– Em, este é Prometeu – disse Joel.

Emily franziu a testa para o homem jovem e atraente.

– Como em Carvalho de Prometeu?

– Mais ou menos – disse Joel. – Mas este é o original. Ele é um Titã.

Emily ergueu a mão flamejante para Prometeu.

– Afaste-se de nós!

– Não, Em – gritou Joel. – Ele é legal. Prometeu se rebelou. Nem todos os Titãs estão do lado de Saturno. Aqueles que se opõem a ele estão presos aqui com a gente.

– O que Saturno está fazendo é errado – disse Prometeu. – Eu não podia ficar parado e deixar que destruísse os próprios filhos com essa arma sórdida. Depois do Olimpo, Saturno planeja derrotar a Terra. Estou aqui porque o desafiei.

– Em, temos que sair daqui – disse Joel. – Mas não temos como derrubar a porta da cela. Nem mesmo meu braço prateado vai conseguir.

Emily dirigiu um último olhar desconfiado para Prometeu.

– Tem certeza que podemos confiar nele? –

– Tenho – disse Joel. – Ele já me ajudou. Os Titãs das Sombras queriam me matar, mas ele conseguiu detê-los. Devo minha vida a Prometeu.

– Me desculpe por duvidar de você – disse ela. – Mas esta foi uma semana realmente podre para mim.

– Entendo – disse Prometeu. – No entanto, será muito pior se não pararmos Saturno. Ouvi dizer que ele obteve um voluntário para levar a arma para o Olimpo. Ele já saiu daqui. O tolo vai entregar sua vida à causa de Saturno.

– Não se pudermos detê-lo – disse Emily.

Emily levantou as mãos. As barras foram arrancadas das paredes e toda a parte da frente caiu no chão de pedra, emitindo um som estridente. Ao seu redor, outros presos do Olimpo gritavam para que fossem libertados. Ela parou e invocou seus poderes.

Com um único pensamento, Emily deu uma ordem: "abrir!" Todas as portas das celas se abriram e os prisioneiros foram soltos.

Instante depois, os Titãs das Sombras adentraram os blocos com as celas e começaram a atacar os olímpicos que escapavam.

– *Vocês não vão escapar daqui!* – berrou outra voz.

Emily se virou e viu Saturno em carne e osso. Dava para ver que ele era bem maior do que ela esperava enquanto entrava na sala junto com outros Titãs.

– Afaste-se, Saturno! – gritou Emily. – Não estou mais no Vácuo Energético. Seus poderes podem não funcionar aqui embaixo, mas os meus sim!

– Criança imprudente, é claro que meus poderes ainda funcionam aqui... mais do que nunca. Você realmente acha que pode me desafiar?

– Eu o avisei – devolveu Emily. – Você pode ser um Titã, mas eu sou uma Xan. Será que tenho que provar isso?

– *Emily, não* – avisou Riza. – *Você não deve matar um Titã. Isso vai mudar o futuro.*

– Não há Xan nenhum! – gritou Saturno enquanto erguia a mão.

Emily foi atingida com uma rajada que a levantou do chão e a esmagou contra a parede de uma cela. Ela nunca havia visto esse tipo de poder antes. Aquilo a fez perder as estribeiras e deixou sua cabeça girando enquanto caía no chão.

– Em! – gritou Joel.

– Tão facilmente derrotada – Saturno ria enquanto ele e os outros Titãs avançavam sobre ela. – Vamos ver com que facilidade você morre.

Emily ofegava pesadamente enquanto lentamente se recuperava.

– Afaste-se, Joel. Saturno está prestes a conhecer uma nova-iorquina muito irritada!

Prometeu puxou Joel e o cachorro mais para trás.

– Não sei quem é a sua amiga, mas ela está prestes a morrer.

– Você não conhece a minha Emily – gritou Joel. – Pegue-os, Em. Mostre a eles como fazemos as coisas na cidade.

Emily se levantou cambaleando. Ainda estava meio sem fôlego e sabia que travava a luta de sua vida. Saturno tinha poderes maiores do que ela esperava. Ele poderia feri-la. Talvez até mesmo matá-la.

Ela ergueu a mão e a chama subiu bem alto.

– Este é o último aviso, Saturno. – Ela palpitava enquanto cambaleava para a frente. – Acabe com a guerra agora!

Em resposta, Saturno disparou outra rajada de energia na direção de Emily. Mais uma vez ela foi derrubada violentamente e caiu no chão com um baque doloroso.

– Emily! – gritou Joel.

Ela gemia, mas levantou a mão para Joel.

– Fique para trás.

Seu nariz e seus ouvidos sangravam e se sentia como se tivesse sido atropelada por um trem de carga. Duas vezes. Saturno realmente era muito forte.

Mas, até aí, ela também era.

Emily sentou-se e liberou a Chama. Acertou uma rajada de energia em Saturno que fez o Titã gritar enquanto era jogado para trás por toda a extensão da unidade prisional.

Ela se levantou ao mesmo tempo em que os outros Titãs erguiam suas mãos. Eles combinaram seus poderes e dispararam com tudo em sua direção. Emily achava que Vesta a havia preparado para qualquer coisa. Mas a professora nunca havia imaginado que um dia encararia os líderes titãs.

Emily precisou de toda a concentração para não ser rasgada ao meio pelos imensos poderes dos Titãs. Mas quando sentiu que estava escorregando, ela se lembrou de algo que havia aprendido sobre si mesma. Ela não era mais uma humana. Nem olímpica. Era uma Xan sem corpo – feita de energia pura. Não havia necessidade de energia para enfrentar energia.

Emily relaxou e abriu a guarda. O poder de todos os Titãs a atingiu em cheio e fez com que ela caísse para trás mais uma vez. Mas não podiam destruí-la. Emily percebeu que ela era igual ao Vácuo Energético. Quanto mais atiravam nela, mais forte ela ficava.

À sua frente, os rostos dos Titãs mostravam o tamanho de seus esforços. Saturno se levantou e soltou um grito enfurecido enquanto fundia seus poderes com o dos outros.

Faíscas encheram o ar e a atmosfera ficou carregada de energia. Mas Emily aguentou firme. E reuniu os próprios poderes, reagindo com uma rajada que encheu o corredor da prisão com luz branca ofuscante.

Os Titãs mais próximos dela gritaram enquanto eram instantaneamente vaporizados pela Chama. Saturno e os sobreviventes foram atirados contra a parede. Caíram no chão em uma pilha que gemia e ardia.

– *Oh, Emily* – disse Riza com tristeza. – *O que você fez?*

– O que eu tinha que fazer! – devolveu Emily.

Atrás dela, Joel estava no chão, coberto por Prometeu e dois outros olímpicos. As costas de Prometeu estavam em carne viva e sangrando por conta do calor ardente que preenchera o corredor. Olímpicos estavam espalhados para todos os lados, gemendo baixinho por causa dos ferimentos.

Emily correu em sua direção e começou a curar Prometeu e os outros olímpicos. Ela os puxou para os lados e, abaixo deles, encontrou Joel e Mike.

– Você está bem?

Joel acenou positivamente.

– Graças a Prometeu e esses dois. – Ele foi se sentando lentamente. Sua pele estava rosa e brilhava por causa das queimaduras. Mas sem a proteção de Prometeu, teria sido muito pior. – Uau, Em, você realmente deu uma lição neles!

Emily olhou em volta.

– Onde estão os Titãs das Sombras?

– Você os destruiu – disse Prometeu.

– Prometeu, muito obrigada por ter salvado Joel – disse Emily. – Mas, agora, você nos ajuda a salvar os olímpicos?

– Claro – disse o Titã. – O que posso fazer?

– Se usarmos os meus poderes, você nos guia até Titus?

Chegaram a Titus no meio da batalha. Júpiter e sua equipe lutavam com todas as forças contra os milhares de Titãs das Sombras que fervilhavam.

– Onde Saturno está guardando a arma? – perguntou Joel para Prometeu.

O grande Titã apontou para o palácio de Saturno.

– Ele a desenvolveu no subsolo, bem no fundo da terra, e depois a trouxe para cá. É daqui que eles a estão lançando. Mas chegamos tarde demais.

– Como você sabe? – perguntou Emily.

– Porque estou me sentindo bem – disse Prometeu, com tristeza. – Assim como os olímpicos que estão enfrentando os Guerreiros das Sombras. Se a arma ainda estivesse aqui, estaríamos muito mal. Ela já deve ter sido enviada para o Olimpo. E destruirá tudo por lá antes de seus poderes chegarem aqui. Em breve vai matar todos nós.

– Não! – gritou Emily. Ela percebeu que Prometeu estava certo. Os Três Grandes pareciam mais jovens e fortes enquanto enfrentavam os Titãs das Sombras. Os Quatro Guerreiros eram quase imbatíveis enquanto usavam suas espadas flamejantes para despachar todos os que se aproximavam. Briareos estava destruindo Sombras às centenas.

– Não podemos ter chegado tarde demais! – Emily os ergueu no ar e voou para o palácio de Saturno. À medida que se aproximavam, Emily viu Stella no telhado... e lá estava a caixa dourada! Mas quando olhou mais de perto, viu Stella em graves apuros – dois Titãs das Sombras iam em sua direção, com as armas nas mãos.

Emily disparou uma rajada de fogo que destruiu instantaneamente os dois Titãs das Sombras.

– A arma ainda está aqui? – perguntou Joel enquanto pousavam no telhado.

Stella acenou com a cabeça.

– Está na caixa. – Ela empurrou a caixa para o lado e se arrastou até onde estava o Agente B, esforçando-se para remover o elmo.

– Ajude-o!

No momento em que o elmo se soltou, eles viram que o Agente B já estava morto. Emily estendeu a mão e acariciou o rosto do agente da UCP.

– Isso não acabou entre nós, Agente B – disse ela suavemente. –Verei você novamente, muito em breve. – Ela se inclinou para a frente, puxou o pendente de Pegasus em seu pescoço e beijou sua testa delicadamente. – Logo te devolvo isso.

– O Agente B parou de lutar para colocar a arma dentro da caixa – disse Stella, com tristeza. – Ele deu a vida pelos olímpicos.

– Ele realmente mudou – disse Joel. – Quando as coisas pioraram, ele ficou do lado dos olímpicos.

Emily se ajoelhou diante da caixa dourada e sentiu seu peso com a pedra trancada em seu interior. Ela se agarrou ao pingente.

– Acabou, Pegs, logo vamos estar em casa.

– Acabou? – disse Prometeu. – Longe disso. Há ainda muitos Titãs das Sombras para serem destruídos. E embora você tenha ferido Saturno, ainda não o derrotou. Ele se erguerá novamente.

Joel estendeu a mão para Prometeu.

– Sim, ele voltará, mas Júpiter e os olímpicos o derrotarão. Saturno está destinado a permanecer em Tártaro.

– Como você pode saber disso? – perguntou Prometeu.

Joel olhou para Emily e Stella.

– Confie em mim. Eu sei.

Eles voaram de volta para o campo de batalha onde os últimos Titãs das Sombras haviam tombado.

Mike voltou correndo para Emily, abanando a cauda de felicidade, enquanto carregava um elmo de tartaruga.

Júpiter abraçou Emily com força.

– Graças às estrelas! Temíamos o pior. Quando meu pai a capturou, não sabíamos o que poderia acontecer. – Ele abaixou a cabeça e deu um leve sorriso enquanto seus olhos brilhavam.

– Você pode me perdoar por não ter ido atrás de você?

– Não há nada a perdoar. Você tinha que vir atrás da arma. Emily apontou para a caixa dourada. – E lá está ela, trancada com segurança na caixa, graças à Stella e ao Agente B.

– Onde está o Agente B?

– Ele morreu protegendo vocês – disse Stella suavemente.

– Então ele deverá ser lembrado pelo resto dos tempos como um herói do Olimpo. – Júpiter deu uma piscadela atrevida na direção de Emily. – Fico me perguntando o que a UCP acharia disso.

– Acho que o Agente B ficaria emocionado. A UCP? Nem tanto.

Joel colocou o braço em volta de Emily.

– Vamos lá, Em, vamos acabar com isso. Não gosto de saber que essa coisa está andando por aí. Que tal se você a destruir para que possamos todos voltar para casa.

– Ainda não, Joel – disse Netuno. – Há ainda mais uma coisa que temos que fazer.

38

Eles chegaram ao Templo de Poseidon no Cabo Sunião. Netuno tinha razão. Havia mais uma coisa a ser feita. O passado havia sido alterado e os Três Grandes ainda eram jovens.

– Temos que ser a mesma coisa – insistiu Netuno – para evitar que tenhamos que alterar o futuro que você conhece.

– Sua idade não pode fazer tanta diferença – argumentou Emily. – Por favor, deixe-me destruir a arma.

– Não – disse Júpiter. – Temos que ser como você se lembra de nós.

Emily odiava a ideia de expô-los novamente à arma. Era perigoso, e pura tortura. Mas estavam decididos. Só os Três Grandes precisavam envelhecer, de modo que era hora de os outros olímpicos se despedirem e irem embora.

– Tem certeza que não pode ficar comigo? – perguntou Vulcano para Stella. – Vou ficar perdido sem você.

Stella abraçou o olímpico robusto.

– Quem dera eu pudesse. Mas preciso voltar para a minha família e para a minha vida. Prometo que nunca mais vou me esquecer de você e de tudo o que me ensinou! – disse ela em meio a lágrimas.

– Obrigado por tudo, Vulcan. Vou te ver em breve – prometeu Emily.

– Em breve para você, talvez – resmungou Vulcano. – Para mim, será uma eternidade.

– E para mim – acrescentou Chiron. Ele se curvou até a cintura. – Vocês são todos guerreiros fortes e fizeram por merecer o seu lugar entre nós.

A guerra estava longe de terminar e os olímpicos eram necessários em outro local. Agora apenas com os Três Grandes, Emily usou seus poderes para abrir o buraco no chão, onde a caixa seria enterrada.

Joel ergueu a caixa de ouro que Maxine carregava e a colocou no chão à sua frente. Ele abriu a tranca e segurou a tampa até tudo estar pronto.

– OK, vou mantê-la aberta até vocês ficarem do jeito como nós nos lembramos, e depois a fecharei novamente.

Júpiter olhou para os irmãos.

– Estamos prontos.

Joel abriu a caixa dourada e os Três Grandes caíram no chão, contorcendo-se em agonia enquanto a arma titã os afetava.

Foi necessária toda a força de vontade de Emily para não fechá-la novamente, enquanto observava os três jovens olímpicos começando a envelhecer. Enquanto cada segundo se passava, seus cabelos foram crescendo e ficando ásperos e grisalhos. Longas barbas apareceram em seus rostos outrora macios. Suas sobrancelhas ficaram longas e espessas e rugas profundas passaram a cortar sua pele. Seus troncos musculosos foram murchando e revelaram os corpos de homens bem mais velhos.

– Agora, Joel! – gritou Emily quando Júpiter passou a ostentar a aparência da qual ela se lembrava.

Joel fechou a caixa.

Os Três Grandes ficaram quase inconscientes. Emily tocou cada um deles, na esperança de que seus poderes pudessem, pelo menos, aliviar o sofrimento. Funcionou. Em pouco tempo, eles se sentaram.

– Você nos conheceu assim? – gritou Plutão, olhando para os irmãos. – Somos velhos!

Emily acenou com tristeza, já sentindo a falta dos jovens que ela conheceu e gostou.

– Mas vocês ainda são muito poderosos.

Júpiter tentou se erguer no ar.

– Não posso mais voar.

Netuno tentou.

– E eu não posso mais me transportar! Somos meras sombras do que éramos. Como poderemos continuar?

– Vocês sempre serão os Três Grandes – disse Emily. – Quando combinarem seus poderes, serão imbatíveis. A aparência não importa. Vocês me ensinaram isso.

– Então eu fui um tolo – suspirou Júpiter, mas depois começou a rir. – Bem, há algumas mulheres que acham que homens mais velhos são mais charmosos.

– É verdade, irmão – concordou Netuno.

Precisando voltar para a batalha, Júpiter deu um último e forte abraço em Emily.

– Não tenho como lhe dizer o quanto estou grato por vocês terem vindo até nós. Sentirei a falta de todos vocês, mais do que podem imaginar. – De repente, o brilho da juventude voltou para seus olhos. – Talvez até mais do que da minha juventude perdida!

– Por favor, tenham cuidado – disse Emily, abraçando cada um deles.

Antes que partissem, Joel os alertou para que não os reconhecessem do passado quando se encontrassem pela primeira vez durante o conflito dos Nirad.

– Entendo – disse Júpiter. – O futuro e as lembranças dele devem ser protegidos. Mas isso não quer dizer que eu não vou ficar contando os dias para vê-los novamente.

Com um aceno final, os Três Grandes usaram a Corrente Solar para retornar à batalha.

– E agora? – disse Stella.

– Agora vamos destruir essa arma! – disse Emily. – Joel, abra a caixa e vou atirar nela com tudo o que tenho.

– Espera! – gritou Stella. Ela sacou a adaga de prata que havia usado nos Titãs e a entregou para Emily.

– Meus pais acharam este punhal ao lado da caixa. Quando a abrirem, quero que encontrem isso em seu interior em vez da rocha. Ela impediu que os Titãs mandassem a arma para o Olimpo. Vulcano me ajudou a fazê-la e a quero de volta para me lembrar dele.

Emily sorriu.

– Boa ideia. – Ela deu um passo atrás enquanto Mike vinha se sentar no chão ao seu lado.

Joel ajoelhou-se atrás da caixa e estendeu a mão para abrir novamente a tranca.

– Vou contar até três. Um... dois... três!

Emily invocou a Chama assim que Joel abriu a tampa. Ela disparou com tudo o que tinha contra a arma titã. A pedra foi ficando brilhante e vermelha até desaparecer com um estalo.

Mas no instante em que a arma sumiu, Joel e Stella desapareceram.

– Joel? – gritou Emily. – Joel, cadê você?

O pânico tomou conta dela enquanto olhava ao redor para procurar Joel e Stella. Maxine ainda estava lá. No lugar onde Joel estava parado, Emily encontrou suas roupas e o pingente de Pegasus. O de Stella estava em cima do assento de sua cadeira de rodas.

– Joel! – berrou Emily.

– *Acalme-se* – disse Riza.

– Mas Joel se foi!

– *Sim, claro* – concordou Riza. – *Você não entende? Esse era o botão de reinicialização do Agente B. As coisas voltaram a ser como eram antes de a arma ser encontrada. Muitos milhares de anos depois de agora, os pais de Stella vão abrir a caixa de ouro e encontrar apenas a adaga que você está prestes a colocar dentro dela.*

"Sem a arma, a vida no Olimpo, em Xanadu e na Terra continuará como se esse incidente nunca tivesse acontecido. E, sem a arma, não havia necessidade para que voltasse ao passado".

"Quando retornar a Xanadu, verá que Joel e os outros não se lembrarão de nada. Para eles, não houve viagem ao passado, porque você alterou a linha do tempo. Só você e os olímpicos que permaneceram aqui é que vão se lembrar do que realmente aconteceu".

Emily se sentia muito confusa para entender o que Riza queria dizer.

– Mas se isso era o botão de reinicialização, por que Mike e eu ainda estamos aqui?

Riza riu suavemente.

– *Eu lhe disse, criança, somos Xan. Vivemos fora dos limites de tempo ou espaço. Não somos limitados por suas regras. Mike a tocava quando você destruiu a arma. Você o protegeu. Ele também existe além das fronteiras do tempo. Vamos, Pegasus está esperando. Leve-nos para casa.*

Epílogo

Emily e Mike chegaram a Xanadu no exato instante em que Apolo havia retornado do Olimpo para lhes dizer que Júpiter estava muito doente e que deviam voltar.

Mas agora tudo era diferente e, em vez disso, Apolo anunciou um banquete, planejado para celebrar a descoberta de Xanadu, e que os Três Grandes estavam a caminho.

Emily ficou em um silêncio atordoado, despreparada para a reação ao seu retorno. Até porque *não houve* reação, exceto pelo choque em relação ao súbito aparecimento do cachorro. Até onde todo mundo sabia, ela não havia saído dali.

Mas Emily saiu do seu torpor assim que pôs os olhos em Pegasus.

– Pegs! – Ela gritou e correu para o garanhão. Jogou alegremente os braços ao redor de seu pescoço e o abraçou com força. Ele estava jovem, forte e magnífico, exatamente do jeito que ela se lembrava. Emily jurou que os dois nunca mais se separariam.

Emily também foi tomada pela emoção quando viu Paelen. Ela o abraçou com força e quase espremeu o que ele tinha de vida na essência.

– Também te amo, Paelen – disse ela, rindo. Em seguida, bateu nele por ter sido um herói tão tolo ao se meter com dragões e morrer.

Paelen olhou para Emily como se ela tivesse perdido a cabeça. Colocou a mão em sua testa para ver a temperatura e sugeriu que fizesse um longo repouso.

– Não estou louca, Paelen – gritou ela, com alegria. – Só estou feliz por você estar vivo e jovem novamente!

A alegria de Emily continuou enquanto cumprimentou cada um dos olímpicos que havia perdido. Diana estava ao lado do pai de Emily, parecendo tão jovem e bonita como sempre. Apollo estava forte e seguro. Estavam todos lá e eram todos jovens.

Emily tentou explicar tudo o que havia passado. Mas mesmo com Mike ao seu lado como prova e os pingentes de Pegasus, eles ainda não acreditavam nela.

Para Emily, o mais difícil era ver Joel novamente.

Riza havia lhe avisado que haveria um preço caro a se pagar quando ela voltasse. Emily nunca imaginou que seria ele. Ninguém acreditava nela. Nem mesmo Joel.

Tudo o que haviam compartilhado no passado se perdera. O beijo, o fato de terem finalmente admitido o que um sentia pelo outro – tudo se foi. Ele não se lembrava, porque, para ele, nada havia acontecido.

Os Três Grandes chegaram ao acampamento junto com os olímpicos que serviram na guerra, incluindo os Cem-braços, os Quatro Guerreiros e Prometeu.

Vulcano estava com Seren e Jasmine, e empurrava Maxine. Ele foi até Emily.

– Eu já esperei tempo suficiente! Você precisa voltar à Terra e buscar minha Stella de volta. A forja não tem sido a mesma desde que ela foi embora.

Emily sorriu para o olímpico rude.

– Eu vou, eu prometo.

Vesta chegou e abraçou Emily.

– Como esperei para falar com você sobre isso. Durou uma eternidade!

Todos no acampamento ficaram em um silêncio atordoado enquanto Júpiter finalmente contava a história completa da guerra Titã – incluindo a chegada de um grupo de viajantes do tempo, liderados por uma jovem e poderosa Xan – que os salvou da derrota.

– Esperei uma eternidade para contar essa história. Júpiter deu um forte abraço em Emily. – Agora que não deixamos ninguém para trás, podemos finalmente falar do nosso passado em comum e permitir que a verdadeira história seja conhecida por todos! – Ele a presenteou com dois livros muito antigos. – No calor da última batalha em Titus, você deixou isso aqui para trás.

Os olhos de Emily se abriram.

– Os diários! Estava achando que haviam se perdido para sempre! – Ela deu os livros para o pai. – Olha só, papai, eu lhe disse que mantive um diário do tempo que passei por lá. O Agente B fez a mesma coisa!

– Sinto muito não ter acreditado em você – Joel pediu desculpas quando ele e Paelen encontraram um momento para ficar a sós com Emily. – Foi uma história tão frenética, e, honestamente, você nunca desapareceu.

– Entendo – disse Emily com tristeza enquanto olhava para os dois jovens que admitiram tê-la amado, mas que não sabiam que ela estava a par de tudo. – Só gostaria que pudessem lembrar para que pudéssemos conversar sobre isso. Passamos por tanta coisa juntos.

Joel se aproximou de Pegasus e lhe deu um tapinha.

– Se Paelen e Pegasus realmente morreram, eu não quero me lembrar de nada.

Paelen deu seu sorriso torto e empurrou Joel.

– Você só não quer lembrar que eu era um herói que combatia dragões!

– Aposto que fui um herói também!

– Vocês dois foram meus heróis – disse Emily. Ela sorriu para Paelen. – Mesmo que você ainda seja um ladrão.

– Eu não sou ladrão! – insistiu Paelen.

– Ah, não? – Emily estendeu a mão e o anel de safira. – Vulcano me disse que você roubou metade das ferramentas da forja. E depois roubou isso de Minerva para me dar.

Paelen examinou o anel.

– Não me lembro disso.

– Mas eu sim, Paelen – disse ela enquanto o beijava na bochecha. – Lembro-me de tudo.

Com os horrores da guerra ainda frescos na mente, Emily não conseguia dormir. Seus sonhos estavam cheios de Titãs das Sombras, dragões e da morte de Pegasus. Toda noite ela revivia todas as coisas terríveis que vira em Tártaro.

Em cada pesadelo, Pegasus lhe vinha. Emily costumava subir em suas costas e levar Mike junto. Eles viajavam para a praia prateada ao lado do lago calmo. Enquanto as estrelas brilhavam, lançando seu clarão de diamante na água, passavam longas noites caminhando ao longo da costa. Emily jogava um pedaço de pau para que Mike fosse buscar enquanto contava histórias do passado para Pegasus, e sobre como pensar nele e na praia prateada a libertara do Vácuo Energético.

Emily se sentia grata por ter Pegasus de volta à sua vida.

– Senti tanto a sua falta, Pegs. Foi uma agonia quando você me deixou.

Pegasus relinchou baixinho e encostou seu rosto no dela.

Os dois se sentaram juntos e em silêncio, até que, calmamente, Emily enfiou a mão na túnica e tirou de dentro o diário do Agente B. Dentro ela encontrou o pingente de Pegasus que pertencia ao agente, bem onde ela o havia deixado há tanto tempo. Ela o mostrou para o garanhão.

– Ele também gostava de você, Pegs, e nunca tirou isso. Quero que você conheça o Agente B. Quero que entenda o que ele fez por nós.

Ela acendeu a mão e abriu as velhas páginas desbotadas do diário do Agente B. Até aquele instante, ela não havia sido capaz de lê-lo. Mas quando virou a primeira página, encontrou um bilhete para ela.

Minha querida Emily,

Se você está lendo isso e eu estou vivo, que vergonha! Feche o diário agora mesmo e o jogue fora...

Mas se você estiver lendo isso porque estou morto, por favor, continue... Emily Jacobs, você é, talvez, a garota mais teimosa que já conheci. Pode ser irritante além da medida, irracional e exasperada. Mas também é um das pessoas mais leais e solidárias que eu tive o prazer de conhecer.

Já estamos lutando lado a lado há meses. Sofremos juntos, sangramos juntos e, às vezes, chegamos até a rir juntos.

Enquanto estamos diante do nosso maior desafio até agora, tenho a estranha sensação de que não vou sobreviver. Se eu não permanecer vivo, se é verdade que morri, eu lhe peço, por favor, para que venha me encontrar em Londres. Encontre-me e me afaste da UCP.

Deixe-me conhecê-los novamente. Deixe-me chamar você, Pegasus, Joel, os olímpicos e aquele vira-lata sarnento do Mike de meus amigos. Por favor, Emily, encontre-me e salve-me de mim mesmo.

Atenciosamente,

Benedict Richard Williams

P.S. É aqui onde você vai me encontrar.

Emily leu o endereço em Londres. Ela olhou para Pegasus.

– Seu nome era Benedict. Durante todo esse tempo, eu sempre o chamei de Agente B. – Ela releu a mensagem. – Vamos fazer isso, Pegs. Vamos voltar e encontrá-lo e levá-lo para longe da UCP.

Emily folheou as páginas do diário. Ela viu que o Agente B não só havia escrito textos no livro, como também fizera belos esboços com caneta e tinta. A jovem começou a sorrir.

O Agente B havia feito um esboço que mostrava os jovens e belos Três Grandes, ao lado de Chiron. Outro desenho mostrava Paelen montado sobre Brue – a Mãe da Floresta já havia começado a assumir sua face feroz e a imagem mostrava seu pelo desgrenhado e os dentes longos e afiados. Outra ilustração revelava Emily e Joel em uma batalha contra os Titãs das Sombras. O velho Pegasus estava do seu lado enquanto Mike aparecia do outro. Ela levantou a página para que Pegasus a visse.

– Olha só, está cheia de desenhos.

Emily encontrou outro esboço que a pegou pelo coração. Era um momento de silêncio entre ela e um Pegasus já bem idoso. Nele, Emily estava com uma escova na mão e gentilmente dava um trato no garanhão. Ela se lembrava de ter feito isso não muito tempo antes de ele morrer. Emily acariciou a imagem e suspirou com tristeza. Fechou o diário e olhou para o rosto jovem e robusto de Pegasus.

– Eu estava com tanto medo de que não fosse mais ver você novamente – disse ela delicadamente. – Não posso viver sem você. Mas o Agente B tinha razão, o botão de reiniciar trouxe você de volta para mim. Não importa o que vai acontecer, Pegs, nada vai nos separar novamente!

Este livro foi composto em Adobe Garamond
para a LeYa em dezembro de 2013